DIGA AOS
LOBOS QUE
ESTOU EM CASA
CAROL RIFKA BRUNT

Diga aos lobos que estou em casa

Carol Rifka Brunt

Tradução

Bárbara Menezes

Novo Conceito

Título original: *Tell the wolves I´m home*

Esta é uma obra de ficção. Os nomes, personagens, lugares e acontecimentos descritos são produto da imaginação do autor. Qualquer semelhança com nomes, datas e acontecimentos reais é mera coincidência.

1ª Impressão — 2014

Produção Editorial:
Equipe Novo Conceito
Impressão e Acabamento RR Donnelley 220114

Este livro segue as regras da Nova Ortografia da Língua Portuguesa.

Dados Internacionais de Catalogação na Publicação (CIP)
(Câmara Brasileira do Livro, SP, Brasil)

Brunt, Carol Rifka
Diga aos lobos que estou em casa / Carol Rifka Brunt; tradução Bárbara Menezes. -- Ribeirão Preto, SP: Novo Conceito Editora, 2014.

Título original: Tell the wolves I'm home.
ISBN 978-85-8163-392-3

1. Ficção norte-americana I. Título.

14-00224 CDD-813

Índice para catálogo sistemático:

1. Ficção : Literatura norte-americana 813

Novo Conceito

Rua Dr. Hugo Fortes, 1885 – Parque Industrial Lagoinha
14095-260 – Ribeirão Preto – SP
www.editoranovoconceito.com.br

Para Maddy, Oakley e Julia

Um

Minha irmã Greta e eu seríamos pintadas em um retrato pelo nosso tio Finn naquela tarde porque ele sabia que estava morrendo. Isso foi depois de eu entender que eu não cresceria e me mudaria para o apartamento dele para morar lá com ele pelo resto da minha vida. Depois que parei de acreditar que a coisa toda da AIDS era algum tipo de erro grande. Quando ele pediu pela primeira vez, minha mãe disse não. Ela disse que havia algo de macabro nisso. Quando pensou em nós duas sentadas no apartamento de Finn com suas janelas enormes e o aroma de lavanda e laranja, quando pensou nele olhando para nós como se pudesse ser a última vez que nos veria, ela não aguentou. E, disse, era um caminho longo para dirigir do norte de Westchester até Manhattan. Cruzou os braços na frente do peito, olhou direto para os olhos azuis-passarinho de Finn e disse a ele que simplesmente era difícil encontrar tempo naqueles dias.

– Nem me fale – disse ele.

Foi isso que a desmontou.

Agora, tenho 15 anos, mas ainda tinha 14 naquela tarde. Greta tinha 16. Era 1986, final de dezembro, e estávamos indo à casa de Finn uma tarde de domingo por mês havia seis meses. Sempre éramos apenas minha mãe, Greta e eu. Meu pai nunca foi e estava certo em não ir. Ele não era parte daquilo.

Eu me sentei na fileira de bancos do fundo da minivan. Greta se sentou na fileira à minha frente. Tentei arrumar dessa forma para que eu pudesse olhar para ela sem ela saber. Observar pessoas é um bom hobby, mas você precisa ter cuidado. Não pode deixar que as pessoas o peguem olhando. Se o pegam, elas o tratam como um criminoso de primeira grandeza. E talvez estejam certas em fazer isso. Talvez devesse ser crime tentar ver nas pessoas coisas que elas não querem que você veja. Com Greta, eu gostava de observar a forma como seu cabelo escuro e liso refletia o sol e a maneira como as pontas dos óculos pareciam duas pequenas lágrimas perdidas, escondidas logo atrás das orelhas dela.

Minha mãe tinha sintonizado na KICK FM, a estação de country, e, embora eu não goste muito desse tipo de música, às vezes, se você deixar, o som de todas aquelas pessoas cantando com tanta emoção pode trazer à mente antigos churrascos em família no quintal e encostas de morros nevados com crianças em trenós e jantares de Ação de Graças. Coisas que fazem bem. Por isso minha mãe gostava de ouvir essa rádio no caminho para a casa de Finn.

Ninguém conversava muito naquelas viagens até a cidade. Eram apenas o deslize macio da van e a música country sentimental e o Rio Hudson cinza com a maciça Nova Jersey cinza do outro lado. Eu ficava de olho em Greta o tempo todo porque isso me fazia parar de pensar tanto em Finn.

A última vez que o visitamos foi em um domingo chuvoso de novembro. Finn sempre fora magro — como Greta, como minha mãe, como eu queria ser —, mas, naquela visita, vi que ele passara para uma categoria totalmente nova de magreza. Os cintos estavam muito grandes e, assim, em vez deles, ele amarrou uma gravata verde-esmeralda em volta da cintura. Eu estava olhando para aquela gravata, perguntando-me quando ele poderia tê-la usado pela última vez, tentando imaginar que tipo de ocasião teria sido apropriada para algo de cor tão viva e tão iridescente quando, de repente, Finn tirou os olhos da pintura, o pincel parado no ar, e disse para nós:

– Não vai demorar muito agora.

Greta e eu fizemos que sim com a cabeça, embora nenhuma de nós soubesse se ele estava falando da pintura ou de sua morte. Mais tarde, em casa, eu disse à minha mãe que ele parecia um balão esvaziado. Greta disse que ele parecia uma pequena mariposa cinza enrolada na teia de uma grande aranha cinza. Isso porque tudo em Greta é mais bonito, até mesmo a forma como ela diz as coisas.

Era dezembro, então, a semana antes do Natal, e estávamos presas no trânsito perto da Ponte George Washington. Greta virou-se no banco para olhar para mim. Ela me lançou um sorrisinho torto e colocou a mão no bolso do casaco para tirar um pouquinho de visgo. Fizera isso nos dois Natais anteriores, carregara um pedaço de visgo por aí para pular nas pessoas com ele. Ela o levara para a escola e nos aterrorizara em casa com isso. Seu truque favorito era chegar escondida atrás dos nossos pais e depois pular segurando o visgo sobre a cabeça deles. Eles não eram do tipo que mostra carinho em público, e, por isso, Greta adorava forçá-los a isso. Na van, ela balançou o visgo no ar, passando-o bem na minha cara.

– Espere só, June – disse. – Vou segurar isto em cima de você e do tio Finn e, aí, o que você vai fazer?

Sorriu para mim, esperando.

Eu sabia o que ela estava pensando. Eu teria de ser grosseira com Finn ou me arriscar a pegar AIDS, e ela queria me ver decidir. Greta sabia o tipo de amigo que Finn era para mim. Sabia que ele me levava para galerias de arte, que me ensinara a suavizar meus desenhos de rostos apenas esfregando o dedo pelas linhas dos lápis. E sabia que ela não fazia parte de nada disso.

Encolhi os ombros.

– Ele simplesmente vai me beijar no rosto.

Porém, mesmo enquanto eu dizia isso, pensei em como os lábios de Finn estavam sempre rachados em retalhos naquela época. Como às vezes havia pequenos cortes onde eles começavam a sangrar.

Greta inclinou-se, descansando os braços no encosto do assento dela.

– É, mas como você vai saber se os germes de um beijo não podem entrar pela pele da sua bochecha? Como vai ter certeza de que eles não podem de alguma forma nadar para o seu sangue passando pelos poros abertos?

Eu não sabia. E não queria morrer. E não queria ficar cinza.

Encolhi os ombros de novo. Greta virou-se de volta no banco, mas, mesmo por trás, eu conseguia ver que ela estava sorrindo.

Começou a chover granizo, e as pequenas pepitas de gelo molhado espirravam contra a janela enquanto passávamos de carro pelas ruas da cidade. Tentei pensar em algo bom para responder a Greta, algo para fazê-la saber que Finn nunca me colocaria em perigo. Pensei em todas as coisas que Greta não sabia a respeito dele. Como a maneira como ele me contara que o retrato era apenas uma desculpa. Que ele vira a minha expressão na primeira vez que tínhamos ido lá para uma sessão de pintura. Que ele esperara que minha mãe e Greta fossem na frente para a sala de estar e, naquele momento, quando estávamos apenas os dois no estreito corredor dentro do apartamento de Finn, ele colocara a mão no meu ombro, inclinara-se e sussurrara no meu ouvido:

– De que outra forma eu conseguiria todos estes domingos com você, Crocodilo?

Porém, aquilo era algo que eu nunca poderia contar a Greta. Em vez disso, quando estávamos na garagem mal-iluminada, saindo da van, soltei:

– De qualquer forma, a pele é à prova d'água.

Greta apertou a porta com delicadeza para fechá-la e, depois, contornou a traseira da van até o meu lado. Ficou parada lá por alguns segundos, me encarando. Encarando meu corpo grande e desengonçado. Puxou as alças da mochila para apertá-las contra seus pequenos ombros de pardal e balançou a cabeça de um lado para o outro.

– Acredite no que quiser – disse, virando-se e indo para a escada.

Aquilo era impossível, e Greta sabia. Você podia tentar acreditar no que quisesse, mas nunca funcionava. Seu cérebro e seu coração decidiam no que você ia acreditar e pronto. Gostasse você ou não.

Minha mãe passava as horas na casa do tio Finn na cozinha, fazendo chá para nós em um magnífico bule russo, que era colorido em dourado e vermelho e azul, com pequenos ursos dançarinos gravados em volta das laterais. Finn dizia que o bule era reservado para servir chá às suas pessoas favoritas. Sempre estava esperando por nós quando íamos lá. Da sala de estar, podíamos ouvir minha mãe organizando os armários de Finn, tirando jarros e latas, pratos e canecas e colocando-os de volta. De vez em quando, ela saía para nos dar o chá, que geralmente ficava frio porque Finn estava ocupado pintando e Greta e eu não podíamos nos mexer. Em todos aqueles domingos, minha mãe mal olhava para Finn. Era óbvio que ela estava sendo quebrada em pedaços porque seu único irmão estava morrendo. Mas, às vezes, eu achava que havia mais. Ela também nunca olhava para a pintura. Vinha, apoiava o bule de chá e passava direto pelo cavalete, esticando o pescoço para o outro lado. Às vezes, eu achava que não tinha nada a ver com Finn. Às vezes, parecia que eram as telas, os pincéis e a tinta que ela estava tentando não ver.

Naquela tarde, nós ficamos sentadas por uma hora e meia enquanto Finn nos pintava. Ele tinha colocado para tocar o *Requiem* de Mozart, que Finn e eu adorávamos. Embora eu não acredite em Deus, ano passado convenci minha mãe a me deixar entrar no coral da igreja católica da nossa cidade só para poder cantar *Kyrie*, de Mozart, na Páscoa. Eu nem mesmo sei cantar de verdade, mas acontece que, se você fechar os olhos enquanto canta em latim e se ficar bem no fundo para poder manter uma mão contra a parede de pedra fria da igreja, pode fingir que está na Idade Média. Por isso fiz aquilo. Por isso estava nessa.

O *Requiem* era um segredo entre mim e Finn. Apenas nós dois. Nem precisávamos olhar um para o outro quando ele o colocava. Ambos entendíamos. Ele havia me levado a um concerto em uma linda igreja na 84th Street certa vez e me dissera para fechar os olhos e escutar. Foi quando o ouvi pela primeira vez. Foi quando eu me apaixonei por essa música.

– Ela vai subindo por você, não vai? – ele dissera. – Ela a faz ficar calma, pensando que é agradável e inofensiva, só vem no seu passo irregular e, de repente, bum, lá está ela, erguendo-se toda ameaçadora. Toda em tambores grandes e cordas agudas gritando e vozes sombrias e profundas. Depois, com a mesma rapidez, ela diminui de novo. Viu, Crocodilo? Viu?

Crocodilo era um nome que Finn inventara para mim porque dizia que eu era como algo de outra época que ficava à espreita, observando e esperando, antes de tomar uma decisão sobre as coisas. Eu adorava quando me chamava assim. Ele ficara sentado naquela igreja tentando garantir que eu entendera a música.

– Viu? – repetira.

E eu vi. Pelo menos pensei ver. Ou talvez tenha apenas fingido que vi, porque a última coisa que queria era que Finn pensasse que eu era idiota.

Naquela tarde, o *Requiem* flutuou por cima de todas as coisas bonitas do apartamento de Finn. Seus tapetes turcos macios. A velha cartola de seda com o lado gasto virado para a parede. Aquele grande e velho pote Mason cheio até o topo com todas as cores e estampas possíveis de palhetas de violão. Finn as chamava de palhetas em conserva porque as guardava naquele pote de comida. A música flutuava pelo corredor e passava pelo quarto dele, que estava fechado, privado, como sempre. Minha mãe e Greta não pareciam reparar na maneira como os lábios de Finn se mexiam junto com a música: *voca me cum benedictus... gere curam mei finis...* Elas não faziam nem ideia de que estavam ouvindo uma música de morte, o que era bom, porque, se minha mãe soubesse o que era, teria desligado na hora. Na. Hora.

Depois de um tempo, Finn virou a tela para podermos ver o que havia feito. Era algo importante, pois era a primeira vez em que ele nos deixava ver a pintura de verdade.

– Olhem com mais atenção, meninas – disse.

Ele nunca conversava enquanto trabalhava, e, assim, quando enfim falou, sua voz foi apenas um sussurro fino e seco. Um pequeno tremor de constrangimento atravessou o rosto dele, e, depois, ele pegou uma xícara de chá frio, deu um gole e limpou a garganta.

– Danni, você também, vem aqui, vem ver.

Minha mãe não respondeu, e então Finn a chamou na cozinha de novo.

– Vem. Só por um segundo. Quero ver o que você acha.

– Depois – ela gritou de volta. – Estou no meio de uma coisa.

Finn continuou olhando na direção da cozinha como se esperasse que ela mudasse de ideia. Quando ficou óbvio que não mudaria, ele franziu as sobrancelhas e, depois, virou-se de volta para a tela.

Ele se empurrou para levantar da velha poltrona azul em que sempre pintava, tremendo enquanto colocava a mão no encosto por um segundo, equilibrando-se. Deu um passo para trás, e pude ver que, além da gravata verde na cintura, a única cor que Finn tinha estava nas pequenas manchas de tinta por todo o avental branco. As cores de Greta e minhas. Senti vontade de arrancar o pincel da mão dele para poder colori-lo outra vez, pintá-lo para ser como era antes.

– Graças a Deus – Greta disse, alongando os braços acima da cabeça e dando uma balançada no cabelo.

Fiquei olhando o retrato. Vi que Finn me colocara levemente no primeiro plano, apesar de não estarmos sentadas daquela forma, e sorri.

– Não está pronto... está? – perguntei.

Finn se aproximou e ficou parado perto de mim. Ele tombou a cabeça e olhou para o retrato, para a Greta pintada e, depois, para mim, pintada. Piscou, olhando bem nos olhos daquela outra eu. Inclinou-se até seu rosto quase tocar a tela molhada, e eu senti arrepios picarem meu braço.

– Não – respondeu, balançando a cabeça de um lado para o outro, ainda encarando o retrato. – Não exatamente. Você vê? Falta alguma coisa. Talvez alguma coisa no fundo... Talvez um pouco mais no cabelo. O que você acha?

Soltei a respiração e relaxei o peito, incapaz de conter um sorriso. Fiz que sim, balançando a cabeça.

– Eu também acho. Acho que temos que vir mais algumas vezes.

Finn sorriu de volta e esfregou a mão pálida pela testa pálida.

– Sim, mais algumas – falou.

Ele perguntou o que achávamos da pintura até então. Eu disse que estava fantástica e Greta não disse nada. Ela estava de costas para nós. Não estava nem olhando o retrato. As duas mãos estavam no bolso, e, quando ela se voltou devagar, seu rosto estava sem emoção. Greta tem uma característica. Ela consegue esconder tudo o que está pensando. Só sei que, em seguida, tirou o visgo do bolso e ficou em pé, levantando-o em uma mão. Ela o empurrou para a frente e para trás como se estivesse cortando o ar acima das nossas cabeças, como se estivesse segurando alguma coisa melhor do que apenas um punhado de folhas e frutinhas de Natal. Finn e eu olhamos para cima e meu coração apertou. Nós nos olhamos pelo mesmo tempo de, talvez, um grão de areia em uma ampulheta ou uma gota de água em uma pia com vazamento e Finn, meu *tio*

Finn, me leu – zap – rapidinho. Naquele pedacinho de segundo, ele viu que eu estava com medo, inclinou minha cabeça e me beijou na parte de cima do cabelo com um toque tão leve que poderia ter sido uma borboleta pousando.

No caminho para casa, perguntei a Greta se ela achava que eu podia pegar AIDS pelo cabelo. Ela encolheu os ombros e, depois, virou-se e olhou para fora da janela pelo restante do caminho.

Coloquei xampu três vezes no cabelo naquela noite. Depois, me enrolei em toalhas, rastejei para debaixo dos cobertores e tentei dormir. Contei ovelhas e estrelas e folhas de grama, mas nada funcionou. Tudo em que eu podia pensar de novo e de novo era em Finn. Pensei no beijo suave dele. Pensei em como, por apenas um segundo, bem enquanto ele se inclinava para mim, AIDS e Greta e minha mãe tinham desaparecido da sala. Éramos apenas Finn e eu no menor dos pequenos momentos, e, antes de conseguir me controlar, perguntei-me como seria se ele realmente beijasse meus lábios. Sei o quanto isso é nojento, quão desagradável, mas quero contar a verdade, e a verdade é que fiquei deitada na cama naquela noite imaginando o beijo de Finn. Fiquei deitada na cama pensando em tudo no meu coração que era possível e impossível, certo e errado, pronunciável e impronunciável, e, quando todos esses pensamentos tinham ido embora, apenas uma coisa restou: a saudade terrivelmente grande que eu sentiria do meu tio Finn.

Dois

Entrar no bosque sozinho é a melhor maneira de fingir que você está em outra época. É algo que só se pode fazer sozinho. Se houver mais alguém com você, é muito fácil se lembrar de onde realmente está. O bosque aonde eu vou começa atrás dos prédios do Ensino Médio e do Ensino Fundamental da escola. Ele começa ali, mas estende-se para o norte por quilômetros, na direção de Mahopac e Carmel, e, depois, mais para a frente, até lugares cujos nomes eu não sei.

A primeira coisa que faço quando chego ao bosque é pendurar minha mochila no galho de uma árvore. Depois, caminho. Para funcionar, você precisa andar até não ouvir nenhum carro mesmo, e é isso que eu faço. Ando e ando até que só possa ouvir os pequenos estalos e estrépitos dos galhos e o sibilar do riacho. Sigo o riacho até o lugar onde há um muro de pedra seca em ruínas e um bordo alto com balde para colher seiva enferrujado pregado logo acima da altura da cabeça. Esse é o meu lugar. É ali que eu paro. No livro *Uma dobra no tempo*, está escrito que o tempo é como um cobertor grande e velho dobrado. O que eu gostaria era de ser pega em uma dessas dobras. Ser dobrada para longe. Escondida em uma dobra pequena e bem apertada.

Geralmente, eu me coloco na Idade Média. Geralmente, na Inglaterra. Às vezes, canto trechos do *Requiem* para mim mesma, embora saiba que o *Requiem* não é medieval. E olho tudo – pedras, folhas caídas, árvores mortas – como se tivesse o poder de ler aquelas coisas. Como se minha vida dependesse de entender exatamente o que o bosque tem a dizer.

Eu nunca deixo de levar um velho vestido da Gunne Sax de quando Greta tinha 12 anos. É muito pequeno para mim, por isso tenho de usar uma blusa por baixo e deixar os botões abertos nas costas. Parece mais uma coisa saída de *Os Pioneiros* do que uma roupa medieval, mas é o melhor que posso fazer. E há as minhas botas medievais. Qualquer um vai dizer que os sapatos são a parte mais difícil de acertar. Por muito tempo, eu tive apenas Keds pretos simples, que me esforçava para não olhar, porque estragavam tudo.

Consegui as botas, que são de camurça preta com cadarços de couro cruzados subindo pela frente, no festival medieval do Cloisters, a área dos claustros do Museu Metropolitano de Nova York, com Finn. Era outubro, e Finn já estava pintando o retrato havia quatro meses. Era a terceira vez que ele me levava para o festival. Na primeira, foi ideia dele, mas, nas duas outras, foi minha. Assim que as folhas começavam a ficar marrons e se torcer, eu começava a importuná-lo com isso.

– Vai se tornar uma medievalista regular, Crocodilo – ele dizia. – O que eu fiz com você?

Ele estava certo. Era culpa dele. A arte medieval era a favorita de Finn, e, ao longo dos anos, tínhamos passado horas e horas olhando os livros dele juntos. Naquela terceira vez no festival, Finn já estava ficando magro. Estava frio o bastante para usarmos malhas de lã e ele estava vestindo duas, uma sobre a outra. Estávamos bebendo cidra quente com açúcar e condimentos e éramos apenas nós dois, sozinhos com o cheiro gorduroso de um porco sendo assado em um espeto, a música de alaúde, os relinchos de um cavalo prestes a entrar em uma justa de mentira e o barulho dos sinos de um falcoeiro. Finn viu as botas naquele dia e as comprou para mim porque sabia que eu tinha adorado. Ele ficou comigo na barraca do fabricante de botas, amarrando cadarços toscos de couro de novo e de novo, como se não houvesse nada que ele preferisse fazer. Se não ficassem certas, ele ajudava a tirar as botas dos meus pés. Às vezes, a mão dele raspava no meu tornozelo ou no meu joelho descoberto e eu corava. Eu não disse a ele, mas fiz questão de escolher um par dois números maior do que o necessário. Não me importava quantas meias eu teria de usar com elas. Nunca queria crescer e perder aquelas botas.

Se eu tivesse muito dinheiro, compraria hectares de bosques. Colocaria um muro em volta deles e viveria lá como se fosse outra época. Talvez eu encontrasse uma pessoa para morar comigo lá. Alguém disposto a prometer que nunca diria uma palavra sobre nada do presente. Duvido que eu fosse encontrar alguém assim. Ainda não conheci ninguém que talvez fizesse esse tipo de promessa.

Há apenas uma pessoa para quem eu já contei o que faço no bosque, e é Finn, e eu nem tive a intenção de contar a ele. Estávamos caminhando de volta do cinema para o apartamento dele depois de assistirmos a *Uma Janela para o Amor*. Finn começou a dizer que todos os personagens eram tão encantadores porque estavam tão fortemente embrulhados e era muito bonito observá-los tentando desembrulhar um ao outro. Muito romântico, ele disse. Contou que queria que as coisas fossem daquele jeito atualmente. Eu queria que ele soubesse que eu entendia – que faria tudo para voltar no tempo – e, assim, contei a ele sobre a floresta. Ele riu e bateu o ombro contra o meu e me chamou de nerdzona e eu o chamei de *geek* por passar todo o tempo pensando em pintura e, depois, nós dois rimos porque sabíamos que estávamos certos. Ambos sabíamos que éramos os maiores nerds de todo o mundo. Agora que Finn se foi, ninguém mais sabe que vou para o bosque depois da aula. Às vezes, acho que ninguém nem se lembra de que aquele bosque existe.

Três

O retrato nunca foi dado para nós. Não oficialmente. Não com palavras.

Isso porque nunca foi terminado. Foi o que Finn disse. Tínhamos que continuar indo para mais uma sessão e mais uma depois dessa. Ninguém discutia isso, exceto Greta, que parou de ir à casa de Finn aos domingos. Ela dizia que, se ele estava fazendo apenas o fundo, não precisava de todas nós lá. Dizia que tinha outras coisas, coisas melhores, que poderia fazer com suas tardes de domingo.

Era uma manhã fria de janeiro, o primeiro dia de volta às aulas depois das férias de Natal, e estávamos esperando o ônibus escolar do lado de fora de casa. Nossa casa fica na Phelps Street, que é uma das últimas ruas no caminho do ônibus. Moramos na ponta sul da cidade, e a escola fica um pouco fora da cidade, no lado norte. Pela estrada, são cerca de 3 quilômetros, mas, se você cortar por quintais e chegar atravessando o bosque – o que eu faço às vezes –, é muito menos.

Como nossa casa é uma das últimas pelas quais o ônibus passa, é sempre difícil saber exatamente quando ele vai aparecer. Ao longo dos anos, Greta e eu passamos muito tempo lá fora esperando, olhando pela fila de gramados frontais da nossa rua. A Phelps tem uma mistura de casas de dois andares com telhados como os dos chalés e casas térreas longas, exceto pela casa estilo Tudor dos Millers, que fica no alto de um pequeno morro no trecho sem saída. É obviamente uma Tudor falsa, porque não havia ninguém em Westchester, a não ser os índios da tribo Mohegan, na época dos Tudors, e, assim, não sei a quem os Millers pensam que estão enganando. Provavelmente ninguém. Provavelmente isso nunca nem passou pela cabeça dos Millers. Mas passa pela minha. Todas as vezes que a vejo. A nossa é a casa de dois andares azul-clara com venezianas pretas e um bordo bem aberto na frente.

Naquela manhã, eu estava correndo parada a fim de me manter quente. Greta estava inclinada contra o bordo, estudando um par novo de botas de camurça que ela estava usando. Ela ficava tirando e colocando os óculos, respirando em cima deles e, depois, limpando o vapor.

– Greta?

– O que foi?

– Quais são as melhores coisas que você faz aos domingos?

Eu não tinha certeza se queria mesmo saber. Coloquei os braços ao redor do meu casaco, apertando-o mais.

Greta virou a cabeça devagar e me deu um grande sorriso com os lábios fechados. Balançou a cabeça e arregalou os olhos.

– Coisas que *você* nem pode imaginar.

– Ah, 'tá bom – eu disse.

Greta foi ficar em pé do outro lado da entrada.

Eu deduzi que ela quisera dizer sexo. Por outro lado, talvez não, porque eu podia imaginar aquilo. Não queria, mas podia.

Ela tirou os óculos de novo e deixou as lentes brancas com sua respiração.

– Ei – eu a chamei. – Somos órfãs de novo. É a época dos órfãos.

Greta sabia o que eu queria dizer. Sabia que eu queria dizer órfãos da época dos impostos. Todo ano era a mesma coisa. Havia a agitação do Natal e do Ano Novo e, depois, nossos pais desapareciam por todos os piores meses do inverno. Saíam de casa às 6h30 da manhã e, na maioria das noites, não voltavam até, pelo menos, as 19 horas. É assim que é ser filho de dois contadores. É assim que é desde que consigo me lembrar.

Na época dos impostos, quando nossos pais tinham de sair antes de o ônibus chegar, eles costumavam pedir para a Sra. Schegner, da casa da frente, nos observar da janela de sua sala de estar. A Greta de nove anos ficava esperando o ônibus comigo, de sete anos. Embora soubéssemos que a Sra. Schegner estava lá, ainda parecia que estávamos sozinhas. Greta jogava o braço por cima do meu ombro e me puxava bem para ela. Às vezes, se demorava muito mesmo para o ônibus chegar ou se começava a nevar, Greta cantava. Às vezes, cantava músicas de *Muppets – O Filme* ou, às vezes, a música de James Taylor "Carolina in my mind", do álbum *Greatest Hits* dos meus pais. Mesmo naquela época, ela tinha uma voz boa. Era como se fosse outra pessoa quando cantava. Como se houvesse uma Greta completamente diferente escondida em algum lugar lá dentro. Ela cantava e me abraçava com força até ver o ônibus virar a esquina. Depois, dizia para mim, ou talvez para si mesma:

– Viu, não foi tão ruim. Viu?

Eu não sabia se Greta ainda se lembrava daquilo. Eu me lembrava. Mesmo quando ela era má ou algo assim, eu conseguia olhar para ela e me lembrar de como costumávamos ser.

Greta me olhou por um segundo, tentando não estar interessada. Tentando fingir que não se importava. Colocou as mãos nos quadris.

– Ah, o drama de tudo isso, June. Seus pais trabalham até tarde. Supere.

Ela deu um giro e ficou de costas para mim até o ônibus chegar, avançando pesado pela rua.

Fui à casa de Finn com a minha mãe mais três vezes. Começamos a ir semana sim, semana não em vez de apenas uma vez por mês. E nem sempre aos domingos. Eu teria adorado ir até lá sozinha, como costumava fazer antes, pelo menos uma dessas vezes. Queria ter uma conversa longa e boa com Finn. No entanto, toda vez que eu tocava no assunto, minha mãe dizia: "Talvez na próxima vez. Tudo bem, Junie?", o que não era bem uma pergunta, no final das contas. Era minha mãe me dizendo como seria. Começou a parecer que ela estava me usando e usando o retrato como desculpa para ir passar um tempo com Finn. Nunca me pareceu que eles fossem muito próximos, e acho que talvez ela estivesse começando a se arrepender disso. Naquele momento, era como se eu fosse algum tipo de cavalo de Troia em que minha mãe podia montar. Não era justo, e, por baixo de tudo, como areia movediça, estava o fato de que não haveria muitas outras próximas vezes. Sem nunca dizermos, estava ficando claro que nós duas estávamos brigando pelas horas finais de Finn.

No domingo que acabou sendo o último domingo em que fomos à casa dele, Greta estava sentada à sua escrivaninha, pintando as unhas de duas cores. Ela alternava: uma roxa, uma preta, uma roxa, uma preta. Sentei-me na ponta da cama desfeita dela e observei.

– Greta – eu disse –, você sabe que não vai demorar muito mais tempo. Com o Finn, quero dizer.

Precisava garantir quer ela entendesse como eu entendia. Minha mãe dizia que era como uma fita cassete que você não podia rebobinar. Porém, era difícil lembrar que você não podia rebobiná-la enquanto a estava ouvindo. E, assim, você se esquecia e caía na música e ouvia e, depois, sem nem saber, a fita de repente acabava.

– É claro que sei – ela falou. – Eu sabia que o tio Finn estava doente muito antes de você saber de alguma coisa.

– Então por que não vem com a gente?

Greta colocou os esmaltes preto e roxo de volta na sua pequena prateleira de madeira de maquiagens. Depois, tirou um vidro de vermelho-escuro e desenroscou a tampa. Com cuidado, raspou o pincel contra o contorno do vidro. Puxou os joelhos para o peito e pintou as unhas dos pés, começando pelo mindinho.

– Porque ele vai terminar aquela pintura de qualquer jeito – Greta falou, sem nem se dar ao trabalho de olhar para mim. – E, de qualquer forma, você sabe tanto quanto eu que, se pudesse, ele nem teria me colocado no retrato. Teria sido apenas sua querida Junie, sozinha.

– O Finn não é assim.

– Tanto faz, June. Eu nem ligo. Não tem importância. Qualquer dia, o telefone vai tocar e você vai descobrir que o Finn morreu e vai ter toda uma vida de domingos com que se preocupar. O que vai fazer então? Hein? Não importa mais. Um domingo a mais ou a menos. Você não sabe disso?

Eu não disse nada. Greta sempre sabia me deixar sem palavras. Ela rosqueou a tampa de volta no vidro de esmalte e dobrou os dedos recém-pintados dos pés. Depois, virou-se de novo para mim.

– O que foi? – disse. – Pare de me encarar.

Quatro

A época de impostos sempre tinha cheiro de ensopado. Na maioria dos dias, minha mãe deixava sua panela elétrica amarelo-mostarda no balcão da cozinha, cozinhando lentamente alguma coisa para o jantar. Não importava o que havia na panela – frango, legumes, feijão –, tudo tinha cheiro de ensopado quando a panela terminava de preparar.

Eram 16 horas, e Greta estava nos ensaios de uma peça na escola. Ela tinha um dos importantes papéis coadjuvantes de *Ao Sul do Pacífico*, o de Bloody Mary, que ela conseguira porque sabe cantar muito bem e é bem escura. Nos olhos e no cabelo, pelo menos, e, assim, tudo o que precisavam fazer era colocar um pouco de maquiagem escura e delineador nos olhos para fazê-la parecer polinésia. Ela nos dizia que precisava ficar na escola quase todas as noites "até tarde".

Era um fato muito conhecido que, entre todas as escolas da área, a nossa montava os melhores musicais. Em alguns anos, houve até pessoas da cidade que vieram ver nossas apresentações. Gente do teatro, coreógrafos, diretores, esse tipo de coisa. Havia um rumor de que, certa vez, talvez dez anos atrás, um coreógrafo viu a peça e achou uma das meninas do último ano tão boa que conseguiu para ela um papel em *A Chorus Line* depois da formatura. Todos os anos essa história é comentada, e, embora todos digam que não acreditam nisso, dá para ver que acreditam, sim. Eles querem mesmo acreditar que uma coisa de contos de fadas assim poderia acontecer com eles.

As temperaturas estavam marcando um único dígito havia alguns dias, frias demais para o bosque, e, assim, eu estava sozinha em casa, sentada à mesa da cozinha fazendo a lição de geologia, quando o telefone tocou.

– Sra. Elbus? – um homem disse.

A voz estava enrolada. Molhada.

– Não.

– Ah... certo. Desculpe. A Sra. Elbus está?

Não apenas molhada, mas com um sotaque. Inglês, talvez.

– Ela ainda não está em casa. Posso anotar o recado?

Houve uma longa pausa e, depois:

– June? Quero dizer, é a June?

Esse homem, com quem eu sabia que nunca tinha falado antes, sabia meu nome, e parecia que ele estava estendendo os dedos pelos fios de telefone.

– Ligue mais tarde – eu disse.

Depois, desliguei depressa.

Pensei naquele filme em que a menina está de babá e alguém fica ligando, dizendo que consegue vê-la e que ela devia ir ver como estão as crianças, e ela fica cada vez mais assustada. Foi essa a sensação daquela ligação. Mesmo o cara não tendo dito nada horrível, andei pela casa, trancando todas as janelas e portas. Sentei-me no chão da cozinha perto da geladeira e abri uma lata de Yoo-hoo.

Depois, o telefone tocou de novo. Tocou e tocou até a secretária eletrônica atender. E lá estava a mesma voz.

– Eu sinto muito, muito mesmo se você ficou assustada. Estou ligando para falar do seu tio. O tio Finn da cidade. Vou tentar de novo mais tarde. É só isso. Desculpe.

Tio Finn. Ele conhecia o tio Finn. Meu corpo todo ficou frio. Fiquei em pé e despejei o resto do Yoo-hoo na pia. Depois, andei de lá para cá sobre os azulejos de linóleo marrom da cozinha. Finn se fora. Eu sabia que Finn se fora.

Peguei o telefone e liguei para o número dele, que eu sabia de cor. Tocou duas vezes antes de ser atendido, e, quando ouvi o clique de alguém pegando o telefone, uma enxurrada de alegria espalhou-se pelo meu peito.

– Finn?

Houve silêncio do outro lado, e eu esperei.

– Finn? – eu disse de novo.

Pude ouvir o desespero invadindo minha voz.

– Eu... sinto muito, não. Ele não...

Desliguei o telefone depressa. A voz era a mesma. Era o homem que deixara a mensagem em nossa secretária eletrônica.

Subi correndo para o meu quarto. Ele nunca parecera tão pequeno. Tão encolhido. Olhei ao redor para minhas velas falsas idiotas e minha grande e boba coleção de livros da série *Choose Your Own Adventure*, meu edredom vermelho berrante com estampa de tapeçaria falsa. A cidade parecia estar a milhares de quilômetros. Como se, sem Finn, ela não tivesse peso para ficar no lugar. Como se pudesse simplesmente sair flutuando.

Rastejei para debaixo da cama e fechei os olhos com força. Fiquei lá embaixo por duas horas, respirando o ensopado já não mais fresco, fingindo ser uma coisa antiga e sepultada, escutando se a porta dos fundos abria para eu poder apertar bem as mãos sobre as orelhas antes de ouvir alguém tocar aquela mensagem estúpida da secretária eletrônica de novo.

Cinco

O que Greta disse – sobre saber que Finn estava doente antes de mim – provavelmente era verdade. Ela não estava perto quando descobri. O dia em que descobri, eu devia ir ao dentista com a minha mãe, mas, então, sem dizer uma palavra, ela virou à esquerda na rua principal em vez da direita e, quando percebi, estávamos na Mount Kisco Diner. Eu devia ter percebido que algo estava estranho na coisa toda desde o início, porque Greta e eu sempre íamos ao dentista juntas e, daquela vez, éramos apenas minha mãe e eu. Talvez ela esperasse que eu ficasse tão aliviada por não ir ao dentista que a notícia sobre Finn não pareceria tão má. Estava errada. Eu gosto de ir ao dentista. Gosto do sabor do gel de fluoreto e gosto do fato de, pelos vinte minutos em que estou sentada na cadeira do Dr. Shippee, meus dentes são a coisa mais importante do mundo para ele.

Nós nos sentamos a uma mesa com sofás, o que significava que tínhamos uma *jukebox*. Antes mesmo de eu pedir, minha mãe me passou uma moeda de 25 centavos e me disse para escolher algumas músicas.

– Algo bom, combinado? – ela falou. – Algo alegre.

Fiz que sim com a cabeça. Não sabia sobre o que iríamos conversar, e, assim, escolhi *Ghostbusters*, *Girls Just Want to Have Fun* e *99 Luftballons*. A *jukebox* tinha tanto a versão em inglês quanto a em alemão daquela música. Escolhi a alemã porque achava mais legal.

Minha mãe pediu uma xícara de café, nenhuma comida. Eu pedi torta merengue de limão e leite com chocolate.

Ghostbusters começou a tocar conforme eu passava pelas músicas da *jukebox*. Virei as páginas, lendo os títulos um a um, perguntando-me se tinha feito as melhores escolhas. E, então, a mão da minha mãe de repente estava sobre a minha.

– June – ela disse, parecendo a ponto de chorar.

– Sim?

Ela disse algo tão baixo que não consegui ouvir nada.

– O quê? – perguntei, inclinando-me sobre a mesa.

Ela disse de novo, mas só pude ver seus lábios se mexerem, como se ela não estivesse nem tentando ser ouvida.

Fiz que não com a cabeça. A *jukebox* gritou Ray Parker Jr. cantando que não tinha medo de fantasmas.

Minha mãe apontou para o espaço ao lado dela e eu contornei a mesa até o seu lado. Pegou minha mão nas suas e me puxou até sua boca quase tocar em minha orelha.

– O Finn está morrendo, June.

Ela poderia ter dito que Finn estava doente – até mesmo muito doente –, mas não disse. Contou direto que Finn estava morrendo. Minha mãe não era sempre assim. Não costumava gostar de verdades duras, mas, daquela vez, deve ter deduzido que isso levaria a menos conversa, menos explicações. Porque como ela poderia explicar algo assim? Como alguém poderia? Ela me puxou mais para perto e ficamos assim por mais alguns segundos, nenhuma querendo olhar a outra nos olhos. Parecia haver um engarrafamento no meu cérebro. Mil coisas diferentes que eu deveria dizer.

– Merengue de limão?

De repente, a garçonete estava ali do lado segurando minha torta, e eu tive de me afastar e assentir com a cabeça. Olhei para aquele merengue ridículo, fofo e alegre e não pude acreditar que, apenas alguns minutos antes, eu era uma garota que queria algo assim.

– Que tipo de morrendo? – foi o que eu disse, enfim.

Observei minha mãe passar o dedo indicador contra a mesa. *AIDS*, ela escreveu. Depois, como se a mesa fosse um quadro-negro, como se pudesse se lembrar do que ela escrevera, minha mãe esfregou aquilo com a palma da mão.

– Ah.

Eu levantei e voltei para o meu lado da mesa. A torta ficou ali zombando de mim. Enfiei meu garfo naquele merengue esperançoso idiota e o parti. Depois, escorreguei mais para perto da *jukebox* e apertei a orelha contra o alto-falante. Fechei os olhos e tentei fazer a lanchonete toda desaparecer. Quando *99 Luftballons* começou, fiquei sentada esperando Nena falar "Captain Kirk", as únicas palavras da música inteira que eu entendia.

Seis

O caixão não ficou aberto no funeral de Finn, e todos ficaram agradecidos por isso. Especialmente eu. Ficara imaginando os olhos fechados dele. Suas pálpebras de pele fina. Eu me perguntara como me impediria de colocar os dedos suavemente contra elas e deslizá-las para se abrirem. Só para ver os olhos azuis de Finn mais uma vez.

O funeral foi exatamente uma semana após o telefonema. Era uma quinta-feira e estávamos perdendo as aulas da tarde. Eu tinha quase certeza de que essa era a única razão para Greta ter concordado em ir. Também foi uma das poucas vezes na minha vida que vi meus pais, os dois, de folga no mesmo dia durante a época dos impostos.

Minha mãe levou o retrato que Finn pintara de nós duas, porque achou que poderia ser algo bom para pôr em algum lugar e mostrar que tipo de homem Finn tinha sido, mas, quando chegamos ao estacionamento da casa funerária, ela mudou de ideia.

– Ele está aqui – disse.

Sua voz era uma estranha combinação de raiva e pânico.

Meu pai estacionou o carro e olhou para fora da janela.

– Onde?

– Bem ali, você não consegue ver? Sozinho, ali do lado.

Meu pai fez que sim com a cabeça e eu olhei também. Havia um homem sentado e curvado em uma mureta de tijolos. Um homem alto e magro que me lembrou Ichabod Crane de *A lenda da caverna adormecida*.

– Quem é? – perguntei, apontando para fora da janela.

Minha mãe e meu pai se viraram para me olhar no banco de trás. Greta me cutucou nas costelas com o cotovelo e disse "cale a boca" na sua voz mais maldosa.

– Cale a boca você – falei.

– Não sou eu que estou fazendo perguntas idiotas.

Ela arrumou os óculos e, depois, olhou para o outro lado.

– Quietas. As duas – meu pai disse. – Já é difícil o bastante para a sua mãe.

É difícil para mim também, pensei, mas não disse. Fiquei quieta, sabendo que a tristeza que eu sentia era o tipo errado de tristeza para uma sobrinha. Sabendo que Finn não era meu de verdade para eu ficar triste daquele jeito. Morto, ele pertencia à minha mãe e à minha avó. Era por elas que as pessoas sentiam muito, mesmo nem parecendo que nenhuma das duas era tão próxima assim dele. Para todos no funeral de Finn, eu era apenas a sobrinha. Fiquei olhando para fora da janela do carro e entendi que estava em um lugar onde ninguém conhecia meu coração nem um pouquinho. Ninguém fazia ideia de quantos minutos por dia eu passava pensando em Finn e, felizmente, ninguém fazia ideia exatamente de que tipo de pensamentos eram aqueles.

Minha mãe organizou o funeral para acontecer em uma casa funerária da nossa cidadezinha em vez de uma na cidade grande, onde todos os amigos de Finn moravam. Não houve discussão a respeito. Parecia que ela estava tentando juntar os pedaços dele. Como se estivesse tentando ficar com Finn todo para ela.

Meu pai olhou para minha mãe.

– Então, devo deixar no porta-malas?

Ela fez que sim com a cabeça, os lábios bem apertados.

– Só deixe lá.

No final, tinha sido meu pai quem dirigira até a cidade para pegar o retrato no dia seguinte à morte de Finn. Ele fora à noite, e nenhuma de nós se oferecera para ir com ele. Minha mãe tinha a chave do apartamento, na qual Finn passara um pedaço de fita de seda vermelha. Tínhamos aquela chave havia anos, mas não tenho certeza se alguém já a utilizara. Minha mãe sempre dizia que era uma coisa do tipo "por garantia". Algo que Finn queria que tivéssemos.

Meu pai só chegou em casa tarde naquela noite. Ele bateu a porta quando entrou e até eu ouvi minha mãe conversar com ele.

– Ele estava lá? – ela disse.

– Danni...

– Estava?

– É claro que ele estava lá.

Pensei ter escutado minha mãe chorando naquele momento.

– Meu Deus. Só de pensar nele... Seria de imaginar que as coisas acabariam sendo um pouco justas. Só um pouco.

– Psiu, Danni, você tem que deixar isso pra lá.

– Não vou. Não posso.

Houve um silêncio, então.

– Bem, de qualquer forma, onde está? Você pegou, né?

Ele deve ter feito que sim com a cabeça, porque a pintura estava na mesa, em um saco de lixo preto, na manhã seguinte. Fui a primeira a acordar e a encontrei lá, sem parecer nada de especial. Contornei a mesa uma vez e, depois, estendi a mão para tocar no saco. Puxei uma cadeira, sentei e apertei o nariz contra o lado de fora, procurando um aroma de Finn, mas não havia nada. Abri o saco e enfiei a cabeça dentro, respirando profundamente, porém o cheiro químico do plástico suavizou qualquer coisa que pudesse ter se prendido na tela. Fechei os olhos e respirei com mais força, mais devagar, apertando o saco em volta do meu pescoço.

– Ei, sua nerd.

Senti um tapa pousar com força nas minhas costas. Greta. Livrei-me do saco.

– Não vou impedir se você quiser acabar com tudo, mas deixe a gente ficar com a pintura, combinado? Já é nojenta o bastante sem outra história de cadáver em cima dela.

Cadáver. Finn era um cadáver.

– Meninas?

Minha mãe parou na metade da escada, enrolando o roupão rosa acolchoado em volta de si. Ela nos observou com olhos meio fechados e sonolentos.

– Não estão bagunçando com essa pintura, estão?

Nós duas negamos com a cabeça. Depois, Greta sorriu.

– Uma de nós estava tentando cometer suicídio com o saco de lixo, só isso.

– O quê?

– Cale a boca, Greta – eu disse, mas ela não conseguia. Nunca conseguiu calar a boca.

– Eu encontrei a June aqui com metade da cabeça dentro daquele saco.

Minha mãe veio e me abraçou tão apertado que pensei que poderia me sufocar. Depois, ela me segurou longe do corpo.

– Sei como você se sentia em relação ao Finn e quero que saiba, June, que em qualquer momento, qualquer momento que você precise conversar...

– Eu não estava tentando me matar.

– Tudo bem – ela falou. – Você não precisa dizer nada. Estamos todos aqui. Eu, seu pai, Greta. Todos nós a amamos.

Atrás da minha mãe, Greta arregalou os olhos para mim e fingiu que se enforcava com um laço.

Não havia por que discutir, e, assim, eu só fiz que sim com a cabeça e sentei-me à mesa.

Minha mãe pegou o saco de plástico e levou-o para o andar de cima. Disse que nós precisávamos de uma folga do retrato por um tempo e que ia colocá-lo em um lugar seguro. Foi a última vez que o vi até o dia do funeral.

Nós andamos pelo caminho até a porta da frente, Greta e eu ficando para trás dos nossos pais. Meu pai parou e colocou uma mão no braço da minha mãe.

– Vá em frente – ele disse, apontando em direção aos degraus da entrada. – Vá encontrar sua mãe. Veja como ela está.

Ela fez que sim com a cabeça. Estava vestindo seu casaco preto e bonito de lã por cima de uma saia preta justa com uma blusa cinza-escura e usava um chapeuzinho preto com véu. Estava bonita, como sempre. Nevava um pouco, e os flocos de neve ficavam caindo e descansando em cima do chapéu dela por alguns segundos antes de se derreterem no feltro preto.

Minha avó estava no hall de entrada, conversando com alguém que eu não conhecia. Ela não se parecia em nada com a minha mãe, mas era assim no lado Weiss da família. Parecia que Finn e minha mãe haviam olhado para os pais e decidido que, independentemente de qualquer coisa, não ficariam como eles. Então, havia o vovô Weiss, um cara importante do exército, e havia Finn, que virou artista. E havia a vovó Weiss, que passou a vida cozinhando e passando roupa e arrumando o cabelo para o vovô Weiss e, depois, veio minha mãe, que pagaria o que fosse para não ter de passar ou preparar comida de verdade, que cortava o cabelo bem curto para não ter de se preocupar em fazer nada com ele. Se a tendência continuar com Greta e comigo, isso significa que nenhuma de nós vai querer trabalhar em um escritório, o que até então era verdade para mim. Se as coisas saíssem do meu jeito, eu trabalharia em uma feira renascentista como falcoeira. Não teria de me preocupar em subir os degraus de uma carreira ou conseguir promoções, porque a falcoaria não é assim. Ou você é falcoeiro ou não é. Ou as aves voltam para você ou vão embora.

Meu pai esperou até minha mãe entrar no salão do funeral. Depois, virou-se para nós duas. Reparei em uma fina linha de pelos no contorno do maxilar dele, onde se esquecera de barbear, e reparei que a testa dele estava constantemente franzida naquele dia. Como um malabarista que tinha de se concentrar bastante para manter as bolas no ar. Ele não parecia triste com a morte de Finn. Pelo contrário, eu pensei, agia como se fosse um alívio.

– Quero que me digam se virem aquele homem entrar, certo?

Nós duas assentimos com a cabeça.

– Pelo bem da sua mãe e da sua avó, entenderam?

Fizemos que sim de novo.

– Boas meninas. Sei que é difícil e vocês duas estão se saindo muito bem.

Ele apertou meu ombro e, depois, o de Greta.

– As coisas vão se acalmar depois disto, tudo bem?

Assentimos mais uma vez. Ele nos olhou por mais um segundo e, depois, virou-se para subir até a porta da frente, dando uma corridinha.

Greta e eu ficamos no caminho da entrada, coberto de gelo. Às vezes, parecia bem óbvio que eu era mais alta que Greta, apesar de ela ser mais velha. Eu me inclinei para ela e balancei a cabeça na direção do homem.

– Quem é ele, afinal? – sussurrei.

Eu tinha quase certeza de que ela não me contaria, e estava certa. Ela não disse nada, apenas fez um gesto para eu seguir pelo caminho até onde ele estava. Ergui o olhar e vi que ele estava olhando diretamente para mim. Não para Greta. Apenas eu. Ele se inclinou para a frente como se estivesse prestes a se levantar, como se pensasse que eu iria até lá cumprimentá-lo. Eu estava pronta para me virar e seguir para o outro lado, mas Greta colocou uma mão no meu ombro e me puxou. Andamos até estarmos, talvez, à distância de uma sala do homem. Depois, Greta parou, esperou um segundo e limpou a garganta.

– Ele é uma das pessoas que não foram convidadas para este funeral – ela disse, alto o bastante para ele ouvir.

Olhei para o homem, que, um segundo atrás, parecia estar tentando cruzar o olhar com o meu, mas naquele momento olhava para o outro lado. Mergulhara as mãos nos bolsos e fitava a calçada.

– Por que você disse isso?

– Não vou contar nada para você – ela falou.

O motivo de Greta saber coisas que eu não sei é porque ela espiona. Há lugares em nossa casa onde você pode ouvir tudo. Odeio esses lugares, porém Greta adora. O seu favorito é o banheiro do andar de baixo, porque quase ninguém o usa, e, assim, ninguém se lembra de que há alguém lá. Mesmo se repararem, você pode gritar "só um minuto" antes de destrancar a porta e deixar alguém entrar. Até abrir, você já ouviu tudo.

Não gosto de ouvir coisas escondida porque, na minha experiência, as coisas que os pais mantêm em segredo são coisas que a gente não quer saber. Não é gostoso saber que seus avós estão se separando porque seu avô perdeu a calma e deu um tapa na cara da sua avó depois de 52 anos de casamento sem problemas. Não é gostoso saber antes do tempo o que você vai ganhar de Natal ou nos aniversários de forma que você tenha de fingir surpresa apesar de ser péssima em mentir. Não é gostoso saber que seu professor disse à sua mãe em uma reunião que você é uma aluna mediana em matemática e inglês e que deveria ficar feliz com isso.

Greta correu na minha frente até a porta da casa funerária. Quando chegou lá, parou e se virou.

– Pensando bem – disse em uma voz alta e clara. – Pensando bem, vou contar.

Ela limpou a neve derretida da bochecha com o dorso da mão.

Senti frio e náuseas. Era sempre a mesma coisa com as informações de Greta. Eu queria saber, mas tinha medo de saber. Tombei a cabeça só um pouquinho para ela.

Ela apontou para o homem e disse:

– Ele é o cara que matou o tio Finn.

Virei a cabeça para olhar para ele, mas ele já se virara para ir embora. Tudo o que vi foi um homem alto e magro abaixando-se para entrar no seu carro azul e pequeno.

Sentei-me na fileira da frente durante a cerimônia do funeral e tentei ouvir todas as coisas boas que as pessoas tinham a dizer sobre Finn. Estava abafado naquela sala, e escuro, e as cadeiras eram do tipo que forçam as pessoas a se sentarem mais eretas do que querem. Greta não se sentou na frente conosco. Ela disse que queria se sentar na fileira do fundo, e, quando me virei para olhá-la, vi que estava de cabeça baixa, as mãos sobre as orelhas e os olhos fechados. Não apenas fechados, mas apertados, como se quisesse deixar a coisa toda do lado de fora. Por um segundo, pensei que ela poderia ter chorado, mas não parecia provável.

Minha mãe fez um discurso curto sobre ela e Finn quando crianças. Sobre como ele tinha sido um bom irmão. Tudo o que ela disse foi vago, como se os detalhes pudessem golpeá-la se fosse muito clara. Depois da minha mãe, um primo da Pensilvânia disse algumas palavras. Depois, o organizador do funeral tagarelou por algum tempo. Tentei ouvir, contudo não conseguia parar de pensar no homem do lado de fora.

Eu não queria pensar em como Finn pegara AIDS. Não era tarefa minha pensar naquilo. Se aquele cara era mesmo quem tinha matado Finn, então devia ter sido namorado de Finn, e, se era namorado de Finn, por que eu não sabia nada a respeito dele? E como Greta sabia? Se ela soubesse que Finn tinha um namorado secreto, teria me provocado com isso. Ela nunca perdia uma oportunidade de me fazer ver que eu sabia menos do que achava que sabia. Então, havia duas possibilidades. Ou ela acabara de descobrir aquele homem ou nada disso era verdade.

Decidi acreditar na segunda opção. É difícil fazer isso, *decidir* acreditar em uma coisa em vez de outra. Geralmente a cabeça se decide sozinha. Mas eu me forcei, porque a ideia de que Finn guardaria um segredo tão grande de mim me fazia querer vomitar.

A cerimônia acabou e todos saíram em fila do prédio. Algumas pessoas pararam para conversar no hall de entrada, mas eu saí direto pela porta e tentei encontrar o pequeno carro azul. Não havia sinal dele. Ou do homem. A neve começara a cair com mais força, deixando as ruas e gramados brancos e perfeitos. Fechei o zíper do meu casaco o mais alto que ele ia e, depois, olhei pela rua nas duas direções, porém não havia nada para ver. Ele tinha ido embora.

Sete

Depois de uma tempestade de neve é um dos melhores momentos para ir à floresta, porque todas as latas vazias de cerveja e refrigerante e as embalagens de doces desaparecem, e você não precisa se esforçar tanto para estar em outra época. Além disso, tem algo de bonito em andar na neve em que mais ninguém andou. Faz com que você acredite que é especial, mesmo sabendo que não é.

Eu estava usando um par de luvas laranja só com a divisão para o polegar que Greta tricotara para mim quando participara do clube de tricô, na quinta série. Eram enormes e malfeitas, e os polegares estavam no meio em vez de nos cantos. Não me dei ao trabalho de pôr o vestido da Gunne Sax, mas coloquei minhas botas medievais. Na verdade, não estava tão frio, e eu andei até mais longe do que costumava, cruzei o pequeno riacho que corria ao longo do pé do morro e, depois, subi o morro pelo outro lado dele. Tentei não pensar em Finn e em todos os segredos que ele podia ter escondido de mim. Tentei manter a cabeça na história que estava contando a mim mesma, na qual eu era a única forte o bastante para caçar para a minha vila e tinha de caminhar pela neve para seguir o rastro de cervos. Meninas não deviam caçar, e, assim, tive de amarrar o cabelo para cima e fingir ser um menino. Era esse tipo de história.

Havia uma camada de neve antiga congelada abaixo de neve fresca, e, para cada passo que eu dava morro acima, eu escorregava um pouco. Quando enfim cheguei ao topo, me sentei, exausta. Tudo estava silencioso, e deixei meus olhos fecharem. Por um segundo, vi o rosto de Finn e sorri, apertando mais os olhos, esperando mantê-lo ali. Mas a imagem desapareceu. Eu me deixei cair para trás, de forma que fiquei deitada e estirada na neve, olhando para cima, para os desenhos torcidos que os galhos nus das árvores faziam contra o céu cinza. Depois de a terra se acomodar em volta do meu corpo, tudo ficou imóvel, e, embora tentasse manter meu cérebro na Idade Média, Finn continuava se esgueirando para dentro da minha cabeça. Desejei que ele tivesse sido enterrado em vez de cremado, porque, assim, eu poderia tirar as luvas e apertar a palma das mãos no solo e saber que ele estava ali em algum lugar. Que, por meio de todas aquelas moléculas de terra congelada, ainda havia uma conexão. Depois, o cara que estava do lado de fora do funeral entrou nos meus pensamentos e senti um rubor de estupidez. É claro que alguém tão incrível quanto Finn teria um namorado. Por que não teria? Devia ser o cara que ligou naquele dia. O cara inglês que sabia meu nome. O cara que estava ligando do apartamento de Finn. Ele realmente estava *no* apartamento de Finn. Com o *meu* tio Finn. Uma lágrima quente desceu pela minha bochecha.

Depois, no silêncio, por cima de tudo, veio um uivo longo e triste. Por um segundo, pareceu que o som viera de dentro de mim. Como se o mundo tivesse pegado tudo o que eu estava sentindo e transformado em som.

Quando me sentei, vieram dois uivos. Cães, talvez. Coiotes ou lobos. Os uivos não eram firmes. Os dois soavam como uma voz falhando e eram vacilantes. Um começava e, alguns segundos depois, o segundo entrava. Depois, mais. Três ou quatro. Ouvi com atenção, tentando escutar quão longe estavam, mas era como se o som estivesse por toda parte. Perto e longe. Enrolado em volta das árvores e das nuvens. Os uivos ficaram mais altos, e a imagem de um lobo cinza e grande, com muito pelo embaraçado e dando o bote, apareceu na minha cabeça. Por um único e tolo momento, realmente pareceu que eu estava na floresta na Idade Média, quando lobos podiam levar bebês ou comer uma pessoa inteira.

– Não tenho medo – gritei pelos morros.

Depois, corri, cambaleando e tropeçando. Calculei mal o pulo e enfiei uma bota no riacho; então, subi com dificuldade o outro lado, agarrando brotinhos para me equilibrar. Alguns minutos depois, saí da floresta para o estacionamento da escola. Quase todos os carros tinham ido embora e eu fiquei ali por um momento, curvada, recuperando o fôlego.

– Droga – eu disse, olhando para minha mão direita.

Chutei a grande pilha de neve suja que fora afastada para o canto do estacionamento. Uma das luvas que Greta fizera para mim tinha sumido.

Oito

– Você quer ir a uma festa?

Greta não estava sorrindo quando me perguntou. Nem estava olhando para mim. Ela estava inclinada por cima da cômoda quando passei pela porta do seu quarto para descer e tomar café da manhã.

Eu tinha certeza de que havia escutado mal e, assim, parei e esperei que ela dissesse mais alguma coisa. Devo ter parecido uma idiota, parada ali no corredor com a boca aberta.

Greta virou-se e me olhou de cima a baixo.

– Fes-ta – disse, pronunciando cada sílaba e exagerando o movimento dos lábios. – Você. Quer. Ir.

Entrei no quarto dela, que ainda tinha os mesmos móveis brancos de quando ela tinha sete anos e as mesmas paredes cor-de-rosa com aquela faixa fina de papel de parede da Holly Hobbie contornando a parte de cima. Pela maneira como o quarto estava decorado, alguém que não soubesse nada a respeito de Greta pensaria que uma garotinha boazinha vivia ali. Sentei-me no canto da cama.

– Que tipo de festa?

– Do tipo bom.

– É, até parece.

Greta sabe que, para mim, não há festas boas. Fico bem com uma ou duas pessoas, mas mais do que isso e eu viro um rato-toupeira-pelado. Essa é a sensação de ser tímida. Como se minha pele fosse muito fina e a luz, muito forte. Como se o melhor lugar onde eu pudesse estar fosse um túnel profundo sob a terra fria e escura. Alguém me faz uma pergunta e eu fico olhando para a pessoa, sem expressão, meu cérebro congestionado com a força que estou fazendo para tentar encontrar algo interessante a dizer. E, no final, tudo o que consigo fazer é balançar a cabeça para cima e para baixo ou encolher os ombros, porque a luz dos olhos da pessoa olhando para mim, esperando por mim, é muito para eu aguentar. E, depois, há mais uma pessoa no mundo que acha que sou um desperdício completo e total de espaço.

O pior é a esperança idiota. Cada nova festa, cada novo grupo de pessoas e eu começo a pensar que talvez seja a minha chance. Que serei normal desta vez. Uma página nova. Um novo começo. Mas, então, eu me pego na festa pensando *ah, é. Isso de novo.*

Assim, fico à margem de tudo, cruzando os dedos, rezando para que ninguém tente me olhar nos olhos. E a parte boa é que, geralmente, ninguém olha.

– Acho que não – eu disse.

– Ah, vamos, June. Prometo que não vai ser horrível.

Levantei as sobrancelhas para ela. A coisa toda parecia bem sincera. Nada parecido com Greta.

– Verdade. Eu juro.

Colocou as duas mãos sobre o meio do peito. Esforcei-me para não rir, mas pude sentir meu rosto me traindo.

– Bem, onde vai ser? – perguntei depois de um tempo.

– Ainda não sei, mas a Jillian Lampton está organizando. Você conhece a Jillian Lampton, né?

Eu conhecia Jillian. Ela era da equipe de iluminação de *Ao Sul do Pacífico*. Tinha cabelo tingido de preto, que usava em um corte Chanel com pontas. Sempre achei que o visual dela era mais ou menos o que eu queria ter um dia. Jillian estava no penúltimo ano, uma turma antes de Greta, mas provavelmente era mais velha que ela.

Isso é algo que apenas algumas pessoas sabem. Greta está na última série, mas tem apenas 16 anos. Nenhum dos amigos dela sabe sua idade verdadeira. Nenhum. Nós nos mudamos do Queens para nossa cidade quando eu tinha cinco anos e Greta, sete. Ela devia ir para a segunda série, mas, em vez disso, foi colocada na terceira. Sua última professora recomendou. Disse que Greta não estava sendo desafiada o suficiente e falou para os meus pais que ela acompanharia os outros alunos com facilidade se pulasse uma série. Parece que meu pai não tinha certeza, mas minha mãe achou que era uma ideia fantástica.

– As oportunidades não voltam nadando se você as jogar fora.

Era seu grande lema. Principalmente para Greta. Como se oportunidades fossem peixinhos escorregadios. Greta não fazia questão de nenhum dos dois. Assim, eles foram em frente. Mesmo ela já sendo uma das crianças mais novas da sala, pulou uma série. Então, ela é pelo menos um ano mais nova que todo mundo da sua turma, quase dois anos mais nova que a maioria. Mas mantém isso em segredo. Nas suas festas de aniversário, minha mãe coloca uma vela a mais no bolo, só pelas aparências. A tradição era de que, a cada ano, Greta decidiria qual era a "vela mentirosa" e, se pudesse, deixaria aquela acesa. Ela tinha medo de que soprar essa vela revertesse todos os seus desejos. A questão da idade está nos registros escolares dela, mas, a não ser por isso, parece que é praticamente esquecida. Às vezes consigo perceber, no entanto. Eu nunca diria nada para Greta, mas, às vezes, posso ver que ela está muito mais perto de ser criança do que seus amigos.

– Não sei, Greta. Acho que a mamãe não...

– Não se preocupe com a mamãe. Eu cuido dela. Já estamos há um mês e meio na época dos impostos. A mamãe não vai ligar.

Greta colocou as mãos nos quadris e tombou a cabeça para o lado.

– E então, você vai?

– Eu... Por que você quer que eu vá?

Houve o tremular de alguma coisa no olhar de Greta. Não pude entender se era um tremular de amor ou arrependimento ou maldade. Depois, ela disse:

– Por que eu *não* iria querer que você fosse?

Porque você me odeia, pensei, mas não falei.

Três anos antes, Keri Westerveldt deixou de ser nossa babá na época dos impostos. Greta foi posta no comando. Meus pais confiavam nela.

– Vocês duas são meninas sensatas – minha mãe disse.

Naquele primeiro ano sem Keri Westerveldt, Greta acompanhava tudo o que eu fazia. Ela me ajudava com a lição de casa e se sentava ao meu lado no ônibus na volta para casa. Fazia para nós pequenos sanduíches de queijo americano e maionese para o lanche e nos sentávamos no quarto dela comendo, fingindo sermos órfãs que tinham apenas uma à outra no mundo. A casa ficava tão calma às vezes, tão silenciosa e vazia, que era fácil acreditar que fosse verdade. Se ela tivesse me convidado para uma festa naquela época, eu não teria hesitado por um segundo. Embora odeie festas, teria dito sim. Não teria duvidado nem um pouco dela.

É difícil dizer exatamente quando deixamos de ser melhores amigas, quando deixamos até de parecer duas meninas que são irmãs. Greta foi para o colegial e eu ainda estava no ginásio. Greta tinha amigos novos e eu comecei a ter o Finn. Greta ficou mais bonita e eu fiquei... mais estranha. Não sei. Nenhuma dessas coisas devia ter sido importante, mas acho que eram. Acho que eram como água. Moles e inofensivas até entrar água o bastante. Então, de repente, você se via com o Grand Canyon nas mãos.

– Vamos. Por favor, June.

– Não sei, talvez – murmurei.

Eu queria acreditar que as intenções dela eram boas. Olhei com atenção, direto nos olhos dela, apertando um pouco os meus para encontrar o lugar de onde tudo aquilo viera. Porém, não consegui ver nada. Depois, veio-me a ideia de que, talvez, de alguma forma, fosse Finn. Talvez, quando você está morto, possa entrar em outras pessoas e deixá-las mais gentis do que eram antes. Não acredito de verdade nesse tipo de coisa, mas sorri para ela de qualquer maneira. Só por garantia. Só por causa da chance improvável de ser Finn quem olhava pelos olhos de Greta.

– Então você vai? – ela falou.

Olhei à minha volta. Em cada canto do quarto, roupas jaziam amassadas e empilhadas. Batons e delineadores que haviam rolado para a ponta da escrivaninha irregular de Greta estavam contra uma fotocópia do roteiro de *Ao Sul do Pacífico*. Uma lata amassada de 7Up estava sobre um cubo mágico não resolvido. No canto superior direito do espelho, ela prendera fotos de cabine fotográfica dela mesma e dos seus amigos, e eu vi meu pé aparecendo. Uma velha foto minha, nossa, minhas sandálias brancas sujas e a ponta do meu vestido de verão amarelo com bolinhas espiando por baixo de todo o resto.

Talvez fosse o fato de Greta ainda manter aquela foto por perto, ou talvez fosse quão surpreendentemente bom era ver Greta me convidando para fazer alguma coisa com ela, ou talvez fosse por eu saber que aquele era o meu último ano de verdade com minha irmã. Ela já conseguira entrar em Dartmouth mesmo sem ter terminado o colégio. Não parecia possível, mas, em seis meses, ela iria embora. Podia ter sido qualquer uma dessas coisas, ou talvez pudesse ter sido apenas porque a festa parecia distante. Eu sabia que haveria tempo suficiente para recusar depois. Por que estragar aquele momento? Talvez tenha sido por isso que me vi fazendo sim com a cabeça.

– Tudo bem – respondi, com um meio sorriso. – Acho que vou.

Greta bateu palmas e deu um pulinho. Depois, estendeu as mãos e levantou minhas tranças até o topo da cabeça.

– Vou te arrumar toda – ela disse. – Ainda tenho um pouco de Sun-In e, a Megan disse que pode funcionar mesmo se não for verão, se a gente ficar bem perto de uma lâmpada. E podemos fazer maquiagem.

Parou por um segundo e deixou meu cabelo cair de novo sobre os ombros. Pegou os óculos em cima da cômoda e os colocou. Depois, olhou para mim com atenção.

– Estamos de volta, né? Ao que éramos? Eu vou te ajudar a esquecer o tio Finn. Agora que o Finn se foi, nós duas...

Greta estava sorrindo. Quase feliz.

Afastei-me dela.

– Não quero esquecer o Finn.

Foi o que eu disse. Veio direto do meu coração e saiu pela boca e, embora fosse inteiramente verdade, passei muito tempo desejando não ter dito. Desejando ter dito a Greta que, sim, estávamos de volta. Que éramos melhores amigas de novo. Que tudo podia ser como era antes.

Ela tentou se virar depressa, mas, antes que pudesse, vi a expressão de decepção que inundou seu rosto todo. Ela mexeu em alguma coisa na escrivaninha, de costas para mim. Quando olhou para mim de novo, a expressão tinha desaparecido, substituída por sua usual repulsa condescendente.

– Meu Deus, June. Você sempre precisa ser tão idiota?

– Eu...

– Só vá embora. Pode ir.

Eu cheguei até a porta e, depois, me virei.

– Greta?

Ela soltou um suspirou irritado.

– O quê?

– Eu não quis dizer...

Ela balançou as costas da mão para mim.

– Não quero ouvir. Só vá embora. Saia.

Nove

O Tio Finn não era apenas meu tio, também era meu padrinho. Os padrinhos de Greta eram os Ingrams: Fred Ingram, que era gerente de controle de qualidade em Pillsbury, e Becca Ingram, sua esposa. Eles têm um filho, chamado Mikey, que é alguns anos mais novo do que eu. Greta e eu conhecemos Mikey desde que ele nasceu com aquela estranha marca parecendo uma mancha de vinho do Porto no ombro. No verão, os Ingrams vinham muito para cá em churrascos, e o Sr. Ingram sempre trazia sua própria carne. Se fôssemos à piscina da cidade para nadar ou ligássemos os irrigadores de grama, Mikey sempre usava a camiseta por causa daquela marca de nascença. Mesmo estando com Greta e comigo, que já a tínhamos visto antes.

Os Ingrams eram legais, mas você nunca perceberia que eram padrinhos de Greta. Finn levava a sério a tarefa de ser meu padrinho. Perguntei à minha mãe certa vez por que Finn não era padrinho de Greta também e ela disse que, quando Greta nasceu, Finn ainda não tinha se acalmado. Ainda estava "por aí", viajando para lá e para cá por impulso. Aquilo não me parecia problema, mas, de acordo com a minha mãe, não teria sido adequado.

Ela disse que, mesmo se Greta tivesse nascido depois de mim, não pediria a Finn para ser seu padrinho porque ele acabara levando a coisa toda muito a sério. Ela não esperara que ele se interessasse tanto e, como eu estava mais velha, achava que nosso relacionamento estava virando uma distração. Certa vez, antes de ele morrer, ela disse que talvez fosse bom eu não poder contar tanto com ele.

Eu detestava aquilo. E detestava quando ela dizia qualquer frase que começasse com as palavras "uma menina da sua idade...".

Eu sabia que Greta odiava o fato de eu ter ficado com o tio Finn e ela ter que se virar com os Ingrams. Não era como se Finn alguma vez tivesse dito que Greta não poderia vir conosco ou algo assim. Ele nunca a excluiu. Ela se excluiu. Às vezes, dizia: "Não quero me intrometer no seu momento especial de padrinho com o Finn" em seu tom arrogante. E eu nunca discutia com ela, porque queria mesmo meu tio só para mim.

No verão passado, Mikey tentou beijar Greta. Ela disse a ele que era nojento porque ele era filho dos seus padrinhos, e aquilo era como um incesto.

– Mas você pode beijar a June – ela falou.

Mikey ficou vermelho, sem saber para onde olhar. Ninguém queria me beijar, nem mesmo Mikey, e Greta queria se certificar de que eu soubesse disso mais uma vez. Porém, o que eu podia ver era que Greta sempre se lembrava da questão do padrinho. Sempre estava na sua cabeça. Eu tivera sorte com Finn e ela sabia.

Dez

O retrato enfim saiu daquele saco de lixo preto e feio na terça de manhã depois do funeral de Finn. Deveria haver um atraso de apenas duas horas naquela manhã, mas continuou nevando rápido e forte e acabamos tendo o dia todo de folga da escola. Eu gosto de dias de neve. Em especial quando já há pilhas de neve no chão e você pode sair, andar mais 60cm acima da grama e fingir que está em um paraíso de nuvens.

Quando éramos pequenas, antes de Greta ficar malvada, nós duas desaparecíamos juntas no quintal dos fundos usando nossos gordos casacos de neve. Deitávamos de costas, as duas tentando não piscar quando os flocos de neve atingiam nossos rostos. Greta dizia que, certa vez, um floco de neve pousou bem no olho dela e, assim, pôde ver cada detalhezinho delicado dele. Cada cristal. Só por um segundo. Como se estivesse entalhado no olho dela. Ela disse que era o floco de neve mais lindo que poderia ter imaginado. Mais bonito até do que anjos. Depois, ela entrou correndo em casa. Agarrou-se à saia da minha mãe, chorando e chorando porque sabia que eu nunca poderia ver aquele floco de neve. Sabia que nunca poderia mostrar aquela coisa perfeita para mim. Essa é uma história que minha mãe conta às vezes para mostrar como Greta e eu costumávamos ser. Às vezes eu acredito. Às vezes, não.

– Temos de colocar uma moldura nele – minha mãe disse.

Meu pai tinha ido ao escritório, mas minha mãe ficou conosco em casa naquele dia. Ela estava andando de um lado para o outro na cozinha, segurando a pintura ensacada contra o peito. A cozinha cheirava a ovos mexidos e café, e a neve estava caindo tão espessa que eu nem conseguia ver o carro lá fora na entrada de casa.

– Não precisamos – Greta disse. – Quem falou que precisamos?

– É o que se faz com pinturas – minha mãe respondeu. – Uma de vocês, tire-a do saco. Vamos dar uma olhada.

Não havia nada a temer. Foi o que eu disse a mim mesma. Estendi a mão para o saco. Minha mãe o entregou a mim e, depois, deu um passo para trás. Greta inclinou-se perto de mim enquanto eu apoiava a coisa toda na mesa e puxava o saco.

Lá estávamos, Greta e eu, olhando para nós mesmas na mesa da cozinha. Meu cabelo estava do jeito como eu sempre o usava – duas tranças finas de cada lado, amarradas atrás – e Greta estava usando os óculos, porque Finn lhe dissera que achava que deveríamos ter a aparência de sempre. Que o retrato deveria ser verdadeiro. A maneira como Finn me pintou fazia parecer que eu sabia algum tipo de segredo enorme, mas nunca contaria a ninguém. Ele deveria ter pintado Greta daquele jeito, porque é mais o estilo dela, mas, em vez disso, fez parecer que ela havia acabado de contar um segredo a alguém e estava sentada ali, esperando a reação. Se você olhar para aquele retrato, poderá ver que pintor fantástico Finn era. Nem consigo começar a entender como ele tirava os pensamentos da cabeça de alguém e os colocava em uma tela. Como pensamentos invisíveis podem ser transformados em manchas de vermelho e amarelo e branco?

Nenhuma de nós conseguia tirar os olhos do retrato. Minha mãe colocou os braços em volta das nossas cinturas e entrou suavemente entre nós. Eu absorvi cada pincelada, cada tom de cor, cada ângulo e linha daquela pintura. Podia sentir minha mãe e até Greta fazendo o mesmo. Podia senti-las querendo mergulhar naquela tela. O aperto de minha mãe ficou cada vez mais forte em volta de mim até eu sentir a mão dela formando um punho sólido em volta da minha camisa. Ela virou a cabeça para o outro lado e limpou a bochecha na manga da sua malha.

– Você está bem? – perguntei.

Minha mãe fez que sim com a cabeça rapidamente, os olhos fixos na pintura.

– É tanto desperdício. Olhar para isso. Olhar para o que ele conseguia fazer. Ele teve todas as oportunidades do mundo...

Achei que ela fosse chorar, mas, em vez disso, quebrou o momento com uma batida rápida e forte das mãos. Depois, em um tom exageradamente animado, disse:

– Certo. Molduras? Ideias?

Tombei a cabeça para o lado.

– Alguém acha que parece... Não sei... Diferente?

– Não sei – Greta falou, esfregando o queixo e fingindo pensar no assunto –, você ainda parece uma idiota.

– Agora não, Greta – minha mãe disse, soltando um suspiro longo e demorado.

Mas a pintura parecia diferente. A última vez em que eu a vira fora a última vez em que fora à casa de Finn. A tinta ainda estava molhada e Finn estava parecendo menor do que eu já o vira antes. Sua visão estava sumindo e ele disse que nunca conseguiria acertar. Colocou uma mão no meu ombro e disse:

– Desculpe, June. Desculpe por não estar tão boa.

Falou que nós continuaríamos trabalhando nela.

Nós. Foi o que ele disse. Como se eu tivesse algo a ver com aquilo.

– Todo mundo terminou de olhar? – minha mãe perguntou, estendendo a mão para o retrato.

– Só um segundo.

Procurei na pintura o que tinha mudado. Olhei bem para os meus olhos e, depois, para os de Greta. Não. Nada estava diferente ali. Depois, reparei nos botões. Havia cinco botões descendo pela frente da minha camiseta. Depois de vê-los, não pude entender como não tinha notado imediatamente, porque nem pareciam algo que Finn pintaria. Pareciam algo que uma criança pintaria. Cada um era de preto total com um pequeno borrão de branco para fazer parecer que a luz se refletia neles. Por que Finn colocaria botões em uma camiseta? Toquei com a ponta do dedo o botão mais alto. A tinta estava mais grossa do que nos outros lugares e, de alguma forma, aquilo me deixou triste.

Olhei para minha mãe e Greta e decidi não mencionar os botões.

– Certo – eu disse. – Terminei. Pode guardar.

Na sexta-feira depois da aula, fomos à loja de molduras no centro. O pequeno e gorducho Sr. Trusky nos disse que entendia quão importante era todas nós gostarmos da escolha e nos deixou ficar por meia hora depois de virar a placa de FECHADO na porta. Vez após outra, minha mãe fez o Sr. Trusky colocar uma moldura no retrato e, vez após outra, uma de nós decidia que não estava bem certa. No final daquele dia, a pintura ainda estava sem moldura. Ela voltou para o porta-malas do carro, de volta ao mesmo saco plástico preto no qual a levamos.

– Vamos tentar de novo amanhã – minha mãe disse no estacionamento. – Ele disse que tem mais.

– Por que você simplesmente não vai sozinha? – Greta perguntou.

– De forma alguma. Isso é algo que o Finn fez para vocês duas. É responsabilidade de vocês.

– Bem, então, eu digo para escolhermos a preta de madeira simples.

Eu detestei a preta de madeira simples. Fazia-nos parecer sarcásticas.

Cada moldura que o Sr. Trusky colocava em volta do retrato parecia mudar tudo nele. A de que minha mãe gostou chamava-se Valência e era feita de madeira escura com alguns pequenos entalhes nos cantos que pareciam grãos de café. Eu achava que fazia o retrato todo ficar entediante.

– Eu gosto da dourada. A com jeito antigo.

– Grande surpresa – Greta falou.

Chamava-se Ouro Toscano e eu achei que era elegante. Como se a pintura pudesse ir direto para um museu com aquela moldura ao redor.

– O Finn gostaria dessa – eu disse.

– Como sabe do que o Finn gostaria? – Greta questionou, em tom grosseiro. – Você consegue pular corda até a terra dos mortos agora?

Às vezes eu ficava impressionada com a forma como Greta se lembrava das coisas. Quando eu tinha nove anos, tinha uma ideia a respeito de viagem no tempo. Eu achava que, talvez, se pulasse corda para trás rápido o bastante, voltaria no tempo. Se pudesse apenas agitar o ar com força o bastante em volta de mim, poderia fazer uma pequena bolha que se movesse para trás. Eu não acreditava mais nisso. Não acreditava que ninguém pudesse ter esse tipo de poder.

Minha mãe pareceu que poderia desmontar a qualquer segundo e, assim, eu cutuquei Greta.

– Amanhã. Talvez amanhã a gente veja as coisas com mais clareza – minha mãe disse.

E, de alguma maneira, vimos. Escolhemos a primeira que o Sr. Trusky nos mostrou na manhã seguinte. Talvez tenhamos escolhido rápido porque Greta encontrara uma boa desculpa para não ir conosco e, assim, estávamos apenas minha mãe e eu. Ou talvez fosse porque estávamos esgotadas, ou talvez porque fosse mesmo a melhor moldura. Era marrom médio com cantos chanfrados e quase parecia desaparecer em volta da tela, deixando a pintura ser ela mesma.

– Deixem comigo por alguns dias. Vou emoldurar tudo até, digamos, terça de manhã.

O Sr. Trusky rabiscou em um bloco de anotações.

– Deixar? – eu disse.

Minha mãe colocou uma mão em meu ombro.

– Ele não pode fazer agora, querida. Leva um tempo.

– Mas não gosto da ideia de deixá-la aqui. Longe de nós.

– Vamos, agora, não seja grosseira. O Sr. Trusky está fazendo o seu melhor.

Minha mãe sorriu para o Sr. Trusky, mas ele ainda estava escrevendo no bloco.

– Vou fazer o seguinte. Vou vir aqui especialmente amanhã à tarde, só para você, e vou levar a pintura até a sua casa quando terminar. Combinado?

Fiz que sim com a cabeça. Ela ainda ficaria longe de um dia para o outro, mas parecia o melhor acordo que eu conseguiria.

– Agradeça ao Sr. Trusky, por favor, June. É uma grande gentileza dele.

Eu agradeci e nós fomos embora. O Sr. Trusky cumpriu a promessa e a pintura voltou para nós no dia seguinte. Ele a apoiou em pé no balcão da cozinha para podermos ver bem.

– Agora, sim, é uma bela obra de arte – meu pai disse, com as mãos nos quadris.

– E a moldura é perfeita. Ficamos muito agradecidos por tudo o que o senhor fez – minha mãe falou.

– Faz toda a diferença, sabe? – o Sr. Trusky comentou.

Meus pais fizeram que sim com a cabeça, embora eu não tenha certeza nem se estavam ouvindo.

– E você, June? Está feliz? – o Sr. Trusky perguntou.

Era o tipo de pergunta para a qual você tinha de dizer sim. Mas na verdade eu não estava. Tudo o que podia ver éramos Greta e eu enfiadas em uma moldura juntas. Não importava o que acontecesse, nós duas sempre estaríamos presas dentro daqueles quatro pedaços de madeira.

Onze

– Você pode assinar o recebimento em nome de...?

O carteiro apontou para a linha na metade do papel em sua prancheta. Seu boné estava inclinado para baixo com a aba cobrindo os olhos. Ele examinou a lista de nomes.

– ... June. June Elbus.

Isso foi em uma tarde algumas semanas depois do funeral de Finn, quando eu estava sozinha em casa. Fiz que sim com a cabeça e peguei a caneta da mão dele, que tremia um pouco. Enquanto assinava o nome, pude ver pelo canto do olho que o carteiro estava espiando dentro da casa. Depois de eu assinar, ele me entregou uma caixa.

– Obrigada – eu disse, levantando o olhar para ele.

Ele me olhou de volta e, por um momento, pareceu querer dizer alguma coisa para mim. Depois, sorriu e falou:

– É. Certo. Está ótimo... June.

Ele se virou para ir embora, mas, depois, parou e ficou ali por um momento, de costas para mim.

Comecei a fechar a porta devagar, mas o carteiro continuava ali, sem se mexer. Por um segundo, pareceu que estava prestes a se virar. Ele colocou um dedo para cima como se estivesse a ponto de dizer alguma coisa, mas, então, não disse. Apenas deixou a mão cair e saiu andando.

Fui direto para o meu quarto e corri para a cama. Sentei-me de pernas cruzadas com o pacote no colo. A caixa estava totalmente coberta por fitas. Era como se alguém tivesse pegado um rolo de fita adesiva marrom e enrolado de novo e de novo em todas as direções até a caixa desaparecer por completo. Tentei achar uma ponta para puxar, mas não consegui e, assim, usei uma tesoura para cortar a parte de cima. Não era meu aniversário e já haviam se passado dois meses desde o Natal. Não havia endereço de devolução naquela caixa. Nada, exceto meu nome e meu endereço escritos em marcador permanente preto sobre a fita.

Dentro, havia dois volumes exageradamente embalados, um menor do que o outro. Abri o menor primeiro. Quando cheguei às últimas camadas de plástico-bolha e jornal, comecei a sentir o que era. Depois, vi o brilho de azul vivo com dourado e vermelho e percebi que era a tampa do bule de chá russo de Finn. Quase a deixei cair direto no chão. Depois de todo aquele pacote cuidadoso, quase a deixei escorregar dos meus dedos. Passei depressa para a peça maior. Rasgando-a. Desesperada para ver o bule todo de novo.

A última vez que eu vira aquele bule de chá fora no último domingo em que fora à casa de Finn. Naquele domingo em que Greta não quisera ir conosco. Naquele dia, minha mãe e Finn estavam discutindo sobre o bule. Ele queria que ela o levasse, mas ela não aceitava. Ele o estendeu para ela com as duas mãos e ela bateu nele para afastá-lo.

– Pare de ser assim. Nós vamos vê-lo de novo – ela disse.

Finn me olhou como se estivesse verificando se podia dizer a verdade. Desviei o olhar. Queria ir para outro aposento, mas Finn tinha um apartamento de um quarto só e não havia outro lugar para ir além da pequena cozinha, que ficava atrás de duas portas vaivém como aquelas do Velho Oeste.

– Danni, pegue. Pela June. Me deixe fazer do meu jeito uma vez.

– Rá. Uma vez. Essa é boa. – A voz da minha mãe estava aguda. – Não precisamos do seu bule de chá e pronto.

Ele atravessou a sala na minha direção, com o bule acomodado nas mãos.

Minha mãe me dirigiu um olhar.

– Nem pense nisso, Junie.

Fiquei sentada ali, congelada. Minha mãe impediu Finn, tentando pegar o bule. Finn segurou-o acima da cabeça, tentando entregá-lo para mim.

Naquele exato momento, pensei poder ver o futuro daquele bule. Pude vê-lo se partindo contra o chão de madeira da sala de estar de Finn. Pude ver todos aqueles pedaços coloridos e brilhantes recebendo a luz do pôr do sol através das grandes janelas de Finn. Vi meio urso dançarino, um urso sem cabeça, apenas pernas, dando chutes na direção do teto.

– Sua velha boba – Finn disse.

Ele sempre chamava minha mãe de "velha". Desde que eram crianças, ela me contou certa vez. E eles tinham outras brincadeiras entre os dois. Finn a chamava de "velha tentando parecer novinha", o que não era realmente verdade, e, depois, ela o chamava de "novinho tentando parecer velho", o que era verdade. Finn se vestia como um velho mesmo, com cardigãs marrons de botões, sapatos grandes e grosseiros de velho e lenços no bolso. Mas essas coisas ficavam bem nele. Pareciam certas.

– Sua velha boba, boba.

Minha mãe parou de tentar pegar o bule. Abriu o menor sorrisinho possível.

– Talvez – ela disse, o corpo todo ficando mole. – Talvez eu seja isso.

Finn baixou o bule e levou-o de volta para a cozinha. Estava tão pálido que as cores do bule pareciam extravagantes perto dele. Eu teria gostado de pegá-lo. Não precisava significar nada. Não precisava significar que eu não veria Finn de novo.

– June – ele chamou da cozinha em sua voz rouca e gasta. – Pode vir aqui por um segundo?

Quando cheguei lá, ele me abraçou. Depois, sussurrou no meu ouvido:

– Você sabe que esse bule é seu. Não importa o que aconteça, certo?

– Combinado.

– E me prometa que só vai servir as melhores pessoas com ele.

A voz dele estava falhando, estilhaçando-se.

– Apenas as melhores mesmo, combinado?

Sua bochecha estava úmida contra a minha, e eu fiz que sim com a cabeça sem olhar para ele.

Prometi. Depois, ele apertou minha mão, afastou-se de mim e sorriu.

– É isso que eu quero para você – disse. – Quero que conheça apenas as melhores pessoas.

Foi quando eu desmontei e chorei, porque já conhecia as melhores pessoas. Finn era a melhor pessoa que eu conhecia.

Essa foi a última vez em que vi o bule na casa de Finn. A última vez que pensei que o veria. Até o dia em que apareceu na porta da minha casa.

Rasguei o resto do embrulho e, depois, coloquei o bule de chá na minha escrivaninha. Era exatamente o mesmo. Peguei a tampa na cama e fui colocá-la no bule. Foi quando vi que havia algo dentro. Primeiro, pareceu apenas um pedaço do papel de embrulho, mas estava muito bem dobrado. Depois, vi meu nome nele. *Para June.* Um bilhete? Talvez de Finn? Uma onda de alegria e medo subiu pelo meu peito.

Reembalei o bule com todo o plástico-bolha, mas deixei o bilhete fora. Coloquei o bule de chá na caixa e olhei para ela de novo. Sem endereço de devolução e sem selos. Como poderia não haver selos? Por um segundo, tive o pensamento idiota de que talvez o fantasma de Finn tivesse me trazido o bule. Porém, o carteiro voltou à minha cabeça. Quando pensei nisso, percebi que não havia nada de oficial no que ele vestia. Um boné de beisebol azul-marinho e um casaco azul-marinho? Meus pais teriam me matado por ter aberto a porta. Mas havia algo além disso. Algo na forma como ele olhou para mim. O que era? Por que havia algo de familiar? E, então, a ficha caiu. Era o cara do funeral de Finn. O cara que Greta dissera ser um assassino. Um arrepio estremeceu meu corpo. Ele tinha vindo até a porta da minha casa.

Agarrei o bilhete da cama e deslizei a caixa até o fundo do meu guarda-roupa. Desci a escada aos pulos e peguei meu casaco. Enfiei o bilhete no bolso dele e, depois, embora estivesse escurecendo, fui para o bosque.

Doze

26 de fevereiro de 1987

Querida June,

Meu nome é Toby. Fui um grande amigo do seu tio Finn e estava pensando se seria possível, de alguma forma, nós nos encontrarmos. Acho que você pode saber quem eu sou porque conversamos uma vez por telefone. Peço sinceras desculpas se eu a afligi naquela ocasião. Também, sei que você me viu no funeral. Eu era o homem que ninguém queria ver.

Por favor, não me entenda mal nem tenha medo, mas eu a aconselharia a não contar aos seus pais sobre esta carta, nem mesmo para a sua irmã, já que acho que você sabe como eles podem reagir. Penso que você talvez seja a única pessoa que sente saudades de Finn tanto quanto eu, e acho que um encontro, apenas, poderia ser benéfico para nós dois.

Eis o que sugiro: estarei na sua estação de trem às 15h30 da sexta-feira, 6 de março. Se você me encontrar lá, podemos ir de trem para algum lugar. Conversar em paz. Poderia ser?

Não sei o que lhe disseram sobre mim, mas provavelmente não é verdade.

Com grande esperança de vê-la em breve,

Toby

Era isso o que a carta dizia. Tive de lê-la sentada no meio-fio sob um poste de rua no estacionamento da escola, porque estava escuro demais no bosque quando cheguei lá. Alguns alunos que faziam a peça estavam lá fora esperando as mães deixarem o jantar. Fiquei na esquina mais distante do estacionamento com o capuz sobre a cabeça, esperando que ninguém me visse.

Depois de ter lido a carta, enfiei-a de volta no meu bolso e entrei direto naquele bosque escuro. Estava úmido e gelado, mas não me importei. Eu andei e andei até chegar ao riacho. Por toda a borda da água havia tiras de gelo finas como papel imprensadas com as folhas marrons. Mas o meio ainda corria, rápido e sinuoso, como se estivesse com medo de ser pego. Pulei o riacho e andei até um pouco mais longe antes de me sentar em uma grande pedra molhada. Devo ter ido mais longe do que achava, porque pude ouvir o mesmo uivo triste que ouvira na última vez em que estivera no bosque. Ou talvez não fosse eu que fora mais longe; talvez aqueles lobos, ou o que quer que fossem, estivessem se aproximando. Desdobrei o bilhete e tentei lê-lo de novo. Fiquei sentada ali apertando os olhos para ver as palavras mais uma vez, mas não consegui. Mesmo sem folhas, as árvores bloqueavam qualquer luz que restasse.

Mas não importava. Eu não precisava de luz. As palavras daquele bilhete já estavam gravadas na minha mente. *Acho que você talvez seja a única pessoa que sente saudades de Finn tanto quanto eu.* O que aquilo queria dizer? O que significava um homem que achava boa ideia fingir ser carteiro e aparecer na porta da casa da sobrinha do namorado pensar que ele sentia saudades de Finn, *meu* tio Finn, tanto quanto eu? Esse homem que tinha matado Finn. Eu poderia ter gritado junto com aqueles lobos. Poderia ter deixado um uivo quente transformar minha respiração em um fantasma naquele bosque frio de inverno. Mas não o fiz. Fiquei sentada, quieta.

Pensei em rasgar aquele bilhete em mil pedacinhos. Pensei em derramar os pedaços no riacho rápido e frio e observá-los irem embora flutuando. Mas não o fiz. Eu o dobrei em um quadrado pequeno e grosso, enfiei-o de novo no bolso e voltei para casa.

Treze

– Mãe?

– Sim?

– O que vai acontecer com o apartamento do Finn?

Era mais tarde naquela mesma noite. Esperei até Greta se deitar. Meu pai estava assistindo ao jornal do fim da noite e minha mãe estava lavando a panela elétrica na cozinha. Ela estava usando suas luvas amarelas de borracha e os ombros sacudiam com o esforço da esfregação. Dava para ver quanto tempo da época dos impostos já se passara pelo que minha mãe fazia à noite. Naquele momento, ainda estava lavando a louça antes de dormir. Na metade de março, a panela elétrica ficaria de molho de um dia para o outro na pia e ela estaria no sofá com meu pai, os dois com os olhos mal abertos, pastas de papéis do trabalho no colo deles.

Quando ela ouviu minha pergunta, parou de esfregar e ficou olhando para fora da janela escura da cozinha por alguns segundos. Depois, tirou as luvas uma de cada vez e jogou-as na pia. Quando se virou, estava franzindo as sobrancelhas um pouco, mas pude ver que estava tentando não fazer isso.

– Vamos nos sentar.

Ela apontou para o corredor, na direção da sala de estar.

– Vá. Estarei lá em um minuto.

O bilhete dobrado ainda estava no meu bolso, e eu escorreguei a mão para lá, deixando meus dedos folhearem os cantos. Olhei para a minha mãe, pensando que ela não fazia ideia do que eu estava segurando, pensando que lhe contaria quando o momento certo chegasse.

Na sala de estar, os olhos do retrato estavam em mim. Tínhamos pendurado o quadro apenas algumas horas depois de o Sr. Trusky tê-lo deixado. No início, minha mãe disse que ele deveria ficar nos nossos quartos. No de Greta por um mês, depois no meu por um mês, trocando de um para o outro assim. Finn o fizera para nós, ela disse. Greta logo respondeu que não o queria em seu quarto. Ele a assustava e ela não gostava de como Finn a pintara. Disse que ele a fizera parecer uma idiota de propósito. E, ela falou, também não gostava de como ele me pintara.

– Por que não? – perguntei. – Acho que está bom.

– É claro que você acha que está bom. Ele a fez ficar mais bonita do que você já foi na vida. *Óbvio* que você ia gostar.

Ela estava certa. Eu gostava de mim mesma no retrato. Havia um tipo de inteligência nos meus olhos que eu tinha quase certeza de que não existia na vida real. E eu parecia menor. Greta, Finn e minha mãe tinham os mesmos ossos finos. Meu pai e eu éramos os pesadões, os ursos malformados. No entanto, no retrato, Greta e eu estávamos quase do mesmo tamanho.

Ainda assim, se você olhasse para Greta e para mim no retrato, poderia ver que Greta era mais bonita na vida real e mais bonita na imagem, e eu disse isso a ela.

– Não sou mais bonita, sua CDF. Só sou mais velha. Você nem sabe a diferença?

Foi um comentário gentil da parte dela. Com Greta, você precisa estar atento para as coisas simpáticas escondidas sob as maldades dela. A fala de Greta é como um geode. Muito feia do lado de fora e, na maior parte, igual do lado de dentro, mas, de vez em quando, há algo que brilha.

– Bem, então, vou ser egoísta – minha mãe disse. – Não acho justo a pintura ficar trancada no quarto de uma pessoa para sempre, então vou sugerir pendurarmos o retrato acima da lareira. Algum problema com isso?

Greta resmungou.

– É até pior. Vai assustar a sala de estar toda. Além disso, todo mundo que entrar vai ver a coisa.

– Acho que é assim que vai ser, Greta. June, algum problema com isso?

– Não. Tudo bem.

– Está decidido, então. Seu pai vai pendurar.

Desde que ele foi pendurado, peguei minha mãe olhando-o. Não apenas uma vez, mas várias. Em todo aquele tempo na casa de Finn, era como se ela estivesse completamente desinteressada, quase repelida pelo retrato, mas, desde que ele chegara à nossa casa, parecia quase obcecada por ele. Eu a vira olhando para a pintura da mesma maneira como Finn fazia. Tombando a cabeça. Murmurando coisas. Aproximando-se e, depois, afastando-se. Isso acontecia geralmente à noite, quando eu já deveria estar na cama e, se ela me pegasse parada ali, dava um sorriso envergonhado. Depois, saía da sala fingindo que nada acontecera.

Eu tinha me certificado de que Greta não estava por perto quando perguntei sobre o apartamento. Pensei que ela provavelmente sabia todos os detalhes horríveis do que aconteceria com ele. Ela provavelmente sabia que ele seria esfregado com alvejante até não ficar nem um sinal de lavanda ou laranja. Provavelmente sabia com exatidão quem seriam os novos donos e que eram pessoas horríveis que transformariam o apartamento em algum tipo de lugar sujo com TVs e aparelhos de som e fios por toda a parte. Finn odiava fios. Ele odiava ter coisas plugadas em todo lugar.

No começo, quando minha mãe chegou à sala de estar, ela não disse nada. Olhou para o retrato e, depois, olhou para mim. Sentou-se ao meu lado no sofá, perto de mim, com o braço em volta dos meus ombros. Ela cheirava a detergente de limão.

– Junie – falou. – Você precisa entender algumas coisas sobre o Finn.

Ela virou o rosto para longe de mim e, depois, de volta.

– Sei o quanto você amava seu tio. E eu também. Ele era meu irmãozinho. Eu tinha um amor incondicional por ele.

– Tem.

– O quê?

– Tem, não tinha. Você ainda pode amá-lo.

Minha mãe levantou a cabeça.

– É claro que posso. Mas acontece que o Finn nem sempre fazia as melhores escolhas. Ele fazia o que bem entendia, quando bem entendia. Ele nem sempre...

– Ligava para o que as pessoas queriam que ele fizesse?

– Sim.

– Ele não ligava para o que você queria que ele fizesse.

– Isso não é o importante. O importante é entender que o Finn era um espírito livre e um bom homem, mas, às vezes, confiava um pouco demais.

Minha mãe dizia muito esse tipo de coisa sobre Finn. Que ele nunca crescera. Dizia como se fosse uma coisa ruim, mas, para mim, era uma das melhores coisas nele.

– E o que isso tem a ver com o apartamento?

– Nada. Apenas, bem, o Finn tinha um... estilo de vida diferente. Entende o que eu digo?

– Sei que o Finn era gay. Todo mundo sabe disso.

– É claro que sabe. É claro. Então, vamos deixar assim. Tudo bem? Não precisamos mais nos preocupar com o apartamento.

Minha mãe esfregou minhas costas e sorriu. Ela começou a se levantar, mas eu não tinha acabado.

– Bem, e se eu quiser ir lá?

Ela balançou a cabeça e, depois, olhou para o retrato por muito tempo. Quando enfim olhou para mim de novo, seu rosto estava sério.

– Olhe, June, tem um homem morando lá. Certo? Ele era... o amigo especial do Finn. Entende o que eu estou dizendo? – Minha mãe fez uma cara um tanto feia, embora eu pudesse ver que estava tentando segurá-la. – Eu não queria entrar nesse assunto...

Amigo especial? Sufoquei uma risada. *Amigo especial* me lembrava das excursões do jardim da infância. Fazia-me pensar em dar a mão para Donna Folger e olhar para os dois lados antes de atravessar a rua.

– O que isso significa? – perguntei.

– Acho que você sabe o que significa. Agora, podemos deixar isso de lado?

Eu ainda estava rindo um pouco, mas, conforme a coisa toda começou a ser absorvida, meu sorriso foi diminuindo. Finn nunca me dissera que alguém se mudaria para o apartamento quando ele morresse. Por que não me contaria algo tão importante assim?

Senti o bilhete de novo. *A única pessoa que sente saudades de Finn tanto quanto eu*. Era o que dizia. Toby. Eu sabia o nome do amigo especial. E sabia que ele me ligara do apartamento, mas acho que imaginei que ele encontraria outro lugar para morar.

Eu teria perguntado para a minha mãe bem ali por que ninguém nunca mencionara esse amigo especial, esse Toby, para mim, mas não pude suportar fazer isso. Envergonhar-me assim. Fazer parecer que isso era importante para mim. Nos últimos anos, eu tinha considerado Finn meu melhor amigo. O melhor mesmo. Talvez estivesse errada a respeito disso.

Fiz sim com a cabeça para a minha mãe sem olhar nos olhos dela. De repente, a ideia de dizer a ela que o *amigo especial* de Finn tinha vindo até a nossa porta da frente, que o *amigo especial* de Finn sabia que eu era a única pessoa que sentia saudades de Finn tanto quanto ele, que o *amigo especial* de Finn tinha me pedido para encontrá-lo, parecia impossível.

– É, tudo bem. Vou deixar pra lá – respondi e, embora tenha me segurado com cada músculo do corpo, o que eu queria mesmo era chorar.

Não apenas porque Finn nunca me contara sobre aquele homem, mas porque não havia jeito de perguntar-lhe a respeito disso. E, até aquele momento, acho que eu não tinha entendido de verdade o significado de "ter partido".

Quatorze

– Você se lembra daquela festa? – Greta me agarrou e sussurrou no meu ouvido quando saí do banheiro do andar de cima. Minhas mãos ainda estavam molhadas e eu as esfreguei na malha.

– Hum?

Greta soltou um suspiro irritado.

– É, você lembra. Lembra que eu perguntei se você queria ir a uma festa? Jillian Lampton? Lembra?

Eu não tinha esquecido exatamente. Acho que apenas arquivei em algum lugar. Ou talvez tenha pensado que era tudo brincadeira desde o início. Algo cruel que Greta dissera só para ver o que eu responderia. Fiz que sim com a cabeça, de qualquer forma.

– É, bem, ela foi adiada várias vezes, mas vai ser hoje à noite.

– Hoje à noite? Mas...

– Eu disse à mamãe que precisam de ajuda na peça.

– Eu não estou na peça.

Greta revirou os olhos e puxou um fôlego profundo e estável.

– Sim. Eu sei. Você vai à festa.

– Ah.

Eu nunca mentira para os meus pais sobre aonde ia. Nunca tivera nenhum lugar para ir antes.

– Você pode levar a Beans também. Se quiser.

Eu não era amiga da Beans fazia anos. Não de verdade. Quando Beans se mudou para cá de Ohio na terceira série, com seu corte de cabelo de Dorothy Hamill e seus distintivos da 4-H costurados do lado de fora da mochila, ela não tinha ninguém. Naquela época, éramos melhores amigas. Por muito tempo, até o final do primário, Beans foi minha única amiga. Porque eu sempre fui assim. Só precisava de um bom amigo e era suficiente. A maioria das pessoas não é assim. A maioria está sempre à procura de mais pessoas para conhecer. No final, Beans era como a maioria das pessoas. Depois de um tempo, ela tinha dúzias de amigos e, na quinta série, ficou bem óbvio que, apesar de ela ser *minha* melhor amiga, eu não era a dela.

De alguma forma, minha família toda deixou de notar o fato de Beans e eu não sermos mais boas amigas. Eu poderia ligar para ela e ela seria simpática e tudo mais, mas seria estranho. Não importava quantas vezes eu dissesse à minha mãe que Beans tinha toneladas de amigos, minha mãe não conseguia deixar de ver a situação como costumava ser entre nós. Talvez eu não quisesse que ela deixasse, porque, então, começaria a me importunar para encontrar novos amigos. Eu não queria explicar para ela quem eu era. Que eu era a menina esquisita que carregava um exemplar gasto de *The Portable Medieval Reader* na mochila, a menina que só usava saia, geralmente com botas medievais, a menina que era pega encarando os outros. Eu não queria ter de dizer a ela que as pessoas não estavam exatamente fazendo fila para passar um tempo comigo.

Além disso, depois de ter um amigo como Finn, era quase impossível achar alguém no colegial que chegasse pelo menos perto dele. Às vezes, eu me perguntava se passaria a vida toda procurando alguém que chegasse pelo menos um pouquinho perto.

Greta abriu o zíper da bolsa.

– A mamãe ficou muito feliz por fazermos alguma coisa juntas. Sabe o que ela fez?

Balancei a cabeça, negando.

– Ela me deu dez pratas. – Greta deu um sorriso largo e tirou uma nota de dez dólares da bolsa, exibindo-a na minha frente. – Ela disse que eu devia te levar para tomar um sorvete depois. Então, tudo resolvido. Você ainda quer ir?

– Acho que sim.

– Ótimo. Traga botas. E vista algo bem quente. É no bosque.

– Greta?

– O quê?

– Sabe aquele cara do funeral?

– Sei.

– Ele era namorado do Finn, né?

Eu estava me esforçando ao máximo para fingir que não me importava com a resposta.

Desde aquele dia com o bule de chá, eu pensava que via Toby em toda parte. Não conseguia me lembrar com exatidão da aparência dele, apenas a forma, o que piorava a situação. Havia homens altos e magros por todos os lugares e, à primeira vista, qualquer um poderia ser Toby.

Nos últimos dias, eu estivera tentando pegar Greta desprevenida. Eu achava que, se perguntasse alguma coisa quando ela não estivesse esperando, ela poderia me contar mais do que queria. O que aprendi ao longo dos anos foi que me fingir de boba era a melhor maneira de fazer isso. Assim que ela pensasse que eu não sabia de algo, entrava com tudo.

– Parabéns, Sherlock. Você só levou alguns séculos para perceber isso.

– Não é isso que estou tentando dizer.

– Certo, então, o quê?

– Então ele está morando no apartamento do Finn agora?

– Isso mesmo. A vida não é justa. Você mata um homem e acaba com um ótimo apartamento no Upper West Side.

– Então você acha que ele definitivamente passou AIDS para o Finn. Você tem certeza.

– Não apenas certeza, sei que ele fez de propósito. Aquele cara sabia que tinha AIDS quando conheceu o Finn. Ele sabia.

– Como você pode saber?

– Apenas sei. Ouvi coisas.

– Então ele realmente é, tipo, um assassino?

– Exato.

O tom dela tinha mudado. De repente, parecia contente por eu estar interessada no que ela sabia. Pensei que talvez eu pudesse lhe contar sobre o bule de chá e a carta e sobre a estação de trem no dia 6 de março. Talvez ela ouvisse e ficasse impressionada por eu ter minhas próprias notícias, para variar. Mas não consegui fazer as palavras saírem. A carta dizia para eu não contar a ninguém, e talvez Toby tivesse razão. Talvez até um assassino possa estar certo às vezes.

– Certo.

– Certo o quê?

– É só isso. Eu só queria ter certeza.

– Tanto faz, June. Cresça. Tudo está acabado agora.

– É. Eu sei que está.

Eu chamei Beans. Acho que pensei que devia fazer esse esforço, mas ela disse que não podia sair. Então, seria apenas eu. Eu e um monte de amigos de Greta.

Mais tarde, enquanto descíamos a escada para o jantar, Greta me cutucou no ombro e, depois, colocou um bilhete no bolso de trás dos meus jeans. *Festa cancelada.* Acontece que várias pessoas não podiam sair. Mas Greta já tinha mentido para os nossos pais, e, assim, eu tinha de ir ao ensaio da peça com ela de qualquer maneira. Teria de me sentar no fundo do auditório naqueles assentos de veludo vermelho, vendo-a se transformar na Bloody Mary de novo e de novo.

É claro que eu estava aliviada porque a festa fora cancelada. Não era só a questão da timidez, o completo retardo social. Era mais do que isso. Eu não estava interessada em beber cerveja e vodca ou fumar cigarro ou fazer todas as outras coisas que Greta acha que nem posso imaginar. Não quero fazer essas coisas. Qualquer um pode imaginar coisas assim. Eu quero imaginar o tempo com fendas, bosques cheios de lobos e pântanos frios à meia-noite. Sonho com pessoas que não precisam fazer sexo para saber que se amam. Sonho com pessoas que só nos beijariam no rosto.

Naquela noite, fiquei sentada no auditório da escola e vi Ryan Cooke, com todo o seu carisma de ouro, cantar sobre noites encantadas. O Sr. Nebowitz, o diretor, ficava interrompendo Ryan, fazendo-o cantar certas partes da música vez após outra, dizendo-lhe para deixar as palavras transparecerem no rosto dele.

– Devíamos poder ler seu rosto como um poema. Mesmo que você não diga uma palavra, todos na plateia devem saber exatamente como você se sente.

O Sr. Nebowitz era jovem, com muito cabelo escuro e encaracolado. Era o final que ele queria que Ryan acertasse. A parte sobre "segurar e soltar".

Ryan tentou de novo e de novo. Eu não conseguia perceber muita diferença, mas o Sr. Nebowitz disse:

– Melhor. Está ficando melhor.

Ele deixou Ryan sair e chamou Greta no palco.

– *Happy Talk*, certo?

Greta fez que sim com a cabeça e entrou no palco sem nada de maquiagem nem figurino. Apenas ela, de jeans e camiseta. Nem tirou os óculos. Puxou o cabelo para trás com uma mão e fechou os olhos por um segundo. O Sr. Nebowitz começou a tocar o piano.

– Até o final direto – ele disse, acenando com a cabeça para Greta.

Ela cantou a música toda e eu não pude ver ou ouvir nenhum erro. Quando terminou, o Sr. Nebowitz bateu palmas, virou-se para o restante do elenco, que estava sentado na plateia sem participar, e disse:

– Esse é o padrão que estou procurando, pessoal.

Depois, olhou de novo para Greta no palco e agradeceu por todo o esforço que ela estava fazendo. Algo assim teria me deixado envergonhada além do imaginável, mas Greta apenas fez uma reverência exagerada como a de um palhaço, o topo da cabeça quase tocando o chão, e provocou uma grande risada nos outros alunos. Eu ri também, porque era a primeira vez em muito tempo em que eu a via solta e brincalhona assim. Fiquei feliz em ter sido forçada a ir ao ensaio.

Greta saiu do palco e eu pensei em Toby de novo. Pensei que *amigo especial* poderia significar qualquer coisa. Não precisava ser uma coisa importante. Talvez Finn nunca o tivesse mencionado porque ele não era ninguém. Foi minha mãe que usou a palavra *especial*. Finn nunca chamaria alguém assim. Não sem fazer cara de piada, de qualquer maneira. Talvez fosse apenas um golpe de sorte aquele cara ter ficado com o apartamento de Finn. Talvez Finn tivesse pena dele.

O ensaio acabou por volta das 20h30. Continuei sentada e vi Greta e Ryan e vários outros alunos da peça sentados na ponta do palco, as pernas dependuradas, rindo. Eram aquelas as pessoas com quem Greta andava na época. As inteligentes. As que não eram apenas inteligentes, mas populares também. As que podiam fazer qualquer coisa. Ryan Coooke e Megan Donegan e Julie Contolli. Greta parecia feliz lá. Relaxada. Como se aquela fosse mesmo uma ilha no sul do Pacífico. Mas também parecia mais nova do que todos os outros. Em fila daquele jeito, eu não entendia como ninguém conseguia ver o quanto era óbvio. Ryan tinha um pequeno bigode. As pernas de Megan e Julie eram pernas de mulher. Cheias e torneadas. As pernas finas de Greta estavam dependuradas do palco e a faziam parecer uma criança em um balanço.

O Sr. Nebowitz deu boa-noite a todos e perguntou a Greta se ela tinha um minuto. Ela seguiu o diretor para fora do auditório. Eu fiquei na fileira do fundo, pensando que não deveria ir embora sem Greta.

– Ei, você aí. Vou desligar as luzes.

Pude ver que era Ben Dellahunt, aluno do penúltimo ano e assistente de contrarregra da peça.

Nas sombras, fiz que sim com a cabeça.

– Só estou esperando a minha irmã – eu disse. – Vou daqui a um minuto.

Ben era um daqueles adolescentes que você achava que poderia ser rico quando crescesse. Não porque havia algo de grande nele, mas porque era o tipo de cara que sempre parecia ter um plano. Sempre usava o cabelo em um rabo de cavalo e havia boatos de que ele realmente inventara uma nova linguagem de computador, mas provavelmente não era verdade. Ele não era o melhor da turma, mas era bem inteligente. Inteligente o bastante. Colocou a mão sobre os olhos e os apertou, olhando para a última fila, como se observasse o mar. Depois, começou a andar até o corredor central. Quando se aproximou, ele me examinou, olhando direto para os meus pés.

– Ei, você é a menina das botas.

Ele sorriu e balançou a cabeça como se tivesse resolvido algum tipo de charada. Estava prestes a se sentar ao meu lado, mas, antes que pudesse, Greta voltou pela esquerda do palco. Ela ficou ali em cima, olhando para as fileiras de assentos.

– Você vem ou não? – chamou, já se virando para ir embora.

– Sim. 'Tô indo – gritei de volta.

Disse tchau para Ben e, depois, corri para alcançar Greta. Ela saiu brava na frente, deixando-me passos para trás durante todo o caminho para casa. Quando finalmente chegamos, ela não disse uma palavra. Apenas correu para o andar de cima, direto para o quarto, e bateu a porta depois de entrar.

Quinze

Desde que Finn morrera, eu vinha passando os domingos no bosque. Meus pais iam para o escritório cumprir algumas horas extras de trabalho. Greta ia para ensaios extras e eu ia para o bosque. Às vezes, tirava o casaco e o enfiava atrás do muro de pedra para poder sentir a dor do frio passar direto através do meu corpo. Às vezes era bom me sentir como uma coitada que nem tinha as roupas certas para se aquecer.

Não era como se eu costumasse fazer coisas com Finn todo final de semana, mas sempre havia a possibilidade. O telefone podia tocar de manhã cedo – geralmente no domingo – e Finn estaria do outro lado, perguntando se alguém queria ir a algum lugar. Ele sempre fazia isso, perguntava se *alguém* queria ir, mas eu sabia que, na verdade, queria dizer eu.

– Você está apaixonada pelo tio Finn – Greta disse certo domingo depois de ele ligar.

Ela estivera me observando do outro lado da cozinha. Observando meu rosto se iluminar enquanto eu ouvia Finn dizer que era um bom dia para ir ao Cloisters. Depois que desliguei, Greta ficou parada por um segundo e sorriu, Depois, disse aquilo para mim, sobre eu estar apaixonada pelo Finn, e eu poderia ter dado um soco nela. Apertei os punhos e enfiei-os bem fundo nos bolsos e saí da cozinha, mas ela me seguiu.

– Todo mundo sabe.

Parei e fechei os olhos, as costas ainda viradas para Greta.

– Sabe o que eu ouvi a Sra. Alphonse dizer? – ela falou.

A Sra. Alphonse era amiga da minha mãe do clube de jardinagem. Minha mãe nem gostava de jardinagem, mas ainda ia às reuniões do clube uma noite de quinta por mês, para beber café e conversar com outras mães que provavelmente também não cuidavam muito do jardim.

Ainda de costas para Greta, meus punhos estavam ficando cada vez mais apertados.

– Eu ouvi a Sra. Alphonse perguntar à mamãe sobre você e o Finn. "É um pouco estranho uma garota passar tanto tempo sozinha com o tio, não é? Não que eu esteja dizendo que alguma coisa estranha esteja acontecendo. Não quero dizer nada disso." Foi o que ela disse, mas eu percebi que ela queria dizer que achava que tinha alguma coisa muito errada com isso. E percebi que ela tinha falado sobre isso com outras mães. E, pobre da mamãe, ela não sabia o que dizer...

Meus punhos haviam começado a afrouxar porque eu estava prestando muita atenção em Greta. Porém, depois pensei na Sra. Alphonse e seu cabelo idiota com permanente bem cacheada. Para começo de conversa, por que ela tinha de pensar em Finn e em mim?

– Só estou avisando, só isso. O que você está fazendo a mamãe passar e que todo mundo sabe.

– Todo mundo quem? – perguntei, embora não tivesse a intenção de dizer uma palavra.

– Bem, se acha que a Sra. Alphonse não falaria sobre isso com a Célia, você se enganou. E, se acha que a Celia não contaria para, tipo, todo mundo que ela conhece, então, bem, deixa pra lá.

Célia Alphonse era uma menina da minha sala que parecia bem normal. Eu nunca nem pensara nela até aquele momento.

– Então vá se encontrar com o seu precioso tio Finn. Divirta-se.

Eu não podia deixar Greta escapar daquela. Deixá-la tirar cada pedaço de alegria do meu domingo sem falar nada.

– Não tem nada de nojento, porque o Finn é gay e todo mundo sabe disso.

Virei-me para ver se eu tinha pegado Greta, se o sorriso dela sumiria. Mas não sumiu. Ficou maior.

Ela esperou um segundo e, depois, disse:

– Eu disse que *você* estava apaixonada pelo Finn. Não disse que o Finn estava apaixonado por você, disse?

E o que eu poderia responder a isso? Nada. Como sempre.

Naquele dia, eu saí com Finn. Peguei o trem, encontrei-o na estação Grand Central e, depois, fomos ao Cloisters, que era nosso lugar preferido. Geralmente, quando íamos até lá, não havia quase ninguém em volta: muito cedo ou muito perto do final do dia, quando estavam prestes a fechar. Naqueles momentos, o Cloisters era melhor do que qualquer galeria ou aquele cinema no Village que exibe filmes antigos. Melhor até que a cafeteria Horn & Hardart, onde você pode colocar dinheiro em uma máquina e receber um prato de comida quente de verdade como em *Os Jetsons.*

O Cloisters é o melhor porque é como um pedaço de outra época no topo de Manhattan. E não estou apenas falando por falar. Ele realmente é feito com pedaços de monastérios medievais franceses que foram enviados para Nova York e unidos. Até a vista do Cloisters é perfeita, porque Rockefeller comprou toda a terra do outro lado do rio em Nova Jersey só para que nada pudesse ser construído ali. Talvez até Rockefeller precisasse fugir da época dele de vez em quando.

Esforcei-me para esquecer o que Greta dissera, mas estava lá de qualquer maneira, poluindo o dia todo. Tentei não ficar tão perto de Finn, tentei não sorrir muito. Mas não funcionou. Talvez Greta estivesse certa. Talvez eu fosse nojenta.

Não conversamos muito naquele dia. Andamos por passagens de pedra sem ver nada de verdade. Eu pensei que seria bom ser monge. Do tipo que não tem permissão para falar. Pensei em me sentar com Finn em um grande salão de pedra com outros monges, todos em silêncio, todos ocupados fazendo iluminuras em manuscritos com as mais finas lascas de folha de ouro. Finn e eu olharíamos um para o outro, um de um lado do salão, sem dizer uma única palavra. E ouviríamos um ao outro. Esse é o tipo de amor que eu imaginava com Finn. Foi o que eu disse a mim mesma. Do tipo que não é nojento, porque é em outra época e não sou realmente eu.

Mas ser monge é apenas mais uma coisa impossível, como viajar para o passado ou ter Finn aqui para sempre, porque, para ser monge, a pessoa teria de ser homem e também teria de acreditar em Deus, e nenhuma dessas duas coisas aconteceria. Eu não acho que Deus criaria uma doença só para matar pessoas como Finn, e, se o fizesse, então não teria a menor chance de eu pensar em adorá-lo.

Naquele dia no Cloisters, Finn e eu nos sentamos em um banco de pedra em um canto escuro de pedra e ele me perguntou o que eu achava que acontecia com as pessoas depois de morrerem. Balancei a cabeça de um lado para o outro e fingi que não tinha escutado. Eu fazia isso às vezes com Finn. Fingia que não estava ouvindo bem para que ele se aproximasse de mim. E ele se aproximava. Naquele dia, deslizou para bem perto de mim naquele banco e colocou o braço em volta do meu ombro e perguntou de novo.

– O que acontece com tudo isto? – questionou, olhando diretamente nos meus olhos.

Encolhi os ombros e disse que achava que não acontecia nada. Que tudo simplesmente acabava e ficava escuro.

Finn fez que sim com a cabeça e falou:

– Eu também.

Se eu soubesse que ele estava falando sobre si mesmo, teria inventado alguma coisa. Teria criado um paraíso perfeito para Finn no mesmo instante.

Levei o bilhete de Toby para o bosque naquela manhã de sábado. Neve velha agarrava-se a cada galho de árvore, fazendo o bosque todo parecer instável, como se as coisas pudessem tombar a qualquer segundo. Segui a fina linha de gelo do riacho, prestando atenção se ouvia os lobos. Fiz uma concha com a mão em volta da orelha e fechei os olhos, ouvindo e ouvindo, mas não havia nada. Nada mesmo.

Li o bilhete várias vezes. Estava ficando impossível fugir do presente. Mesmo com as botas de Finn nos meus pés. Mesmo pensando em falcões. Era como se a simples ideia de Toby tivesse o poder de manter meus pensamentos no aqui e agora.

Eu tivera certeza de que não o encontraria, certeza absoluta, mas estava começando a mudar de ideia. E se ele soubesse coisas? E se eu tivesse sido um segredo também? E se eu pudesse aparecer na estação de trem e ser quem quisesse?

Dezesseis

Seção D, Página 26!

Foi o que a Sra. Jansky escreveu em um envelope que enfiou em nossa caixa de correio naquela manhã de domingo. Do lado de dentro estava o *The New York Times* do dia anterior. Meus pais não leem o *Times*. Eles leem o *New York Post*, e apenas no domingo; por isso, se não fosse pela enxerida Sra. Jansky, o artigo todo sobre o retrato passaria completamente batido pela família Elbus. A pintura ficaria acima da nossa lareira, onde era seu lugar.

Foi Greta quem encontrou o envelope e Greta quem leu o artigo em voz alta para toda a família. Ela chamou todos nós para a sala de estar. Eu estava no andar de cima me vestindo, porque Beans e várias amigas dela iam ao shopping e ela ligara para ver se eu queria ir com elas. Eu tinha quase certeza de que minha mãe tinha falado com a mãe dela sobre mim. É claro que não queria ir, mas minha mãe ficou tocando no assunto, dizendo que seria bom para mim e que não dá para cultivar amizades se você sempre diz não para as coisas. Assim, liguei de volta e disse que iria, pensando que, do contrário, ela me importunaria por causa daquilo durante semanas. E havia algo mais. O cinema de lá tinha um especial da temporada do Oscar nos domingos. Eles faziam exibições especiais de filmes que haviam ganhado nos últimos anos. Naquela semana exibiriam *Amadeus*, que eu já vira duas vezes com Finn. Foi por esse motivo que eu disse sim.

Greta estava até mais reservada do que o normal desde a noite do ensaio. Eu queria perguntar a ela o que o Sr. Nebowitz dissera no escritório, mas sabia que não havia por quê. Se ela quisesse falar sobre aquilo, faria isso quando estivesse pronta, o que provavelmente não seria nunca. Não para mim, de qualquer maneira.

Naquela manhã de domingo, Greta parou em frente ao retrato, virada para nós no sofá. No final das contas, ela tinha razão. O retrato deixava mesmo a sala de estar toda desconfortável. Durante a maior parte do tempo, todos nós ficávamos fora de lá tanto quanto possível. Ninguém queria se sentar com aquele retrato. Sentávamos à mesa da cozinha, ou Greta e eu íamos para o quarto. Meu pai costumava se sentar no pequeno *home office* do lado de fora da cozinha. Quanto à minha mãe, ela não se sentava muito, nem antes nem depois do retrato.

Porém, naquela manhã, Greta chamou todos nós para lá e sentamos de frente para a pintura. Greta ficou em pé com o peso apoiado todo do lado esquerdo e uma mão no quadril. Na outra mão, segurava o papel.

– Certo, Greta, estamos todos aqui. Vá em frente. Eu tenho papéis do trabalho se amontoando loucamente – meu pai falou.

– Certo. Fiquem em silêncio – Greta disse, com uma voz irritada. – Não é grande coisa. Só estamos... famosos.

– Vamos, Greta, mostre o que você tem aí. – Minha mãe estava sentada com as pernas cruzadas e batia um pé com impaciência.

– Certo.

Greta virou a página para todos nós vermos. Lá estava. O retrato de Finn. Nosso retrato. Estava colorido e tomava metade da página. Greta leu:

– *Quando você não exibe uma pintura há dez anos e seu nome é Finn Weiss, é claro que o público fica um pouco curioso para dar uma olhada no seu trabalho mais recente. Weiss, que morreu este ano (informações não confirmadas citam a causa da morte como relacionada com a AIDS)* – a voz de Greta se atrapalhou na palavra AIDS, mas, depois, ela continuou lendo –, *aparentemente havia desenvolvido um gosto por retratos, se esta descoberta recente serve de orientação. A pintura, intitulada* Diga aos lobos que estou em casa, *mostra duas adolescentes, uma clara, uma morena, com expressões de intimidade tão surpreendentes que parecem conseguir enxergar dentro do coração do espectador. Como se dele soubessem os segredos mais obscuros.*

"De acordo com Harriet Bar, editora da revista Art, *Weiss era conhecido pela diversidade do seu trabalho. 'Finn Weiss era notável em sua habilidade de se adaptar a qualquer mídia. Ele era verdadeiramente um artista renascentista, no sentido de que produzia trabalhos brilhantemente originais não apenas em tinta a óleo e tinta acrílica, mas também em pedra, madeira e por meio de peças de instalações mais conceituais.'*

"O que intrigou críticos e outros artistas foi por que, quase dez anos atrás, Weiss se escondeu, ficando tão recluso que apenas seus amigos mais íntimos e sua família sabiam onde morava. Alguns aplaudiram sua saída dos holofotes, chamando-a de ousada. A opinião mais cínica é a de que a adoção de um estilo de vida eremita por Weiss não era nada mais do que uma tentativa de aumentar o valor de suas obras. Algo que dá crédito a essa teoria é o fato de que vários trabalhos mais antigos da própria coleção do artista conseguiram preços altos quando ocasionalmente apareceram em leilões."

– Tudo bem, Greta, agora chega.

Minha mãe tentou pegar o jornal. Greta levou-o depressa para trás do corpo.

Eu estava empoleirada o mais perto da ponta do sofá que conseguira, esperando para ouvir o resto da história.

– Deixe a Greta ler – pedi. – Quero ouvir.

– Vamos, Danielle, está tudo bem. – Meu pai colocou uma mão no joelho da minha mãe.

– Não está tudo bem – ela disse, virando as pernas para longe dele.

Ela se levantou e saiu da sala. Quando já tinha ido, meu pai fez um aceno para Greta com a cabeça, avisando-a de que não havia problema em continuar. Greta limpou a garganta e bateu no peito. Depois, leu de novo.

– *Apesar da discordância sobre seus motivos, todos concordam que o surgimento desse retrato recente oferece um vislumbre do tipo de obra que Weiss poderia estar produzindo durante esses anos de "desaparecimento". De fato, Barr vê essa obra como, talvez, a melhor da carreira dele.*

"Uma obra como essa mostra um artista totalmente envolvido de maneira intelectual e, talvez, o que é mais importante, de maneira emocional com o tema. Olhando essa pintura, há uma sensação de que tocar a superfície poderia queimar seus dedos. De que essas meninas estão vivas. Que podem simplesmente morder sua mão e arrancá-la se você se aproximar demais."

A porta da cozinha foi batida e eu soube que minha mãe tinha saído. Greta olhou para cima, perdendo o ponto em que estava do artigo. Passou o dedo por toda a página até encontrá-lo de novo.

– *No momento, a localização da pintura é desconhecida. O slide foi enviado anonimamente para o* Times *e nenhuma informação além do nome do artista e do nome da pintura estava incluída...*

O braço de Greta caiu e o papel ficou pendurado ao lado do corpo dela.

– Não gosto disso – ela disse.

– Do quê? – perguntei.

– Dessa coisa toda. Nós, eu, em um artigo sobre alguém morrendo de AIDS.

– Alguém? É o tio Finn, Greta – falei.

– Não me importa quem seja. Não quero uma foto grande minha pairando sobre a palavra AIDS, tudo bem? Você não se importa com isso? – Ela lançou o jornal sobre a mesa de centro. – Nunca quis ter nada a ver com aquele retrato, mas todo mundo falava "seu tio Finn isso, seu tio Finn aquilo". Argh, Eu poderia matar o tio Finn se ele já não estivesse morto. E ele é famoso? Tipo, superfamoso? Ele nunca se deu ao trabalho de mencionar isso.

– Calma. É só um artigo. – Meu pai pegou o papel e dobrou-o cada vez menor. – Nem é um artigo de verdade. Está bem no final da seção de artes do *The New York Times*. Quem lê isso, hã? As pessoas nem se lembram de coisas assim.

– É só o maior jornal do país.

– Não é como se dissesse que *você* tem AIDS – eu disse.

– Certo. Já chega. – Meu pai jogou o jornal na lareira e pegou um isqueiro. – Essa coisa está chateando todo mundo da casa, então – ele se inclinou, acendeu o isqueiro e encostou a chama no canto do jornal – vai embora.

Acima do pequeno fogo estava pendurado o retrato de verdade. Greta e eu pintadas observando Greta e eu observando outra cópia nossa queimar e sumir.

Não havia nada que eu pudesse fazer. Não tinha terminado de olhar para aquele artigo. Nem tinha lido tudo ainda. Queria ler mais sobre Finn. Sobre quão bom ele era. Sobre por que parara de fazer arte. Eu sabia que Finn era meio famoso. O jeito como as pessoas olhavam para nós quando íamos a uma galeria. O jeito como sorriam para ele e estendiam a mão para cumprimentá-lo. Eu entendia, mas não era importante para mim. Ele não agia como uma pessoa famosa perto de mim, e acho que nunca pensei de verdade em quão famoso ele poderia ser.

Beans e a mãe dela me buscaram para ir ao shopping logo depois do almoço. Eu disse a Beans que não me importava em sentar na frente com a mãe dela. Não queria acabar espremida no banco de trás entre um monte de garotas que eu mal conhecia. Quando chegamos ao shopping, disse a Beans que a encontraria na praça de alimentação mais tarde.

Menti e disse que tinha que pegar alguma coisa na Sears para o meu pai. O que fiz mesmo foi ir direto ao subsolo para chegar ao cinema, assim eu poderia assistir ao filme *Amadeus* sozinha. Vou ao cinema sempre que tenho chance, porque o cinema é como o bosque. Outro lugar que é como uma máquina do tempo. Beans não pareceu se importar.

– Faça o que quiser – ela disse. – Sei que você só veio porque sua mãe a obrigou.

– Não... Eu...

– Tudo bem. Eu entendo. Só nos encontre na praça de alimentação às três.

Amadeus é um dos melhores filmes de todos os tempos. Finn gostava dele tanto quanto eu, mas dizia que tinham estragado toda a história do *Requiem*. Ninguém acha que Salieri encomendou o *Requiem* e envenenou Mozart. Ainda assim, se Finn estivesse aqui, provavelmente teríamos ido vê-lo juntos de novo naquela tarde. Só pela música e para ir a outra época e porque éramos facilmente atraídos por filmes com finais trágicos.

Minha mãe chegou em casa logo depois de eu voltar do shopping. Bem a tempo de fazer o jantar. Espaguete e almôndegas e pão de alho. O principal assunto no jantar foi quem poderia ter enviado o retrato ao *Times*. Todas as vezes que o nome de Toby surgia, eu me inclinava mais para perto, ansiosa por novas informações. No final, nós todos praticamente concordamos que devia ter sido ele. Minha mãe não disse nada. Ela ainda não queria falar sobre o artigo, ou Toby, mas parecia ter desistido de nos impedir de falar sobre aquilo.

– Poderia ter sido o Sr. Trusky – falei. – Ele ficou com a pintura de um dia para o outro.

– Sem chance – Greta disse. – Por que o Sr. Trusky se importaria com algo assim?

– Talvez ele simplesmente goste de arte. Talvez queira garantir que todo mundo tenha uma chance de ver o trabalho do Finn.

– Até parece.

Encolhi os ombros, mas sabia que Greta provavelmente estava certa. Toby era o único que poderia ter feito aquilo. Por causa do título. Nenhum de nós fazia ideia de que a pintura fora chamada *Diga aos lobos que estou em casa*. Apenas Toby poderia saber de algo assim.

– O que significa, afinal? *Diga aos lobos que estou em casa*? – Greta perguntou.

Ninguém disse nada, porque nenhum de nós fazia ideia. Era só mais um mistério que Finn nos deixara. Mais uma coisa que eu não podia ligar para perguntar.

Dezessete

Fui à biblioteca depois da aula no dia seguinte, o que acabou não sendo a melhor ideia. Pensei que encontraria o artigo e faria uma fotocópia para mim. Depois, iria para o bosque e leria, talvez duas vezes, talvez cem vezes, talvez mais. O que eu não sabia era que a copiadora do andar da biblioteca estava quebrada e eu teria de pedir para alguém atrás do balcão fazer a cópia. Se eu tivesse levado o jornal para a bibliotecária no andar de cima, que não me conhecia, provavelmente não teria tido problema, mas fui idiota o bastante para ir ao andar de baixo, à seção infantil. Eu ainda adorava a seção infantil, com todas as suas cores fortes e livros que são histórias de verdade. Mas foi idiotice, porque a bibliotecária das crianças é a Sra. Lester, que me conhece desde que eu tinha mais ou menos cinco anos, e, assim que ela viu o artigo, seu rosto de iluminou.

– Junie! É uma linda pintura de vocês duas.

Fiz que sim com a cabeça.

– Vocês duas parecem tão... crescidas. Tão sábias.

Fiz que sim de novo.

– E bonitas. Bonitas como, bem, como uma pintura. – A Sra. Lester deu uma risadinha. – E temos a copiadora grande aqui embaixo agora. Posso colocar a maior parte desta página em uma folha de papel.

– Ótimo – eu disse.

Devo ter parecido ansiosa, porque a Sra. Lester sumiu depressa de trás do balcão. Quando voltou, estava segurando duas cópias do artigo.

– Ah, só preciso de uma.

– Eu sei, querida, mas precisamos de uma para o quadro.

– O quadro?

– O quadro de avisos. Você e a Greta são famosas. São uma obra de arte. É bom ter celebridades locais por aqui. Se você tiver...

– Não, sério, não. Nós... Nenhuma de nós gosta de chamar muito a atenção.

– Eu insisto. June, você foi descoberta. Não esconda sua luz e tudo mais.

Eu sabia que a única maneira de evitar que a Sra. Lester pendurasse o artigo era dizer que a pintura era do meu tio Finn que acabara de morrer de AIDS e que a família toda era um pouco sensível com o assunto. Ouvir a palavra AIDS provavelmente seria o bastante para a Sra. Lester, mas eu não consegui. Não podia ficar parada ali e fingir ter vergonha de Finn.

Peguei minha cópia, dobrando-a para a foto ficar para dentro, e voltei para o andar de cima, entrando nos marrons e cinzas da biblioteca principal. Fui até o mural para ver se haveria como tirar o artigo depois que ela o colocasse. Quando ninguém estivesse olhando. Mas era impossível. Todas as notícias estavam atrás de uma porta de vidro de correr trancada.

Levei a cópia do artigo para o bosque. Dobrei-a bem pequena para caber no bolso do meu casaco e andei até poder ouvir os lobos. Não havia muito mais a respeito de Finn, apenas isto:

"Este Velho Homem, *última pintura vendida por Weiss e talvez sua mais conhecida, é um autorretrato do artista usando um casaco de lã largo sobre o torso nu. Ele está estendendo um coração humano de tamanho exagerado para uma piscina de crocodilos. Pelo peito do artista há uma cicatriz irregularmente fechada que diz VAZIO. É a sinceridade do gesto que emociona o espectador. Não há ironia, apenas a sensação de que você está testemunhando o momento exato antes de ele soltar a coisa molhada e pulsante da mão e a sensação de que você realmente recebeu tudo o que esse artista tem a oferecer. A pintura foi vendida por mais de 200 mil dólares em um leilão em 1979. De acordo com a Sotheby's,* Diga aos lobos que estou em casa *poderia conseguir mais de 700 mil dólares.*

Acho que isso devia ter sido importante para mim, a pintura valer uma fortuna, mas não era. Eu nunca a venderia, e, assim, não importava. O que chamou minha atenção foi que não havia botões. No jornal, minha camiseta era simples, apenas uma camiseta preta sem nenhum botão.

Quando cheguei em casa, o retrato não estava mais pendurado acima da lareira. Meus pais o haviam colocado de volta no saco de lixo preto, dirigido até o Bank of New York e o deixado em uma caixa-forte em algum lugar do porão do banco. Pensei em nossos rostos, o meu e de Greta, olhando para aquela caixa-forte escura. E pensei que, pelo menos, eu não estava sozinha lá. Até estar com Greta era melhor do que estar sozinha em um lugar tão escuro.

Dezoito

Meus pais se especializaram em cuidar da contabilidade de restaurantes. Por isso, a família Elbus consegue refeições de graça em lugares de toda Westchester. Conseguimos uma mesa mesmo quando há fila para entrar. Acho que isso deveria fazer com que me sentisse como alguém famoso, mas, na verdade, tem o efeito oposto. É óbvio que somos pessoas comuns, assim, parece apenas que somos idiotas que estão furando fila na frente de todo mundo. Até Greta acha constrangedor. E meu pai. É apenas minha mãe que gosta desse pouquinho de celebridade de vez em quando.

Com o funeral e a época dos impostos e os ensaios de Greta, deixamos passar por completo o jantar de aniversário de meu pai. Quase um mês se passara desde o aniversário. Minha mãe enfim bateu o pé e disse que não se importava de ser uma terça-feira no meio da época dos impostos. Já tínhamos adiado o jantar de aniversário dele por muito tempo e ponto final.

Ele escolheu o Gasho of Japan, o que era perfeito porque meus pais não fazem a contabilidade dele e também porque, se você estiver no clima certo, o Gasho é um restaurante muito legal. A pessoa que o abriu desmontou uma casa de fazenda do século XVI inteira no Japão, trouxe todas as peças para os Estados Unidos e as reconstruiu e transformou o lugar em um restaurante. Os chefs cozinham em grelhas quentes que ficam bem no meio das mesas e, nos fundos, há um jardim japonês com um córrego e pontes em arcos e bancos aninhados em cantinhos tranquilos.

Se você estiver no clima certo, é um bom lugar para ir. Mas ninguém estava realmente no clima certo.

O que acontece é que Finn sempre jantava conosco em nossos aniversários. Sempre. Às vezes, nós íamos para a cidade e Finn organizava o jantar. Outras vezes, ele vinha até aqui. Aquele era o primeiro aniversário em que ele não estaria. Minha mãe tentou sugerir que convidássemos os Ingrams em vez disso, mas ninguém achou que era boa ideia. Nem Greta.

– Estão bonitas, meninas – meu pai disse enquanto entrávamos na van.

Greta e eu olhamos uma para a outra por um segundo e, depois, nós duas reviramos os olhos.

Ela sentou-se no banco na fileira na minha frente, usando jeans risca de giz com buracos nos joelhos. Eu vestia uma saia preta e uma malha gigante. Não usei as botas que ganhei de Finn. Não conseguia suportar usar aquelas botas naquela noite.

O caminho até o Gasho foi silencioso a não ser pelo som da fita cassete *Simon and Garfunkel's Greatest Hits* do meu pai. Todas as músicas dos meus pais vinham de álbuns dos maiores sucessos. Era como se a ideia de comprar nem que fosse um álbum ruim fosse demais para eles aguentarem. Enquanto avançávamos pela rodovia, pensei em todos os outros aniversários que tínhamos comemorado. O aniversário de 35 anos do meu pai, naquele lugar marroquino escuro que Finn conhecia no Village. O de dez anos de Greta, quando conseguimos que o Il Vecchio escrevesse *Feliz aniversário, Greta* com pimentas por cima de todas as pizzas. O meu de 12 anos, quando Finn reservou um salão de jantar em um hotel antigo e nos fez jogar vários jogos de salão vitorianos sobre os quais ele lera. Ele apareceu de cartola e fraque e falou com sotaque inglês o tempo todo. No final da noite, todos nós estávamos falando assim. Até Greta. Tudo era *pardon*, *would you mind terribly much* e *swimmingly*, e encontrávamos desculpas para chamar uns aos outros de *cads* e *bounders*.

Depois teve o de 40 anos da minha mãe, em que eu me sentei ao lado de Finn em um restaurante chique que tinha um pianista de jazz em um canto e velas em candelabros de vidro quadrados e grossos nas mesas. Eu tinha 10 anos e Greta, 12, e observei a luz das velas tremular contra a bochecha da minha mãe enquanto ela tirava com cuidado o papel de embrulho do presente de Finn. Essa era uma característica de um presente do Finn. Você sempre guardava o papel de embrulho, porque sempre era mais bonito do que qualquer outro que você já vira. Aquele papel de embrulho em particular era de um vermelho-escuro profundo que parecia feito de veludo de verdade. Minha mãe o abriu devagar, com delicadeza, para não rasgar o papel, e, depois, quando tinha um lado aberto, ela gentilmente deslizou para fora dele um caderno de desenho preto.

O caderno acabou em uma estante de livros do quarto de Greta. Dentro, Finn escrevera um pequeno bilhete que dizia *Você sabe que quer...* ao lado de um pequenino desenho a caneta de minha mãe com um lápis na mão. O incrível era que, mesmo o desenho tendo apenas um pouco mais de 1 cm de altura, era possível dizer na hora que era minha mãe. Finn era bom assim.

Naquela noite, todos os outros estavam conversando. Meu pai estava tendo uma discussão em voz baixa com Greta porque ela não queria colocar o guardanapo no colo. Durante esse tempo, Finn ficou sentado ao meu lado, dobrando e torcendo seu guardanapo até que, de uma vez, ele o ergueu de baixo da mesa e vimos que o dobrara na forma de uma borboleta. Observamos enquanto ele a fez voar até Greta e disse:

– Tome, tenho alguém que precisa de um colo para descansar.

Greta riu e pegou a borboleta da mão de Finn e sorriu para ele. Eu me lembro de pensar que queria um guardanapo de borboleta também.

Queria que Finn dobrasse alguma coisa para mim. Estava prestes a pedir, mas, quando me virei, vi que ele estava com o olhar fixo do outro lado da mesa, em minha mãe. Ela tinha o caderno de desenho aberto na contracapa e estava olhando para o pequeno desenho dela mesma. Depois de um tempo, olhou para Finn. Levantou a cabeça devagar e não sorriu ou disse obrigado como alguém normalmente faria se outra pessoa lhe desse um presente. Não. Apenas ficou sentada ali, direcionando para ele um olhar duro e meio triste, e, depois, balançou a cabeça de um lado para o outro, os lábios bem apertados. Ela então deslizou o livro de volta para o papel de embrulho e enfiou-o debaixo da mesa. Foi uma daqueles momentos fotográficos. Não sei por que algumas memórias são assim, tudo fica preservado com perfeição. Congelado. Porém, aquela lembrança – os olhos de Finn presos nos da minha mãe, ela balançando a cabeça devagar – é exatamente assim.

Quando chegamos ao Gasho, seguimos a *hostess* até uma das mesas altas e subimos em nossos bancos. Cada mesa acomodava talvez 12 pessoas ao redor de uma grande grelha, e o chef ficava na outra ponta picando alguma carne com um machadinho. Meu pai pediu dois copos de cerveja japonesa. Depois, olhou para nós e perguntou se queríamos Shirley Temples.

– Não tenho, tipo, três anos de idade, sabia? – Greta disse. – Quero uma Coca diet.

– Acho que vou tomar uma Coca também – eu falei, embora tivesse gostado, na verdade, de um Shirley Temple.

E isso foi basicamente o máximo de conversa que tivemos a noite toda. Acho que ninguém no restaurante teria conseguido adivinhar que estávamos comemorando um aniversário. Meu pai perguntou a Greta como a peça estava indo e tudo o que ela pôde dizer foi "bem". Minha mãe comentou uma mudança no cardápio, mas não ficou melhor que isso. Nenhum de nós era uma pessoa do tipo de Finn. Tentei lembrar um dos jogos vitorianos, mas não me veio nada. Talvez mais coisas tenham sido ditas, talvez algumas palavras tenham desaparecido nas pimentas e cebolas que chiavam, mas é assim que me lembro. Fiquei sentada ali observando o chef japonês com seu chapéu alto e branco fritar nosso jantar e perguntei-me o que aconteceria comigo sem Finn. Eu ficaria idiota pelo resto da vida? Quem me contaria a verdade, a história real que estava por baixo do que todas as outras pessoas conseguiam ver? Como você se torna alguém que sabe essas coisas? Como você se torna alguém com visão de raio X? Como você se torna Finn?

No caminho para casa, pensei no bilhete de Toby de novo. Pensei que 6 de março estava a apenas três dias de distância e que seria idiotice eu encontrá-lo. Novamente, pensei que deveria ir até meus pais e lhes contar tudo. Contar que aquele cara viera até a nossa porta. Que ele me pedira para encontrá-lo. Que me pedira para guardar segredo. Não era tarde demais para lhes contar tudo.

Meus pais confiavam em mim. Eu sabia disso. E eles tinham motivo. Eu era uma menina que sempre fazia a coisa certa. Mas aquilo era diferente. Eu sabia que Toby tinha histórias. Ele tinha pedacinhos de Finn que eu nunca vira. E o apartamento. Talvez houvesse uma chance de ver o apartamento de novo. Minha mãe chamaria aquilo de raspar o tacho. À procura das últimas migalhas. Minha mãe chamaria aquilo de ser gananciosa, mas eu não ligava. Se você pensar que uma história pode ser como um tipo de cimento, do tipo aguado que se coloca entre os tijolos, do tipo que parece cobertura de bolo antes de secar e endurecer, então talvez eu achasse que seria possível usar o que Toby tinha para segurar os pedaços de Finn, mantê-lo aqui comigo mais um pouco.

Dezenove

– Festa. Amanhã à noite. Cem por cento. Sem cancelamento.

Greta tinha entrado no banheiro enquanto eu estava no chuveiro e sussurrado através da cortina rosa-coral.

– O quê?

Greta repetiu, mais devagar, o mais alto que podia sem nossos pais ouvirem. Ainda não consegui ouvi-la bem e, assim, desliguei o chuveiro e esfreguei as orelhas com as palmas das mãos para tirar a água. Coloquei a cabeça para fora da cortina.

– O quê?

Ela soltou um suspiro frustrado e, depois, disse mais uma vez. Desta vez eu ouvi.

– A mamãe e o papai vão ficar no trabalho até as sete e, depois, podemos simplesmente dizer a eles que você vai ajudar com a peça de novo. Combinado?

Eu assenti, mas minha cabeça estava a mil. A festa era no mesmo dia do encontro com Toby.

– Combinado? – Greta falou.

– É... Acho que sim. Combinado.

– No bosque atrás da escola.

O meu bosque. A festa seria no meu bosque. Sorri para mim mesma. Pelo menos uma vez, eu saberia mais do que Greta. Seria a única lá que saberia tudo sobre o lugar.

Greta ficou parada com as mãos nos quadris, olhando para mim como se estivesse me esperando dizer alguma coisa.

– Você conhece aquele bosque, não é?

– Eu... é. O que dá para ver atrás do refeitório.

Ela esperou mais alguns segundos e, depois, fez que sim com a cabeça.

Liguei o chuveiro a toda de novo, deixando a água bater contra o meu pescoço.

Eu podia ver a forma da testa de Greta pela cortina do chuveiro e a cutuquei. Ela cutucou de volta, tentando pegar meu ombro. Nós duas rimos, cutucando uma à outra sem ver através do plástico rosa.

– Para – Greta disse, mas ainda estava cutucando.

Estendi o braço molhado pela lateral da cortina e fiz cócegas nela bem embaixo da axila. Nós duas não conseguíamos parar de rir.

– Meninas? – a voz do meu pai retumbou do andar de baixo.

Puxei o braço de volta.

– Está tudo bem – Greta gritou.

De vez em quando, era assim comigo e com Greta. Só por um ou dois minutos. Apenas um vislumbre de como costumávamos ser.

Ela enfiou a cabeça pelo lado da cortina, inclinando o rosto para não me ver nua.

– Então, você ainda vai?

– Sim. Só vai na frente. Eu te encontro no bosque.

Vinte

Eu escrevi algumas maneiras de odiar Toby. Queria estar preparada. Não queria aparecer lá toda chorosa e boba. Queria ser dura. Queria conseguir dizer a ele o que era o quê.

Lembrar que foi ele que fez Finn morrer. Talvez de propósito.

Lembrar que foi ele quem enviou o retrato, NOSSO retrato, para o jornal sem pedir, embora seja nosso e não seja da conta dele.

Lembrar que só alguém muito assustador mandaria cartas para uma menina de 14 anos e lhe diria para não contar aos pais.

Olhei para aquela lista, mas não consegui fazê-la funcionar. Parecia que eu não conseguia odiar aquele homem. Finn não odiava Toby. Talvez Finn até tivesse amado Toby. E Toby era provavelmente a última pessoa no mundo que falara com Finn, que o vira vivo. Assim, acrescentei isto:

Toby foi o último a falar com Finn. Toby foi o último a segurar a mão de Finn. O último a abraçá-lo. Não eu. Foi Toby.

Foi quando a lista começou a funcionar. *Eu* queria ter sido a última. Não um cara inglês e comprido qualquer com uma voz molhada.

Vinte e um

Se você ficar na Sumac Avenue, onde ela passa acima dos trilhos do trem, e olhar por cima da proteção, poderá ver toda a plataforma da estação de trem. Cheguei tarde e estava um frio congelante porque eu colocara meu casaco azul-claro fofo e ridículo na mochila. Tinha pegado o caminho longo, passando a loja de bicicletas e o posto de gasolina Mobil e, depois, cruzando os campos cheios de ervas daninhas perto da igreja luterana. Conforme me aproximava, comecei a pensar que talvez o próprio Toby não aparecesse. Talvez ele fosse se esconder em algum lugar e observar e esperar para ver se eu viria, assim como eu decidira fazer com ele.

Espiei pela borda da proteção, tentando não me aproximar muito. Eu nem tinha certeza de que o reconheceria, mas reconheci. Eu o vi imediatamente. Estava sentado em um banco no final da plataforma, os joelhos puxados para o peito, os dedos mexendo nervosos nos cadarços. Pude ver que ele era magro, mas não exatamente de um jeito com AIDS. Ele não estava da maneira como Finn ficara no final. Parecia sempre ter sido daquele jeito.

Fiquei parada por um tempo, observando-o. De vez em quando ele levantava a cabeça de repente e olhava ao redor. Quase como se estivesse assustado. Como se soubesse que eu estava ali em algum lugar. Cada vez que ele fazia isso, eu pulava para trás da sua linha de visão.

Toby parecia mais novo que Finn. Mais novo que meu pai ou minha mãe. Se eu tivesse que adivinhar, teria dito que ele tinha por volta de trinta anos, mas não sou boa nesse tipo de coisa. De onde eu estava, podia ver o pescoço magrelo dele e o pomo de Adão de tamanho exagerado aparecendo; o cabelo parecia macio, como as penas de um pássaro bebê polvilhadas sobre a cabeça. Toby ficou em pé e andou pela plataforma. Ele tinha uma pequena mochila azul e vestia jeans, tênis e uma malha cinza grossa com um cachecol de lã vermelho, mas não usava casaco. Não parecia nada de especial, e perguntei-me por que alguém como Finn sairia com ele. Ele olhou pelos trilhos e, depois, espiou seu relógio. Ouvi o barulho de um trem chegando.

Toby espiou o relógio de novo e, então, antes de eu ter tempo de pensar, olhou para cima até o lugar onde eu estava. Pulei para trás antes de ele me ver e, nesse momento, decidi que não desceria até lá. Não conheceria Toby no final das contas. Não conseguia me levar a fazer isso. O que eu diria? Não. Eu não desceria. Eu o observaria de cima. Esperaria o trem levá-lo embora. Ele entenderia a mensagem.

Voltei devagar para o meu lugar e espiei para baixo. O que vi foi Toby, olhando diretamente para mim, fitando bem o ponto onde eu estava. Uma mão estava fazendo sombra sobre seus olhos e, quando ele me viu, abriu os dedos da outra mão e levantou-a no mais discreto dos acenos. Antes de eu me decidir pelo contrário, fiz o mesmo. Mexi bem devagar uma mão que quase não ultrapassou a mureta e abri os dedos.

Depois, sorri. Foi apenas o sorriso mais simples e saiu sem eu querer. Não sei como posso ter dado um sorriso para o homem que matou Finn, mas dei, e aquilo pareceu selar alguma coisa. Pareceu que aquele sorriso havia me prendido, como se fosse algum tipo de promessa que fez com que eu não tivesse escolha a não ser descer o lance de degraus até a plataforma.

Toby ficou me olhando com uma expressão um pouco preocupada. A maneira como a luz estava caindo sobre o rosto dele, a maneira como sua mão permaneceu levantada fizeram parecer que ele estava em uma pintura medieval, protegendo os olhos de algo maior do que ele. Apontou para a plataforma e fez um movimento com a cabeça para baixo. E, antes de poder me conter, eu estava acenando de volta e andando até a escada coberta. Parecia que eu estava me mexendo em câmera lenta. Como se as escadas pudessem continuar descendo para sempre.

No entanto, quando pisei na plataforma, ela estava iluminada e quente e o trem acabara de sair. Toby estava andando na minha direção, com um sorriso que não era um daqueles sorrisos de adultos, grandes demais sem muita intenção. Era um sorriso de verdade. Como se estivesse tão feliz em me ver que quase não podia acreditar na sua sorte.

– Vamos – ele disse, como se já nos conhecêssemos.

Era uma hora estranha do dia. A maioria das pessoas não tinha saído do trabalho ainda e quem tinha, na maioria das vezes, seguia para o norte, voltando da cidade para casa. Entrei em um trem para o sul, tentando não pensar muito no que estava fazendo.

O vagão que escolhemos estava quase vazio. Toby apontou para um assento de quatro lugares, dois de frente para dois.

– Aqui?

Fiz que sim com a cabeça e me sentei. Toby ficou no assento do corredor, na diagonal em relação a mim. Os joelhos dele ocupavam o espaço entre nós, forçando-me a me inclinar na direção da janela para evitar tocar nele.

– Obrigado por vir – ele falou.

Pude vê-lo tentando fazer contato visual comigo, mas eu não queria isso. Mantive a cabeça virada, olhando para fora da janela, para um anúncio da vodca Absolut na plataforma. Na parte de baixo, alguém escrevera *Def Leppard Arraza*, com z mesmo, mas alguém riscara o *Arraza* e escrevera *É um Saco* no lugar.

– Não tem problema – eu disse, ainda olhando para fora da janela.

– Você não está com medo nem nada do tipo, está? Porque sei o que deve ter ficado parecendo no telefone e sei o que a sua família pensa de mim e eu estava tentando tanto encontrar um jeito de falar com você.

O trem saiu da estação, balançando devagar de um lado para o outro.

– Não. Você não está me assustando.

– Bom. Isso é bom.

Ele olhou para o assento vazio do outro lado do corredor e, depois, virou-se devagar para mim.

– Você contou aos seus pais que vinha?

Primeiro, não respondi. Depois, virei-me, olhei direto para ele e disse:

– É uma coisa meio estranha de perguntar, não é?

Toby pareceu preocupado por um segundo. Ele tremeu um pouco, como se soubesse que cometera um erro. Mas, depois, riu.

– Você está certa. É estranho. Muito estranho. Essa não foi minha intenção.

Ele revirou os olhos. Eram castanho-escuros e suaves de uma maneira que me lembrou dos olhos de um animal. Como os grandes olhos castanhos de um cavalo.

– O Finn costumava dizer...

Eu me sentei mais ereta quando ele disse o nome de Finn. Todo o meu corpo ficou tenso, e Toby deve ter visto, porque franziu as sobrancelhas e me direcionou um olhar de súplica.

– Ah, não é nada – disse, balançando a longa mão no ar.

Ele tombou a cabeça. Tentando cruzar seu olhar com o meu de novo. Tentando ver se eu estava confiando nele.

– De qualquer forma, a resposta é não. Não contei a ninguém.

Eu tinha um canivete suíço no bolso do casaco com o saca-rolhas já aberto. Só por garantia.

Toby colocou a mão dentro da mochila e tirou um saco amassado da Dunkin' Donuts com um *cruller*. Torceu, arrancou um pedaço e deu para mim. A cobertura grudenta derretera um pouco, deixando a coisa toda uma bagunça. Eu não queria aceitar o doce dele, mas tinha ido para lá direto da escola e estava faminta.

– Obrigada – falei.

Fiquei ali desenrolado os dois cordões de donut e, quando levantei o olhar, vi que Toby estava fazendo a mesma coisa. Nós dois sorrimos, nervosos, sem saber o que dizer. Depois, eu me arrependi de ter sorrido, porque não queria que ele ficasse com a ideia de que éramos amigos ou algo assim.

O trem diminuiu a velocidade. As portas se abriram deslizando e uma rajada de ar frio passou por elas. Toby não pareceu notar que tínhamos parado. Eu pensei que deveriam ser quase quatro horas naquele momento, mas não quis dizer nada. Já havia dito que não estava assustada, e não estava. As portas fecharam de novo e o trem saiu.

– É como o DNA, não é? – Toby levantou o donut meio separado para a janela. – Você sabe, a hélice dupla.

Era o tipo de coisa que Finn poderia ter me dito, e eu não consegui evitar um sorriso. Havia algo que parecia familiar em Toby, e não pude deixar de continuar a conversa:

– DNA Dunkin, células sanguíneas Dunkin, uma caixa com doze globos oculares Dunkin...

Toby jogou a mão em frente à boca para evitar cuspir seu donut. Os lábios dele estavam revestidos de cobertura grudenta.

– E bactéria Dunkin e vírus Dunkin...

Pude ver que ele não tivera a intenção de dizer aquela palavra. *Vírus*. Olhei para o outro lado. Toby olhou para baixo e, quando levantou a cabeça de novo, seu rosto estava sério.

– Ei – ele disse. – Sinto falta dele, sabe?

Comi o último pedaço do meu donut e olhei para fora, para os quintais cercados das casas que ladeavam os trilhos. Através de algumas das janelas, dava para ver pessoas nas suas cozinhas, fazendo o jantar. Esfreguei meus dedos grudentos contra o tecido dos assentos.

– Eu também – disse depois de um tempo.

– Ele falava de você o tempo todo – Toby contou. – Sabe disso, não?

Pude sentir que começava a sorrir e corar e virei para o outro lado depressa. Depois, entendi o que aquilo significava. Eu não tinha sido um segredo. Toby sabia sobre mim.

– Até parece – falei, encolhendo os ombros como se não ligasse.

– É verdade.

Ficamos sentados em silêncio. Vi Toby brincar com sua passagem de trem. Dobrando-a e desdobrando-a várias vezes.

– Então... Você é tipo um artista também? – perguntei.

– Ah, não. Não, sou terrível. Total e completamente ruim. – Toby riu. – Uma vez, o Finn tentou me mostrar umas coisas de escultura, mas...

Olhou para mim. Eu devia estar franzindo as sobrancelhas, porque ele mudou de tom.

– Não sei. Só não funcionou, de verdade.

– Eu também não.

– Por que você diz isso?

– Porque não sou uma boa artista. Nem sou uma das melhores da minha turma.

Não tinha a intenção de dizer nada a meu respeito, mas saiu antes de eu poder impedir.

– Bem, o Finn achava que você era boa. Muito boa. – Toby descruzou as pernas e se inclinou. – Ele dizia que a arte não se trata de desenhar ou pintar uma tigela perfeita de fruta. Trata-se de ideias. E você, ele disse, tem ideias o bastante para durarem uma vida toda.

– Ele disse isso?

– A-hã.

De novo, corei e virei para o outro lado, olhando para fora da janela. Por um segundo, pareceu que Finn estava no trem conosco. Como se Toby tivesse um fantasminha de Finn no ombro dizendo a ele exatamente o que falar.

Eu não queria me deixar ser enganada por todo aquele papo bom, mas era difícil. Era difícil não querer ouvir para sempre cada coisa bonita que Finn dissera a meu respeito. Olhei para Toby. Provavelmente, estava inventando tudo. Ele era a pessoa especial, no final das contas. Eu era apenas a sobrinha idiota e, de repente, pareceu muito errado aquele cara, aquele estranho, ter conversado a meu respeito com Finn. Ele saber todo tipo de coisa sobre mim e eu não saber nada.

– Então, você assumiu o apartamento do Finn? – perguntei.

Ouvi o tom cruel na minha voz, ouvi-me parecendo mais Greta do que eu, mas não me importei.

Toby curvou a cabeça.

– Eu...

– Tanto faz. Eu não quero saber.

Silêncio novamente.

– Sabe, você pode aparecer lá quando quiser – ele disse. – Quando quiser. É sério. Noite e dia.

Encolhi os ombros. Depois, sem perceber, senti meus olhos começando a arder. Senti a pressão de lágrimas e, quanto mais tentava pará-las, mais elas queriam sair. Eu me virei, mas senti Toby colocar uma mão nas minhas costas. Inclinei-me para longe. Inspirei e expirei o mais devagar que pude até sentir que estava voltando ao normal.

– Ei, vai ficar tudo bem – ele disse.

Depois, tirou a malha do assento ao seu lado e colocou-a no colo. Apenas isso. Apenas dizendo que eu poderia me sentar ali se quisesse. Levantei o olhar para o assento vazio para que ele soubesse que eu percebera o que tinha feito, e o que estava dizendo, mas que não me mexeria. Não precisava da ajuda dele.

Mas ele não colocou a malha de volta. Apertou-a no colo e deixou aquele assento vazio entre nós. O trem parou em mais quatro estações e eu fiquei sentada ali, deixando-o me levar mais e mais longe de casa. Fora do bosque. Fora do subúrbio e para dentro do ar de pedra fria da cidade.

Quando o trem entrou na estação Grand Central, nós dois saímos.

Ele me agradeceu por ter ido mais umas vinte vezes e me disse que esperava que não fosse a última vez que nos víssemos. Abriu a mochila e me deu um saco marrom de papel.

– Do Finn – disse, inclinando-se para perto; depois, afastando-se depressa. – E tem mais.

Peguei o saco sem olhar para ele, como se não fosse importante.

– Bem, então por que não trouxe? Se tem mais.

Toby pareceu constrangido. Ele torceu as mãos atrás das costas e olhou para baixo, para o chão sujo da estação de trem.

– Porque eu não achei que você viria de novo depois de receber tudo. E preciso... *quero* que você venha de novo. Muito.

Depois, colocou a mão no bolso e tirou um monte de dinheiro e entregou para mim. Não estava em uma pilha arrumada nem nada disso; era como se ele tivesse apenas enfiado as notas no bolso depois de tirá-las de uma grande pilha em algum lugar.

– Tome. Você sabe, caso precise de alguma coisa.

Não olhei com muita atenção, mas percebi que era muito. Nossa vizinha, a Sra. Kepfler, costumava tentar dar para Greta e para mim um dólar às vezes. Só porque parecíamos meninas boazinhas, ela dizia. Mas minha mãe nunca nos deixava aceitar.

– Não aceitem dinheiro a menos que seja de alguém da família.

Era o que ela sempre dizia antes de nos fazer devolver.

– Não posso – falei para Toby, devolvendo as notas.

– Não, não, não. Você pode. É do Finn. Não é como se você estivesse aceitando de mim ou algo do tipo. Ainda sobrou muito. Não se preocupe.

– As coisas que quero não custam dinheiro – afirmei, empurrando as notas de volta para a mão dele.

Não sei se entendeu o que eu queria dizer. Que o que eu queria era que o tempo voltasse e Finn nunca conhecesse Toby e nunca pegasse AIDS e ainda estivesse ali, apenas ele e eu. Como sempre achei que fosse.

– Ah – Toby disse, parecendo que se sentia, de repente, bobo.

Perguntei-me o que nós dois estávamos parecendo, parados no meio do saguão lotado da Grand Central, Toby com uma mão cheia de dinheiro, apenas esperando alguém chegar e arrancá-lo dela. Tentou enfiar o dinheiro de volta em seus bolsos, mas não cabia e, naquele momento, por um segundo, senti pena dele.

– Certo, certo – eu disse. Estendi minha mochila. – Mas seja rápido.

Ele sorriu e enfiou o dinheiro nela.

– É o que o Finn queria, tudo bem?

Eu estava prestes a dizer que ninguém sabia o que Finn queria, mas tive o pensamento horrível de que talvez Toby soubesse mesmo. Talvez apenas eu não fizesse ideia.

– A gente poderia... Não sei, tomar um café? Sorvete? Uma bebida?

Toby mexeu a cabeça levemente na direção do bar da estação.

Eu olhei para o grande relógio: 16h50. Mesmo se eu quisesse ir a algum lugar com Toby, seria tarde demais. Tinha de voltar para a festa.

Balancei a cabeça.

– Tenho de ir para um lugar.

– É claro. Outra vez, certo? Vou vê-la de novo?

Olhei Toby de cima e a baixo. Ele ficou parado, os ombros curvados. Os dedos brincando com uma linha solta na ponta da malha, os grandes olhos castanhos olhando direto para mim como se ele realmente se importasse com a minha resposta.

– Eu... acho que posso ligar para você. Em algum momento. Se eu não tiver nada melhor para fazer.

O rosto de Toby se iluminou. Ele fez que sim com a cabeça e estendeu a mão para mim, como se quisesse um cumprimento, mas não aceitei.

– Fantástico. Quando quiser, tudo bem? A qualquer momento. Sempre estou por aqui. E, se algum dia precisar de alguma coisa... qualquer coisa. Estou falando sério.

Foi como eu deixei a situação. Toby me perguntou cinco ou seis vezes se eu ficaria bem na volta para casa e, quando finalmente acreditou que eu ficaria, nós nos despedimos. Ele passou pela arcada em direção à saída e, depois, parou e se virou para olhar de novo. Sorriu e acenou e fez como se estivesse discando em um telefone invisível. Depois, apontou para mim. Fiz que sim com a cabeça para ele ir embora e, então, comprei uma passagem para casa. Usei o dinheiro que levara comigo. O meu próprio, não o que Toby acabara de me dar. Não olhei na direção dele de novo. Fiquei ali na plataforma, olhando pelos trilhos muito sujos, esperando o trem. Pensando que eu provavelmente não o veria nunca mais.

Vinte e dois

Quase todo o elenco de *Ao Sul do Pacífico* estava no bosque atrás da escola. Ryan Cooke, Julie Contolli, Megan Donegan. E algumas pessoas da produção. Iluminadores e criadores dos cenários. As pessoas que vestiam preto e ficavam se esgueirando entre as cenas. Se eu estivesse na peça, seria da produção. Eu me senti parte da equipe de produção do palco naquele momento, escondida atrás de uma árvore, observando todos se curvarem em volta de uma fogueira. Ouvi Greta antes de vê-la. A voz dela gorjeava através das árvores. Trechinhos de *Bali Ha'i*, a grande música de Bloody Mary. *Ilha... mar... eu...* Depois, houve silêncio e eu a vi. Vi Greta virando uma garrafa na boca. Uma bebida marrom, uísque ou conhaque. Eu nem sabia que Greta bebia álcool. Não queria saber.

Eu havia corrido da estação de trem e atravessado a cidade, e foi como se estivesse correndo atrás da minha última chance de ser normal. Avançando depressa pelo ar frio, sobre os pequenos trechos de crostas de neve, para longe da esquisitice de uma tarde inteira com Toby. Não me sentia eu mesma. Era como se eu estivesse em um programa sobre alguém quase exatamente como eu, mas não eu.

Esperei pelo momento que poderia ser a hora certa de sair de detrás da árvore e fazer parte da festa, mas ele não parecia chegar. Fiquei ali sentindo cada vez mais frio, até que enfim tirei o casaco da mochila e o vesti. Não me importava mais com minha aparência. Dei um passo para trás e tropecei, e algumas pessoas me viram. Uma delas foi Greta, que sorriu por um segundo e, depois, virou-se para dizer alguma coisa para um garoto perto dela. Outra foi Ben Dellahunt. Ele olhou para os meus pés e depois se aproximou.

– Então, nós nos encontramos de novo. Você é a Elbus mais nova.

Eu corei.

– É. June.

– Eu reparei nessas suas botas.

Eu coloquei um pé atrás do outro, tentando tornar as botas menores do que eram. Não queria Ben Dellahunt olhando minhas botas. Tinha sido um dia longo e eu não achava que tinha força para defender o melhor presente que ganhara de Finn.

– Você disse isso da última vez. O que têm elas?

Saiu mais grosseiro do que eu queria.

– Calma aí. – Ben levantou as mãos como se estivesse tentando se proteger. – Nada. É só que... elas são legais. É só isso. Não me importaria de ter uma coisa assim.

– Bem, elas não estão à venda.

– Eu sei – ele disse, rindo. – Não se preocupe.

Perguntei-me se Greta havia pedido para Ben me procurar. Se fora por isso que me convidara para ir à festa. Se talvez ela tivesse nos visto conversando no auditório naquela noite.

Ben se aproximou de uma geladeirinha de isopor e pegou uma garrafa. Entregou-a para mim.

– Cerveja?

Ele já a tinha aberto, e, assim, não havia muito que eu pudesse fazer a não ser pegá-la dele. Pensei em dar um gole e, depois, derramar o resto em outro lugar.

– Obrigada – eu disse.

Ben me examinou.

– Você é, tipo, bem mais alta que a sua irmã.

– É. Eu sei.

Ficamos parados e constrangidos por um tempo.

– Quer ir dar uma volta ou algo assim? – perguntou.

Pensei naquilo por alguns segundos. Talvez segundos demais, porque Ben disse:

– Só uma caminhada. Não tem nada de vida ou morte nisso.

Então eu disse sim. Não porque quisesse dar uma volta com Ben Dellahunt, mas porque pelo menos significava sair da festa. Eu não queria ficar em volta daquela fogueira. Perto de Greta bebendo, com todas aquelas pessoas que eu não conhecia. Se entrasse no bosque, quase nem seria uma festa, nem um pouco. E, se alguma coisa desse muito errado, eu ainda tinha o saca-rolhas no bolso. Eu o dobrara na metade da viagem de trem com Toby, mas ainda estava com ele, pronto e à espera. E estava com uma lanterna, da qual eu tinha bastante certeza de que não precisaria, mas Greta insistira que eu levasse.

Conforme entrava mais no bosque, ouvi um dos meninos gritar:

– Manda ver, Benno!

– Ignore-o – Ben disse e se aproximou mais de mim devagar.

Estávamos indo para o riacho quando ele parou.

– Você ouviu isso? – perguntou. – Parece, eu não sei... cachorros ou algo do tipo.

– Podem ser lobos – eu disse e, então, fiquei arrependida no mesmo instante.

Ele riu.

– Até parece. Todos os lobos foram mortos aqui, tipo, cem anos atrás. Você precisa subir pra burro em direção ao norte para encontrar lobos.

– A gente não sabe tudo. Talvez os lobos do norte possam simplesmente descer até Westchester. Como a gente saberia?

Dei outro gole na cerveja, de repente sentindo-me ousada.

– Psiu – ele disse. – Vamos ouvir. – Levantou dois dedos. – De qualquer forma – sussurrou –, nem todos os lobos são maus.

Olhei para baixo.

– Não. De jeito nenhum. Não maus. Apenas... apenas egoístas. É o que eles são. Famintos e egoístas.

Ele não sabia o que dizer depois daquilo.

– É, bem, de qualquer forma, provavelmente são só coiotes ou cachorros. Provavelmente, vira-latas. – Olhou ao redor e, depois, de novo para mim. Pegou minha mão. – Se quiser, podemos tentar encontrá-los.

Atrás de nós, a fogueira ainda queimava forte. As pessoas estavam amontoadas em volta dela, virando garrafas de cerveja nos lábios. Mais para dentro no bosque, havia pequenos pontos de luz, velas e lanternas de outras pessoas que haviam se afastado da fogueira.

– Acho que não quero saber.

Eu não queria dizer a ele que gostava de acreditar nos lobos.

– Por que não iria querer saber? – Ele colocou a mão no bolso do casaco e estendeu a palma para mim. – Já jogou Dungeons & Dragons?

Balancei a cabeça.

– Ah, bem...

Ben meio que se encheu de orgulho e começou a explicar porcentagens e alinhamentos de personagens e pontos de experiência. Depois, me entregou um dado com formato estranho e me disse para jogá-lo.

– Vai em frente – ele disse. – Bem aqui.

Estendeu as duas palmas. Tinha mãos do tamanho das do meu pai e uma voz grave e regular. Tinha um pequeno trecho de barba curta no queixo. Estávamos sozinhos e, de alguma forma, os dois anos de diferença entre Ben Dellahunt e eu pareceram maiores e mais escuros do que os 15 ou 20 entre Toby e eu apenas algumas horas antes. Eu não entendia de verdade o que eu estava tentando fazer, mas deixei o dado cair dos meus dedos nas mãos dele.

– Fantástico – ele disse.

– O quê?

– Eu te convenci a ir encontrar os lobos.

– Convenceu?

– É claro que sim. Você tem, tipo, zero pontos de experiência.

Fiquei parada por alguns segundos, imaginando se devia me virar e voltar. O que eu queria mesmo fazer era ir embora. Mas não conseguia mais ver Greta perto da fogueira e, se eu fosse embora, se fosse para casa sozinha, ela teria problemas. Eu não faria isso com ela.

– Certo, então – eu disse. – Vamos.

Apontei na direção errada, para longe de onde os lobos estavam, e nós andamos. Ben continuou falando sobre Dungeons & Dragons e jornadas e suas partes preferidas de *O guia do mochileiro das galáxias*. De vez em quando, parávamos e Ben tirava outra lata de cerveja do bolso do casaco e nós nos sentávamos. Eu não diria que estava me divertindo exatamente, mas era bom. Fácil. Fazia a festa parecer satisfatória.

Eu guiei Ben em um grande círculo e, assim, acabamos de volta ao morro acima da fogueira.

– Então, nada de lobos – ele disse.

Colocou a mão nas minhas costas.

Ele era a segunda pessoa, em um mesmo dia, que não era da minha família e tocava em mim de propósito, e a sensação foi estranha. Como se ele fosse feito de uma coisa diferente de mim.

– Acho que não. – Dei um passo para a frente, e, assim, a mão dele caiu. Depois, ele sorriu e disse: – Não significa que não existam, certo?

Ele começou a discutir, mas eu já estava descendo o morro em uma corridinha até a fogueira. Ela ainda brilhava quando voltei, soltando fumaça das folhas que as pessoas estavam jogando por cima dela. Havia um cheiro de levedura das latas de cerveja meio cheias e, embora parecesse muito cedo, as pessoas estavam começando a ir embora. Ninguém queria abusar da sorte em casa. Eu não sabia quanto tempo tinha se passado, mas era tempo o bastante para eu esperar ver Greta de volta ali. No entanto, ela não estava. Vi seus amigos, mas ela não estava em lugar nenhum.

Fiquei ali sem ideia do que fazer. O peso da minha mochila fazia pressão contra meus ombros, e tudo em que eu conseguia pensar era no quanto queria ir para casa. Queria contar o dinheiro de Toby. Queria espalhar tudo daquele saco de papel marrom e amassado no chão do quarto. Queria dormir. Tudo de que eu precisava era Greta.

Perguntei para algumas pessoas se alguém a tinha visto, mas ninguém tinha. Uma menina disse que achava que ela tinha saído com Rob Jordan, mas não tinha certeza.

Não pensei que Greta me abandonaria. Não desta vez. Desta vez ela teria grandes problemas se chegasse em casa sem mim.

Várias pessoas seguiram na direção da escola. Ben estava com elas e gritou:

– Você está bem?

Assenti com a cabeça e acenei.

– Sim.

Ele acenou de volta e, depois, desapareceu nas árvores.

Apenas algumas pessoas ainda se sentavam em volta do fogo. Meus olhos estavam ardendo com a fumaça e eu estava com sede e fome. Dei alguns passos de volta para a escuridão e, sem nem tentar, senti-me como uma menina camponesa e pobre da Idade Média. Uma menina no bosque, desesperada para encontrar sua única irmã.

– Greta – sussurrei sob os galhos escuros. – Vamos, Greta, só me diga onde você está.

Desci o morro, afastando-me da escola e do fogo, até chegar perto do riacho. Continuei chamando o nome de Greta. Baixo e, depois, mais alto, prestando atenção se ouvia algum tipo de resposta, mas os únicos sons que percebi estavam acima de mim. Uma coruja nos galhos ou ramos caindo. Segui o riacho mais para dentro do bosque, do mesmo jeito que fazia quando ia sozinha. Havia apenas um pedacinho de lua naquela noite, mas eu não estava nem um pouco assustada.

Lembrei-me da lanterna e a acendi, gritando o nome de Greta.

– Apareça. Não tem graça.

No começo, fiquei preocupada se a encontraria com um menino. Fazendo coisas que, supostamente, eu não podia nem imaginar. Pensei em quão constrangedor seria para nós duas – nós três até –, mas não me importava mais. Meus dedos dos pés estavam ficando adormecidos de frio e eu precisava ir para casa.

Continuei seguindo o riacho, porque não sabia mais o que fazer. Quase me virei para voltar, mas continuei dizendo a mim mesma: *só mais alguns passos*, pensando que, talvez, seria tudo de que eu precisaria. Eu varria o chão com a minha lanterna enquanto andava. Iluminei o brilho de uma lata de cerveja e, uma vez, um molho de chaves, que coloquei no bolso. E continuei chamando o nome de Greta, cada vez mais alto. Talvez ela tivesse ido embora. Talvez tivesse se esquecido de mim por completo.

Foi quando a lanterna brilhou em alguma coisa na base de uma árvore grande. Olhei ao redor. Era a *minha árvore*. O bordo. E lá estava o muro de pedra. Era o meu lugar. Por um segundo, foi um conforto estar ali, mas ele logo desapareceu, porque, à noite, não havia nada de especial em relação ao lugar. Nada medieval. Não era nada além de frio e escuro.

Virei a luz para o local que brilhava no chão e caminhei em direção a ele, pensando que provavelmente era uma garrafa de cerveja quebrada, mas, quando me aproximei, pude ver que a luz estava se refletindo em um par de óculos. Os óculos estavam em um rosto. O rosto lamacento de Greta. Apenas o rosto dela no chão do bosque, seu cabelo preto e brilhante bem puxado para trás e aqueles óculos redondos com armação prateada. Os olhos dela estavam fechados e, naquele primeiro segundo, meu corpo ficou rígido, porque eu realmente pensei que era apenas a cabeça dela posta sobre uma cama de folhas.

– Greta.

Estendi a mão para ela e, imediatamente, pude sentir seu corpo, enterrado sob uma pilha grossa de folhas úmidas e frias. Parecia que a terra era a cama dela e ela puxara o chão do bosque ao seu redor como um edredom. Ela parecia em paz, como se pertencesse àquele lugar. Se eu não fosse a irmã dela e se ela não estivesse tão fria, poderia tê-la deixado lá, pensando que ela sabia exatamente o que estava fazendo. Eu a balancei, e ela se curvou em si mesma.

– Greta, vamos. Levante.

Eu a sentei e inclinei-a contra o meu braço. Empurrei as folhas molhadas e moles do seu peito e tentei balançá-la para acordar.

Ela soltou um gemido e tentou se deitar de novo, mas eu a segurei com força.

Olhei atrás de mim e já não pude ver nem o brilho mais fraco da fogueira. Alguém devia tê-la apagado. Todos deviam ter ido embora. Havia apenas Greta e eu.

Enfiei os óculos sujos de minha irmã e a lanterna no bolso e, mais uma vez, tentei acordá-la. Eu a sacudi pelos ombros e gritei:

– Greta. Michelle. Elbus. Acorde.

Os olhos dela tremularam e ela torceu os ombros para afastar minhas mãos.

Geralmente, eu daria tudo para encolher, para ser pequena e graciosa como Greta, mas, naquela noite, sob o céu quase imóvel, fiquei feliz por ter força e tamanho. Eu a arrastei para o tronco da árvore e a apoiei sentada contra ele. Joguei a mochila sobre um ombro. Depois, agachei em frente a ela, minhas costas contra sua barriga, e estiquei seus braços em volta do meu pescoço.

– Um... Dois... Três... – eu disse e, depois, inclinei-me para a frente e levantei-a sem estabilidade.

Os dedos dela estavam fracos, dedos de uma pessoa bêbada, e, assim, fiquei curvada para evitar que ela caísse. Pensei em todas as vezes quando acontecera o contrário, Greta me levando nas costas pelo quintal quando éramos pequenas.

Eu não sabia o que faria quando chegássemos em casa, apenas sabia que tinha de conseguir chegar lá. Masquei um pedaço de chiclete até ficar macio e coloquei na boca de Greta, o que eu sei que é nojento, mas foi a única maneira que imaginei de esconder o hálito dela. Depois, partimos, apenas eu correndo com minha irmã, os lobos às nossas costas. Era como se fôssemos uma história, nós duas. Uma história de verdade, não apenas uma que eu inventara.

Andei, parando para descer Greta algumas vezes quando eu começava a ficar cansada. Fiquei no bosque o máximo de tempo que pude antes de sair na Evergreen Circle, onde eu sabia que podia cortar entre a casa dos Morellis e a dos Kleins até a Young Street, que se ligava à nossa casa. Bem ali, naquele trecho de grama cheia de ervas daninhas entre aquelas duas casas, Greta sussurrou na minha nuca:

– Você se lembra das sereias invisíveis? – disse.

A voz dela estava rouca e cansada. Parecia que outra pessoa estava falando, não Greta. Eu estava respirando pesado. Parei para recuperar o fôlego.

Fiz que sim com a cabeça. Eu me lembrava, sim. Havia um lugar de peixes tropicais no Queens. Netune's Grotto. Uma enorme sala escura, como um armazém. Aquários em pilhas de pelos menos seis, quase até o teto, erguendo-se sobre a cabeça de Greta e a minha. Cirurgiões-amarelos, molinésias cauda de lira, peixes arco-íris esmeralda, beijadores.

Greta segurava a minha mão e nós corríamos entre os corredores. A história que tínhamos era a de que todos os peixes haviam sido presos e nós estávamos livres porque éramos sereias invisíveis. Nós nos escondíamos, embora ninguém estivesse nos procurando. O dono lugar era um amigo do meu avô, e, assim, embora não morássemos nem perto do Queens, meu pai ainda era o contador do lugar.

– Você se lembra do lugar azul? A salinha azul? – Greta resmungou.

Fiz que sim com a cabeça. Era o berçário dos peixes, onde eles mantinham os recém-saídos dos ovos.

Minhas costas doíam e eu queria muito baixar Greta de novo. Ela estava acordada. Podia ficar em pé. Eu poderia apoiá-la no meio-fio e poderíamos conversar sobre sereias invisíveis. Mas eu sabia que, se fizesse isso, o momento acabaria. Assim que ela visse meu rosto, se lembraria de ser má. Ela se lembraria de quem era.

– O que tem ela? – falei.

– Não sei, é só que, às vezes... Às vezes eu penso em coisas assim. Como costumava ser.

Eu quase lhe disse que poderia ser assim de novo. Que, se ela parasse de ser tão má, poderíamos voltar a ser como costumávamos. Mas não disse isso. Não tinha certeza se era verdade.

Assim, em vez daquilo, eu disse:

– Talvez a gente possa tentar ir lá algum dia.

– É. A gente poderia, né?

E, bem na minha barriga, senti o quanto ela viera me fazendo falta. A Greta de verdade. A antiga Greta.

– Greta?

Eu a senti fazer um aceno com a cabeça.

– O que o Sr. Nebowitz queria na outra noite?

Eu sabia que perguntar a ela era arriscado. Ela lutou para se soltar das minhas costas e cambaleou para a rua. Puxou o casaco bem perto do corpo e olhou para o chão.

– Nada – murmurou. – Ele não queria nada.

– Ele, tipo...?

Eu dei a ela um olhar que implicava o que quer que precisasse ficar implícito. A ideia toda pareceu acordá-la, transformá-la novamente nela mesma.

– Eca, June. Não seja tão nojenta.

Ela balançou as costas da mão para mim em um tipo de tapa bêbado.

– Bem, e então?

Ele me examinou e, depois, de repente, suas sobrancelhas franzidas deram lugar a um sorriso grande e desconfiado.

– Oportunidades, June. Muitas oportunidades.

Depois, rodopiou e desceu a rua na direção de casa. Alguns segundos depois, parou e se virou para me olhar. Deve ter girado rápido demais, porque perdeu o equilíbrio e acabou agarrando a caixa do correio de alguém para permanecer em pé. Quando se estabilizou, focou o olhar em mim.

– Sabe o que aquela Megan disse quando eu falei para ela que meu tio morreu de AIDS? Adivinhe. Tente adivinhar.

– Vamos, Greta. Temos que ir.

– Não, é ótimo, June. Você vai adorar. A Megan olhou para mim toda séria e disse: "Uau, seria uma ótima redação para a faculdade. Você seria admitida na hora com algo assim".

Greta riu e riu. Ela se sentou na rua, tremendo com a risada até começar a tossir e tossir.

– Vamos – eu disse.

– Mas é engraçado, né? Né?

– É, muito engraçado, Greta. Hilário.

Tentei pegar sua mão para levantá-la, mas ela a puxou para longe. Parou de rir e sua expressão de repente ficou severa.

– Você acha que eu não queria continuar indo para casa do Finn porque eu não me importava? Acha mesmo que essa pessoa que eu conheci a vida toda está morrendo e eu não me importo?

Antes de eu poder dizer alguma coisa, ela se empurrou para ficar em pé. Abanou o braço para mim, dispensando minha ajuda e, depois, correu. Eu a observei correr à minha frente, o corpo prestes a tombar, cambaleando rua abaixo na direção de casa.

O ar da noite reanimou Greta o suficiente para ela poder subir a escada sem cair, colocar o pijama e ir para a cama.

Eu tirei minhas roupas cheias de fumaça e, depois, desci para dizer aos meus pais que estava tudo bem.

– Sabe, June – minha mãe disse –, nem sei dizer o quanto estou feliz por você e Greta estarem começando a fazer coisas juntas de novo.

Eu senti que até mesmo balançar a cabeça concordando seria como uma mentira.

Vinte e três

Era isto o que havia dentro do saco de papel marrom de Toby:

4 fitas cassetes do *Requiem* de Mozart
1 bilhete

Subi correndo na cama e apertei a orelha contra a parede. Quando Greta e eu estamos na cama, nossas cabeças ficam bem ao lado uma da outra. Se a parede não estivesse ali, estaríamos deitadas lado a lado. Fiquei ouvindo por um minuto para garantir que ela estava dormindo e, como não escutei nada, abri o zíper da minha mochila e derramei as fitas na cama. Eu as reconheci na hora.

Eram de um domingo em que Finn me levou para o Classical Annex da Tower Records na 4th Street; ele comprou quatro versões diferentes do *Requiem* de Mozart para podermos decidir qual era a melhor. Eu nem sabia que vinha em outras versões até Finn me mostrar.

Ele disse que seria como o desafio da Pepsi, em que escolheríamos sem saber qual versão era qual. Eu tinha o pressentimento ruim de que todas seriam iguais para mim e eu teria de parecer idiota na frente de Finn, mas não foi o que aconteceu.

– Vai ficar surpresa com o quanto elas todas são diferentes – ele disse. Tinha um meio sorriso e pude perceber que percebera o que eu estava pensando.

Pegamos um táxi de volta para o apartamento de Finn e, quando chegamos, ele fez chá no bule russo e trouxe uma tigela enorme de pistache de casca vermelha. Depois, tirou a mesa de centro do caminho para podermos deitar de costas em seu bonito tapete turco. E, então, escutamos.

Duas das versões eram tão diferentes que eu fiquei brava. Na verdade, tinham finais diferentes, o que Finn me contou depois que era porque Mozart nunca realmente finalizara o *Requiem* antes de morrer e até hoje as pessoas discutiam a respeito de qual parte ele não havia composto e como aquelas partes deviam ser ordenadas. Mas eu não me importava. Simplesmente parecia errado para mim. Mesmo as outras duas não eram tão boas quanto a nossa antiga versão, aquela que escutávamos a maior parte do tempo, e eu disse isso para Finn.

Ele pareceu um pouco triste depois. Bateu no meu ombro e disse que sabia o que eu queria dizer. Que, em geral, a primeira versão que ouvimos é a que amamos para o resto da vida.

A outra coisa que estava no saco era um bilhete. Era isto que ele dizia:

Querida June,

Se você está lendo isso, quer dizer que me encontrou na estação de trem, e quero agradecer-lhe por ter vindo. Então... Obrigado!

Devo admitir que espiei dentro do saco e vi as fitas, e isso me fez pensar que provavelmente há muitas coisas que você sabe sobre o Finn que eu não sei. Há muitas histórias que poderíamos contar um para o outro. Mas, depois, pensei que provavelmente isso não vai acontecer.

Tudo continua igual, no entanto, se você estiver interessada. O mesmo endereço, o mesmo número de telefone. O mesmo do Finn. Eu não saio muito. Geralmente, estou aqui.

Com carinho,

Toby

Depois de ler o bilhete, derramei todo o dinheiro que Toby me dera. Havia todo tipo de nota: de um e de cinco e de 20 e até de 50. Somaram US$ 763, que era mais do que eu já tivera na vida. Senti-me uma ladra com todo aquele dinheiro. Como uma ladra de segundo escalão, porque para mim parecia que Toby era o verdadeiro ladrão.

Coloquei tudo no fundo do meu guarda-roupa com o bule de chá e o primeiro bilhete de Toby e, depois, adormeci. A cama estava quente e comum e perfeita, e havia sido um dia tão, tão longo. Provavelmente o mais longo da minha vida. Eu sentia ter provas de que nem todos os dias têm a mesma duração, nem todo o tempo tem o mesmo peso. Prova de que há mundos e mundos e mundos por cima de mundos, se você quiser que eles estejam ali.

Vinte e quatro

– Veja isto.

Meu pai entregou uma página dobrada do *New York Post* de domingo para minha mãe. Ela estava ao lado do balcão da cozinha, picando cogumelos para fazer omeletes.

– O que é?

– Só dê uma olhada.

Ela limpou as mãos em um pano e inclinou-se sobre o ombro do meu pai. Ele levantou o artigo. Enquanto ela lia, rugas se formavam em sua testa. Virou-se para o outro lado.

– Não, obrigada – disse.

– É algo a pensar – meu pai falou.

Greta ainda estava dormindo, e, assim, éramos apenas meu pai e eu à mesa, esperando nossas omeletes. Nós dois gostávamos de cogumelo e queijo suíço. Dei um gole no meu suco de laranja em um copo antigo e riscado de geleia Welch que tinha pedaços do terno de Fred Flinstone, antes estampado nele.

– O que é? – perguntei.

– Nada – minha mãe disse. – Guarde isso.

Meu pai me lançou um olhar imponente, como se, se dependesse dele, eu pudesse ter visto o jornal. Ele o segurou por um segundo.

– Ela tem 14 anos, Danni.

– Não me importo. – Minha mãe arrancou a página da mão dele. – E pronto.

Tomei o último gole do meu suco.

– Eu não sou um bebê – falei, para apoiar meu pai.

Minha mãe suspirou e baixou a faca. Olhou para mim de cima para baixo e suspirou de novo.

– Eu sei, Junie. Eu sei. – Ela olhou para o jornal e, depois, de volta para mim. – Tome – disse, colocando-o em minha mão.

Eu estava esperando outro artigo sobre o retrato. O que não estava esperando era a grande manchete sobre um soldado que tinha feito sexo com um homem e uma mulher embora soubesse que tinha AIDS. Agora, os três tinham AIDS e o soldado provavelmente iria para a prisão por causa daquilo.

– E então? – meu pai falou.

– Não sei.

– Aquele homem... Aquele Toby. Faz a gente pensar.

Meu pai não me olhou nos olhos.

– Você acha que ele devia ir para a prisão?

Pensei no trem, pensei em como ele trouxera aquelas fitas para mim desde a cidade. Pensei que não parecera tão ruim.

– É, é claro que devia. Ele *é* um assassino.

A voz veio da porta. Greta estava em pé ali, encostada contra a parede. Tinha havido um ensaio na noite anterior e ela trazia manchas cinza de maquiagem em volta dos olhos, o que a fazia parecer algum tipo de assombração. Olhava bem para mim:

– Ele não é?

– Acho que sim.

– Você acha?

Eu não sabia o que dizer. Greta não me dissera uma palavra desde a festa, dois dias antes. Havia caminhado para a escola na manhã seguinte em vez de esperar o ônibus e só voltara para casa bem tarde após o ensaio daquela noite. Naquele momento, ela estava em pé com uma xícara de café na mão, pensando que era descolada. Começara a beber café apenas algumas semanas antes, mas agia como se bebesse desde sempre.

– Por que tudo tem que virar uma discussão com vocês duas? – minha mãe perguntou.

Greta apenas deu um sorriso malicioso.

Mais tarde, naquele mesmo domingo, Greta e eu estávamos sentadas à mesa da cozinha, terminando a lição de casa. Estava nevando, só um pouco, e minha mãe fez para nós duas canecas de chocolate quente. Ela estava pela cozinha, como se estivesse esperando alguma coisa acontecer. Fazia muito isso desde que Finn morrera. Certa vez, quando não sabia que eu a estava olhando, eu a vi pegar o telefone, segurá-lo na orelha e ficar ali assim, esperando. Nunca discou. Naquele momento, ela estava parada ali, olhando a torradeira.

– Meninas – disse depois de um tempo.

Nós levantamos o olhar.

– São para vocês.

Ela estendeu dois pequenos envelopes marrons, um com meu nome e o outro com o de Greta.

– O que são? – Greta perguntou.

– Chaves.

Minha mãe apertou um envelope na mão de cada uma de nós.

– Se forem ao Bank of New York na North Street, podem olhar o retrato a qualquer momento que quiserem. Qualquer uma das duas.

Abri meu envelope com cuidado e deixei a chave deslizar para a minha palma.

– Cofre número 2.963. É tudo o que precisam dizer. Então, vão levar a pintura para fora e colocá-la em uma sala privada e vocês podem demorar o tempo que quiserem.

– Como se eu um dia fosse fazer isso – Greta disse.

– Ninguém está dizendo que precisa fazer, Greta, mas é a sua pintura. Sua e da June, e vocês deveriam poder vê-la sempre que quisessem. É só isso.

Joguei a chave de volta no envelope. Pensei em colocá-la no fundo do guarda-roupa com os bilhetes de Toby e o bule de chá e aquelas fitas do *Requiem*. Pensei que eu poderia nunca ir olhar o retrato, mas não tinha certeza.

Greta engoliu o final do seu chocolate quente, disse "tanto faz", pegou sua chave e saiu direto da cozinha sem olhar para mim nem uma vez.

Depois do jantar, depois de todo mundo ter esquecido totalmente o jornal, eu peguei a página sobre aquele soldado. Li de novo e o odiei. Como alguém podia ser tão egoísta? Eu nunca entraria em um trem com alguém assim. Eu nunca aceitaria um donut dele.

Dobrei o artigo, coloquei-o em um envelope e escrevi o nome de Toby e o endereço de Finn nele. Peguei um selo da gaveta da escrivaninha na sala de estar, lambi-o colei-o. Olhei para ele. Poderia mandá-lo só assim, mas não mandei. Escrevi meu nome e endereço no canto superior esquerdo. Queria que Toby soubesse que vinha de mim.

Alguns dias depois, recebi uma carta. Eu costumava ser a primeira pessoa a chegar em casa e pegar as cartas, mas Toby não sabia disso e, assim, esforçara-se bastante para disfarçar a correspondência. O envelope era grande e marrom e tinha um endereço de devolução da Liga dos Jovens Falcoeiros datilografado na frente, o que me fez sorrir, mas apenas por um segundo, porque quase imediatamente fiquei incomodada por Finn ter contado a ele sobre a coisa da falcoaria. No começo, pensei que fosse propaganda, exceto pelo fato de meu nome e meu endereço estarem escritos a mão. Do lado de dentro, havia algumas folhas dobradas de papel em branco, para aumentar a carta e fazê-la parecer real, e uma folha com palavras escritas.

Querida June,
Não foi assim que aconteceu. Eu juro.
Espero que isso faça diferença.
Toby

Vinte e cinco

Há uma estátua no Cloisters que Finn me mostrou na primeira vez que me levou lá. É a Virgem Maria com um rosto bem simples, feita de madeira de bétula. Ela está sentada e a expressão em seu rosto não é exatamente triste, mas ela também não está sorrindo. Ela é robusta e forte e, sentada em seu colo, está o que parece uma pequena boneca dela mesma. Mas não é. É Jesus criança, e Maria o está segurando com as duas mãos, como se segura um livro. A principal coisa que se nota na estátua é que Jesus está sem cabeça. Em vez de cabeça, tem um fino pauzinho com lascas saindo do pescoço. Ele está segurando um livro e Maria olha para nós como se nem notasse que a cabeça do filho sumiu. Ou talvez ela saiba, mas esteja desafiando alguém a mencionar. Ou talvez nenhuma dessas coisas. Talvez aquela expressão forte esteja ali porque, de alguma forma, ela já sabe tudo o que acontecerá com seu único filhinho.

Finn e eu ficamos juntos olhando aquela estátua provavelmente pela 97ª vez, ouvindo a chuva descer beijando o velho pátio de pedra.

– Eu gostaria de pintar um retrato – ele disse. – Seu. Greta e você juntas.

– Por quê?

– Porque sim. Porque você está na idade certa para um retrato e eu não pinto um há muito tempo.

Finn tombou a cabeça e apertou um olho para a estátua.

– Treze anos é a idade certa para um retrato?

– É claro que é – ele falou, virando o olho apertado para mim. – É o momento logo antes de você partir para o resto da sua vida.

– Então, e quanto a Greta?

Finn riu,

– Bem, vou tentar captá-la antes de ela partir completamente.

Eu não queria de verdade estar em um retrato. Mesmo um de Finn, que eu sabia que seria ótimo. Mas fiz que sim com a cabeça de qualquer forma.

– Quanto tempo demoraria? – perguntei.

– Ah, isso depende – ele respondeu.

– Do quê?

Finn olhou para a estátua de Maria de novo. Depois, apontou para ela.

– Quanto tempo você acha que demorou para ela ser feita?

Eu não sabia. Não era um entalhe muito delicado. Não tinha muitas linhas. Não era complicado, mas tinha certo sentimento. Como se você quisesse ficar olhando para o rosto dela. Poderia ter levado um dia ou um ano ou algo assim.

Encolhi os ombros.

– Exatamente – Finn disse. – Não dá para saber até começar.

– É, bem, mas ainda não sei se é uma boa.

– Ora, vamos, Crocodilo. Deixe-me fazer isso para você. Para você e para a Greta. – Finn me lançou o olhar triste que conseguia ativar sempre que quisesse. E me chamou de Crocodilo, o que me fez sorrir por dentro. – Vamos nos sentar no pátio – disse. – Eu trouxe duas latas de chá gelado. Você pode pensar a respeito.

Ele parecia estar com um humor muito bom naquele dia. Lembrou-me da maneira como nos sentimos depois de terminar um daqueles quebra-cabeças, o tipo que tem milhares de peças bem pequenas que parecem quase iguais. Era o tipo de alegria que ele parecia ter naquele dia.

– Certo – eu disse. – A gente se encontra lá em um segundo.

Fiquei com a estátua por mais um minuto, olhando principalmente para o Jesus sem cabeça e perguntando-me se havia alguém no mundo que tivesse a cabeça dele. Imaginando se Jesus e Maria já quiseram ser arte. Aposto que não. Ser arte parecia que poderia ser como ter uma doença. De repente, você se tornava um tipo de espécime a ser discutido, analisado, especulado. Eu não precisava de pessoas olhando para mim, tentando adivinhar o que eu estava pensando. *Olha aquela menina maior, a com as tranças. Olha como é óbvio que ela está apaixonada pelo artista. Que triste. Que patético.* Eu não precisava de nada disso.

Vinte e seis

Na vez seguinte em que vi Toby, ele estava me esperando bem do lado de fora da escola. Estava sentado no capô do mesmo pequeno carro azul em que eu o vira entrar no funeral, o qual, de repente, entendi que era o mesmo carro que eu costumava ver estacionado do lado de fora do prédio de Finn. Eu sempre pensara que fosse o carro de Finn, porque às vezes ele descia para pegar coisas no porta-malas, como telas ou, certa vez, uma capa de chuva verde.

Quando Toby me viu, ficou em pé ao lado do carro e começou a balançar os longos braços como louco. Como se estivesse naufragando ou algo assim. Uma onda de alfinetes e agulhas subiu dançando pelas minhas costas porque, embora eu soubesse quão errado era, estava meio animada de ver que Toby viera me procurar.

Era um dia claro e fresco. O sinal acabara de tocar e os alunos estavam saindo pelas portas. Por um segundo, pensei em andar para o outro lado, mas sabia que precisava fazer com que ele parasse de fazer sinais para mim. Nem queria pensar no que aconteceria se Greta o visse lá acenando para mim como se fôssemos melhores amigos ou algo do tipo. Eu rapidamente olhei para baixo, para o que estava usando: as botas que ganhara de Finn (bom) uma saia cotelê preta e longa (não muito bom) e uma malha marrom que minha mãe dizia ser três tamanhos acima do meu (bom). Olhei ao redor de novo e, depois, dei uma corridinha até o carro, a cabeça baixa, tentando parecer o mais casual que conseguia.

Quando cheguei ao carro, Toby segurou minhas mãos nas dele como se fôssemos primos que havia muito não se viam.

– June, que maravilha. Eu não sabia que poderia ser difícil encontrá-la – ele disse. – Venha, entre.

Fiquei parada ao lado do carro por alguns segundos, olhando-o de cima a baixo. Minha cabeça estava pensando que eu não deveria entrar em um carro com aquele cara que era quase um total estranho, mas meu coração pensava: *E se houver um lápis caído ali ou uma caixa perdida de doces Good & Plenty ou um único fio de cabelo loiro ou uma marca do lugar onde Finn costumava se sentar? E se houver um único átomo de ar que Finn costumava respirar ali dentro?*

Eu ainda estava olhando o carro quando Toby entrou nele. Estendeu o braço por cima do banco do passageiro, puxou a maçaneta para abri-la e empurrou a porta para mim. Olhei por cima do ombro. Alunos estavam vindo de todas as direções, mas eu não conseguia ver ninguém que pudesse se importar com o que eu estava fazendo. E, assim, joguei minha mochila no chão do carro e entrei.

O veículo cheirava a cigarro e frutinhas. Morangos falsos. Vi que o motivo era Toby estar mascando um enorme bolo de chiclete. Ele estava usando um casaco de tweed muito pequeno e, por baixo, trazia uma camiseta verde com grandes cactos saguaros por toda parte. Percebi que Finn fizera aquela camiseta e devo ter fixado o olhar nela por um tempo um pouco longo, pois Toby puxou o casaco mais apertado no corpo.

Ele me deu um sorriso furtivo e balançou a cabeça para cima e para baixo.

– Eu sabia que você não ligaria.

– Bem...

– Não, não, não se preocupe. Eu entendo. Sou apenas um estranho para você. A culpa é minha.

Apertei os olhos o mínimo possível na direção de Toby.

– Bem... Eu sou apenas uma estranha para você também, não sou? Então, tanto faz.

– É claro que é – ele disse.

Ficou me olhando por alguns segundos, como se estivesse pensando se me falaria mais alguma coisa. Depois, sorriu e girou a mão no ar.

– Você está certa. Como disse, "tanto faz".

Toby colocou a mão no bolso do casaco, tirou um pedaço grande de chiclete e o ofereceu para mim.

– Obrigada – eu disse.

Ele olhou para fora da janela.

– Acho que foi uma má ideia. Eu vir aqui.

Encolhi os ombros.

– Você é adulto. Pode ir aonde quiser.

Eu me arrependi no mesmo instante. Era algo tão infantil para dizer. Esperei Toby me dar uma bronca, mas, em vez disso, ele sorriu. Depois, virou-se para olhar para mim.

– E quanto a você, então?

– O que *tem* eu?

– Bem, *você* pode ir aonde quiser?

Olhei para a minha mochila. Meu coração disparou. Tudo aquilo estava tão além da minha vida normal. Lá estava eu no antigo carro de Finn como aquele namorado dele, que todos na família pareciam odiar. Lá estava eu fazendo algo muito, muito errado. Porém, quando levantei o olhar, lá estavam o sorriso caloroso de Toby, seus olhos castanhos e uma expressão que, de alguma forma, informava que, se eu dissesse sim, tudo ficaria bem. Mas como poderia ficar bem? Olhei pelo carro e, no começo, não pude ver nenhum sinal de Finn. Olhei para o painel e para o volante e para o chão. Depois, meus olhos acharam o câmbio e um sorriso inchou em meu peito. Colada bem ali, bem em cima daquele câmbio, havia uma pequena mão azul. A mãozinha de um Smurf. Estendi a mão e coloquei um dedo sobre ela. Lá estava um pedaço novinho de Finn que eu nunca vira antes. Espiei Toby e pensei que aquilo devia ser apenas o começo. Devia haver centenas de coisinhas como aquela - milhares, talvez -, e Toby era minha maneira de vê-las. E, assim, tombando só um pouco a cabeça, fiz um aceno, concordando.

- É claro que posso - respondi. - Por que eu não poderia ir para onde quisesse?

Naquele instante, o sorriso de Toby abriu-se por completo e ele bateu as mãos no volante como se aquela fosse a melhor notícia que recebia em anos. E foi uma sensação boa a de fazer alguém feliz. Não havia muitas pessoas que se animariam com um simples aceno da minha cabeça.

Pela janela, vi Diane Berger, da minha turma de matemática, atravessando o estacionamento em nossa direção. Afundei no banco.

- Olhe - eu disse -, podemos ir para outro lugar?

- Ah, sim. Claro.

Toby acelerou o carro. Os pneus guincharam conforme ele se afastava do meio-fio e eu afundei ainda mais. Ele riu.

- Opa.

Atravessamos o meio da cidade. Passamos a igreja luterana e o Seven Eleven e, depois, saímos para a Youngstown Road. Toby virou para a Taconic Parkway em direção ao sul.

- Então... Bem... Eu estava pensando... Que tal o Playland?

- Playland? Com os brinquedos? - perguntei.

- É. Mas não só brinquedos. Tem outra coisa.

- Como o quê?

- Você vai ver.

A Taconic é uma rodovia estreita, e Toby não era um motorista muito bom. Ele correu o caminho todo, dirigindo tão perto da mureta que, às vezes, eu tinha de fechar os olhos. Agarrei-me ao banco. Não tinha relógio e não tinha dinheiro. Tudo o que tinha era minha mochila, com meu livro de geometria e um relatório de leitura bem curto sobre *O sol é para todos*, pelo qual eu recebi um B+.

Uma lista de perguntas que eu queria fazer a Toby começou a crescer em minha cabeça, mas, quando olhei para ele, pronta para perguntar, percebi quão idiota eu pareceria. Eu deveria já saber as respostas. Se eu fosse pelo menos um pouco importante, alguém teria me contado aquelas coisas. Depois, lembrei-me do artigo que eu enviara a Toby e, sentada ali, no carrinho apertado com ele, fiquei envergonhada de ter feito algo assim.

– Desculpe por aquele artigo. Foi maldade.

Os dedos longos de Finn apertaram-se em volta do volante.

– Não foi daquele jeito – ele disse. – Só quero que você saiba.

Pensei em perguntar como fora. Mas não achei que quisesse ouvir a resposta. Assim, em vez disso, mudei de assunto:

– Este carro era do Finn?

Achei que fosse uma pergunta bem fácil, mas Toby não respondeu na hora.

– Bem, suponho que o Finn o tenha comprado – ele disse depois de um tempo. – Mas era meu na maior parte. O Finn não sabia dirigir. Você não sabia disso?

Tentei ignorar o *você não sabia disso*, embora parecesse uma agulhinha afiada.

– Então, você dirigia – falei – se vocês dois fossem a algum lugar juntos?

Toby fez que sim com a cabeça.

– É. Bem... Tudo bem, eu tecnicamente não tenho uma carteira de motorista americana, mas sei dirigir. Não precisa se preocupar com nada.

– Não estou preocupada. Só estou perguntando.

Passei a mão pelo banco debaixo das minhas pernas. Finn se sentara bem ali, naquele lugar. Os dedos de Finn podiam ter se agarrado ao banco no exato mesmo ponto onde eu estava tocando. Eu queria abrir o porta-luvas e olhar dentro, mas não parecia a coisa certa a fazer, e, assim, em vez disso, abri minha janela. O céu estava tão, tão claro e lá estava eu, indo de carro pela rodovia com Toby, e ninguém no mundo sabia onde eu estava. Queria tocar o vento.

– Você é inglês, não é? – perguntei.

Eu vi Toby responder, mas, com todo o vento, não consegui escutar e, por isso, fechei a janela.

– O quê?

– Metade.

– A outra metade é o quê?

– Minha mãe, ela era espanhola.

– Faz sentido – eu disse.

– Faz?

– Seus olhos. São muito escuros.

– Olhos de vira-lata.

– Não – eu falei. – Olhei para fora da janela por alguns segundos e, depois, virando-me, disse: – Gosto deles.

Não sei por que disse isso. Nunca digo coisas assim. Puxei minha malha para cobrir os joelhos. Dei uma olhada para Toby e o vi sorrindo, embora pudesse perceber que ele tentava esconder isso.

Mudamos para a 287, que era mais larga e nem de longe tão assustadora quando a Taconic. Relaxei o aperto no canto do banco. Toby aumentou a velocidade e, sem indicar, mudou para a pista da esquerda para ultrapassar um grande caminhão de supermercado.

– Ei, eu trouxe uma coisa para você. Olhe lá atrás.

Eu me torci. Lá, no banco, havia uma pasta preta.

– Isto?

– É – ele disse, tirando os olhos da estrada.

– O que é?

– Apenas olhe.

Abri a pasta devagar, puxando com cuidado a capa e preparando-me para o que poderia haver dentro. Vi imediatamente que eram desenhos. Desenhos de Finn. Olhei para Toby. Ele sorriu e mexeu a cabeça na direção da pasta.

– Vai em frente – disse.

A primeira página estava cheia de pequenos desenhos a lápis de joelhos. Joelhos com apenas um pouco de perna acima e abaixo deles, cada um virado para uma direção um pouco diferente. Havia apenas poucas linhas em cada desenho, mas, ainda assim, eram melhores do que qualquer coisa que eu conseguiria fazer. A página seguinte estava coberta de cotovelos. Alguns retos, alguns dobrados. Depois, uma boca. *Minha* boca. Foi o que percebi depois de alguns segundos. Folheei de volta para os joelhos e cotovelos e, vendo pela segunda vez, ficou óbvio que eram meus também. Meus e de Greta. Folheei as páginas depressa. Havia a bainha da saia de Greta, uma pontinha da minha orelha saindo do meu cabelo, um dos olhos escuros de Greta, a curva da sobrancelha dela sobre ele. Era tudo nosso. Cada pedaço de papel tinha um detalhe do retrato de Finn. Greta e eu picadas e enfiadas em uma pasta.

Fiquei folheando a pilha. Achei um desenho em que o espaço entre meu braço e o braço de Greta, a forma do lugar entre nós, fora escurecida. O espaço negativo. Era assim que Finn o chamava. Ele sempre tentava me fazer entender o espaço negativo. E eu entendia. Conseguia entender o que ele estava dizendo, mas não era uma percepção natural para mim. Eu tinha de ser lembrada de procurá-lo. Ver as coisas que estão ali, mas não estão. Naquele desenho, Finn colorira o espaço negativo e eu vi que fazia uma forma que parecia a cabeça de um cachorro. Ou não... É claro, era uma cabeça de lobo, virada para cima, a boca aberta e uivando. Não era óbvio nem nada. O espaço negativo era mais ou menos como as constelações. O tipo de coisa para a qual sua atenção precisa ser chamada. Mas a maneira como Finn fizera aquilo fora muito habilidosa. Estava tudo na forma como a manga de Greta se dobrava e como meu ombro estava virado. Tão perfeito. Era quase doloroso olhar para aquele espaço negativo, porque era tão engenhoso. Tão exatamente o tipo de coisa em que Finn pensaria. Toquei nas linhas esboçadas a lápis e desejei poder fazer com que Finn soubesse que eu percebera o que ele fizera. Que eu sabia que ele havia colocado aquele animal secreto bem entre Greta e mim.

Olhei para Toby. Ele colocara uma fita de Johnny Cash no toca-fitas e estava cantando as duas vozes de *Jackson*. Por um segundo, pensei em mostrar aquele lobo para ele, mas, depois, me contive. Finn provavelmente já mostrara. Seria apenas mais uma notícia velha.

Não conversamos muito pelo restante da viagem. O carro passou em velocidade por saídas para White Plains e Harrison, e, embora eu já tivesse passado por aqueles lugares centenas de vezes, eles pareciam estranhos e desconhecidos naquela tarde. Em um minuto, era um dia normal na escola e, no outro, lá estava eu no estacionamento com um cara de casaco de tweed, mascando chiclete de morango.

Havia apenas alguns carros lá, e conseguimos uma vaga perto da entrada. O casaco de Toby estava amassado por ele ter dirigido e ele o alisou com as duas mãos. Ao olhar para ele ao ar livre, achei que parecia em grande parte igual à vez anterior, exceto, talvez, pelos olhos. Talvez os olhos parecessem um pouco maiores.

Toby pagou por nós dois, o que foi bom, porque eu não tinha dinheiro nenhum. Perto da bilheteria, havia uma fonte grande e barulhenta. Toby olhou para ela e, depois, aproximou-se de mim, inclinando-se para baixo.

– Essa coisa que eu quero mostrar para você está bem lá atrás. Prometa que vai gostar, tudo bem?

– Não posso prometer isso.

Ele sorriu.

– É claro que não. Boa resposta.

Nós andamos pelo caminho principal, chamado Knickerbocker Avenue. Passamos por todos os brinquedos que eu já vira com Greta. Os balanços, aquela velha Dragon Coaster que balançava, o Scrambler, o Spider. Sempre era Greta quem queria andar nos brinquedos mais rápidos e assustadores que eles tinham. Sempre era eu a ser arrastada para ir com ela, embora me deixassem extremamente enjoada.

Continuamos andando, e, apesar de não haver quase ninguém no Playland naquele diz, o lugar todo cheirava a pipoca e açúcar quente. Como se alguém preparasse aquelas coisas só por causa do cheiro. Só para que as pessoas soubessem que deveriam se divertir ali. Passamos por uma fila de máquinas de *skeeball* e a barraca de tiro, onde havia figuras caipiras assustadoras que saíam de barris. Toby apontou para um caminho mais estreito à direita.

– Aqui – disse. – O Finn dizia que você gostava de história e tudo mais, então...

De novo, tive o entendimento estranho de que Toby sabia todo tipo de coisa sobre mim, ao passo que eu não sabia quase nada dele. Não parecia justo. Nem um pouco. Sempre que eu pensava nisso, sobre Toby e Finn conversando pelas minhas costas, sentia uma onda quente de raiva no peito.

Toby parou em frente a uma cabine com o nome *Imagens do Passado* pintado em uma placa acima dela. Quadros de exposição com fotos em tom sépia de pessoas usando roupas antiquadas estavam espalhados pela calçada em frente à cabine. Havia fotos de famílias inteiras ou, às vezes, apenas crianças ou, poucas vezes, só um homem ou uma mulher. Alguns usavam coisas do Velho Oeste. Um homem estava com uma farda da Guerra Civil, sentado de cara brava e com um rifle e uma bandeira confederada no colo. Uma mulher estava atrás da filha, as duas apertadas em vestidos vitorianos justos. Algumas fotos eram muito boas, porque não dava para perceber que as pessoas não eram do passado. Com outras, era óbvio. Não eram os cortes de cabelo nem nada, às vezes era apenas um olharzinho malicioso que entregava o jogo.

– Então? O que diz?

Toby parecia ter nervosismo na voz. Como se de repente percebesse que era um lugar estranho para me levar.

Eu já vira lugares para fotos como aquele muitas vezes, mas ninguém da minha família jamais tinha se interessado em fazer aquilo.

– Não fico bem em fotos – eu disse.

– É claro que fica. Eu vi aquele retrato.

– Isso é diferente – falei.

E era. Um retrato é uma foto em que alguém pode escolher como você vai ficar. Como a pessoa quer vê-lo. A câmera captura o que quer que você seja quando dispara.

– Não será – ele garantiu. Contornou para o outro lado do quadro de fotos para eu não poder vê-lo. – Se quiser – disse –, podemos tirar uma juntos.

Fiz que não com a cabeça. Mas, depois, pensei a respeito. Com certeza seria menos constrangedor se não fosse apenas eu sentada ali como uma esquisitona sozinha. Nem sabia que horas eram e não fazia ideia se alguém de casa notara que eu havia sumido, mas, de repente, senti que queria muito fazer aquilo.

– Ah, tudo bem. Eu acho. Se quiser.

– Desculpe?

– Tudo bem. Nós dois.

A cabeça de Toby apareceu por cima do quadro.

– Fantástico – ele disse, sorrindo.

Uma mulher provavelmente na casa dos cinquenta, com sombra de três tons diferentes de azul nos olhos, estava sentada em um banco atrás da cabine. Estava lendo um exemplar da revista *People* com uma foto de Paul Hogan de *Crocodilo Dundee* na capa. Quando ouviu Toby, baixou a revista, vincando-a para marcar a página.

– Dois, por favor – Toby disse.

– Dois?

– Sim, nós dois queremos tirar a foto.

Toby deu para ela o sorriso que acabara de me dar. Um sorriso de criança. É como eu descreveria. A mulher olhou para ele e, depois, para mim. Em seguida, olhou para Toby com mais atenção, como se o estivesse medindo, tentando descobrir alguma coisa sobre ele. Depois de alguns segundos, pareceu chegar a uma decisão. Colocou a mão dentro de uma gaveta e tirou uma lista de preços.

– Certo, bem, o que eu sugiro é que deem uma olhada em algumas das nossas fantasias. Fiquem à vontade para experimentar algumas e, depois, digam o que querem. Tudo bem? Há muitas coisas para homens e mulheres lá atrás.

Nós dois fizemos que sim com a cabeça. A mulher soltou o trinco de uma porta vaivém que se abriu para os fundos da cabine.

– Você viu aquilo? – Toby sussurrou.

– Vi o quê?

– Acho que aquela mulher pensou que fôssemos um casal.

– Que nojo – eu disse.

Não sei quanto tempo passamos analisando as fantasias. Experimentei um vestido vitoriano e um medieval. Ficaram bons, mas, no final, escolhi um vestido vermelho-rubi e dourado elisabetano. Era decotado, mas, como eu não tinha seios, não ficou muito vergonhoso. Toby decidiu-se por uma farda de soldado da Guerra da Independência. Era azul e, quando eu disse a ele que azul era a cor dos americanos, falou que não se importava. Além disso, declarou, a foto seria em preto e branco e, assim, ninguém saberia. Eu achei que ele parecia mesmo um soldado com aquela farda. Alguém que tinha visto todo tipo de coisas horríveis. Ele ficou parado contra a parede, o rifle de mentira no ombro.

Esperamos a mulher preparar o equipamento. Ela montou um tripé e, depois, olhou para nós com mais atenção.

– Acho que vocês não entendem – ela disse.

– Perdão?

– Bem, vocês têm que escolher uma época. Não podem ficar combinando épocas diferentes. Entendem?

– Tudo bem – Toby falou. A voz dele estava calma, convincente. – Sabemos o que estamos fazendo.

– O senhor não parece entender – a mulher repetiu, cruzando os braços na frente do peito. – Simplesmente não permitimos. Vocês não podem misturar épocas e ponto final. Como eu disse, há muitas fantasias para homem e para mulher.

Eu olhei para os meus pés. Os sapatos elisabetanos que eles tinham eram muito pequenos, e, assim, deixei os calcanhares para fora. Senti a mão de Toby descansar no meu ombro, e aquilo me fez sentir que estávamos juntos em alguma coisa. Eu não tinha certeza se queria me sentir assim com ele, mas, naquele momento, com aquela mulher sendo tão idiota, eu quis.

– Sinto muito – ele disse. – Quero dizer, desculpe-me, mas, se estamos pagando pela foto, por que faz diferença qual fantasia escolhemos?

– Não quero usar linguagem muito técnica com o senhor, mas tem os cenários, para começo de conversa...

– Não nos importamos se o cenário não combinar. Escolha algo na metade do caminho entre nós dois. Realmente não nos incomodamos com o cenário.

A voz de Toby havia perdido o tom suave. Pude perceber que a mulher não cederia.

– Olhe, senhor, dê uma olhada em todas as fotos que temos ali em frente, tudo bem? Diga se tem uma única que misture épocas. Tudo bem? Agora, posso perceber pela voz que o senhor é estrangeiro e não sei como as coisas são feitas no lugar de onde veio...

Toby não sabia o que responder para aquilo. Houve um silêncio. Todos nós esperando que alguém mudasse de opinião.

– Eu troco de roupa – falei em uma voz que era quase um sussurro.

– O que foi, querida? – a mulher disse.

– Eu troco. Vou escolher alguma coisa colonial.

– Não, June. Isto é para você. Vamos encontrar outro lugar. Deve haver um lugar onde a gente possa fazer o que quiser.

Mas não havia outro lugar. Olhei para Toby e tive a ideia assustadora de que talvez eu nunca mais encontrasse outra pessoa que faria essa coisa idiota comigo. Nunca. E então? E então, onde eu ficaria?

– Não – eu disse. – Eu quero.

Olhamos um para o outro por um segundo e, depois, Toby baixou a cabeça.

– Por que as coisas sempre têm que ser assim? – perguntou. – Eu troco, então. Espere um minuto para eu me trocar.

Fiz que sim com a cabeça e Toby desapareceu. A fantasia elisabetana não serviu bem nele. Era muito curta, e a calça justa fazia com que pudéssemos ver o quanto suas pernas eram finas. Finas demais. Foi o que pensei no começo, mas, depois, olhei de novo. Não era como se eu tivesse visto muitos homens de calça justa. Especialmente magros como Toby. Talvez fosse assim que as pernas deles eram. Talvez as histórias não fossem verdade. Talvez ele fosse apenas um amigo comum de Finn. Não especial. Apenas comum, como eu.

A mulher pediu desculpas por toda a confusão e, depois, disse para experimentarmos poses diferentes enquanto ela batia as fotos. Eu não sabia como a maioria delas sairia. Em uma delas, Toby colocou o braço ossudo em volta dos meus ombros e sussurrou: "Não tenha medo, June" na minha orelha. Às vezes ele me olhava com o canto do olho e era como se me conhecesse desde sempre, o que era assustador, mas, ao mesmo tempo, meio difícil de não gostar e, de repente, a coisa toda pareceu tão ridícula que precisei de toda a minha força para não explodir em risadas.

– Acabamos – a mulher avisou.

Ela disse que nos daria a foto assim que pudesse.

– Depois de tudo aquilo, não podemos pegá-la agora? – Toby falou.

– É claro que não. Precisa ser processada.

Toby parecia uma criança a quem haviam acabado de dizer que não poderia usar seus sapatos novos para sair da loja de sapatos.

– Certo, mas precisamos de duas cópias.

A mulher escreveu em um bloco de anotações.

– Não será problema. A propósito – falou –, de *onde* você é?

Toby não disse nada no começo. Olhou para mim. Depois, apertou os olhos e olhou diretamente para a mulher.

– Um lugar muito exótico – disse em uma voz misteriosa. – Nós dois. Somos de muito, muito longe.

No caminho para casa, concordamos que cada um de nós contaria ao outro uma história sobre Finn. Toby me contou de quando ele o convencera a ir para uma praia em Cape Cod aonde ele e minha mãe costumavam ir nas férias quando eram crianças. Toby era um péssimo contador de histórias. Ele enrolava, voltava para acrescentar coisas, se atrapalhava com as próprias palavras e fazia longas pausas enquanto tentava lembrar exatamente como as coisas tinham acontecido. Ainda assim, não foi ruim, porque eram coisas sobre Finn que eu nunca escutara antes. A história não tinha nenhum propósito, na verdade, mas acabou com ele e Finn congelando de frio porque Finn convencera Toby a dormir na praia naquela noite. Quando acabou, eu me arrependi um pouco de ter ouvido, porque apenas me fez querer ter estado lá também.

A história ocupou quase toda a viagem de carro de volta para casa e, assim, não houve tempo para a minha história, o que me deixou feliz. Eu ganhara uma história novinha sobre Finn e não tive de dar nada.

Eu não sabia que horas eram, mas pedi para Toby me deixar na biblioteca. Eu poderia andar até em casa de lá. Não havia relógios no carro, e pensei que talvez tivesse encontrado minha bolha. Uma pequena bolha azul onde não havia tempo e Finn poderia estar escondido no porta-luvas. Eu sentia que abrir a porta explodiria tudo.

– Quer outro pedaço?

Toby estendeu um pedaço do chiclete de morango e eu peguei.

– Provavelmente já é bem tarde. Provavelmente vou me meter em encrenca.

– Aqui, então. – Toby baixou a janela. Colocou a mão no bolso do casaco e tirou uma moedinha de um centavo. Prendeu-a entre o polegar e o indicador. Depois, apertou-a com a mão fechada e jogou-a pelo estacionamento. – Para dar sorte – falou. – Vá olhar se deu cara.

Eu não queria dizer a ele que não funcionava daquele jeito. Que moedinhas da sorte apareciam apenas por acidente. Coloquei a pasta de desenhos na mochila e, depois, abri a porta.

– Bem, tchau e obrigada... Acho que foi meio divertido.

– Vá me ver, combinado? Na casa do Finn. E se precisar de alguma coisa. Qualquer coisa...

– Você disse isso da última vez.

– Porque é verdade. Sério.

Fechei a porta e andei até o lugar onde a moedinha havia caído. Eu sabia que não podia criar sorte daquele jeito, mas, ainda assim, meio que esperava que tivesse dado cara. Comecei a correr até o local, mas, mesmo a alguns metros de distância, pude ver que dera coroa. Curvei-me e peguei a moedinha mesmo assim. Depois, virei-me para Toby e lhe dei um sorriso e um sinal de positivo com o polegar. Ele não precisava saber.

Vinte e sete

Greta era a única pessoa em casa quando cheguei. A época dos impostos estava começando a entrar no estágio pesado. A "hora final", meus pais o chamavam, o que significava que eles mal conseguiam chegar em casa às 20h na maioria das noites. Greta estava deitada no sofá, assistindo a um episódio de *Fame* que tinha gravado em fita de vídeo. Leroy estava em pé com as mãos nos quadris, brigando com o professor de balé, como sempre.

Quase uma semana havia se passado desde a festa, e o que aconteceu no bosque ainda não fora mencionado entre nós. Eu ainda me perguntava como Greta encontrara o caminho exatamente para o meu lugar, mas não havia como perguntar a ela. Não sem entregar tudo que eu fazia no bosque. Eu a observava às vezes, tentando perceber se ela se lembrava de alguma coisa que dissera, mas não havia sinal disso. Quando me ouviu chegar naquela noite, sorriu.

– Muito. Encrencada.

– O quê?

– Bem, onde você esteve?

– Por que se importa?

Alguma coisa em ter saído com Toby, em ter ido tão longe de casa sem ninguém saber, fazia-me sentir poderosa. Fiquei parada ali, gigante diante de Greta, e, de repente, ela pareceu pequena e triste. Depois, desligou a TV, sentou-se reta e, como sempre, estava no controle de novo.

– E então?

– Na biblioteca, ok? Com a Beans. É interessante o suficiente para você?

Um sorriso enorme espalhou-se pelo rosto de Greta e ela ficou me olhando como se estivesse esperando que eu entendesse alguma coisa.

– O que foi? – eu disse.

– Então estão fazendo um dia de crianças sósias de prostitutas na biblioteca?

– Do que você está falando?

Ela ligou a TV de novo e virou-se para o outro lado. Depois, falou "bonita maquiagem" e meu coração pareceu cair pelo estômago. Eu ainda estava com muita maquiagem da fotografia. Nenhum de nós quisera colocá-la, mas a mulher do Playland insistira. Toby limpou a dele assim que a sessão acabou, mas eu não. Não era bem que eu gostasse de como estava. Era mais porque era gostoso estar diferente do que eu costumava ser. E, tudo bem, talvez mais bonita.

No final, meus pais estavam jantando com um cliente naquela noite e, assim, eu me servi de uma tigela de sopa de frango e arroz da panela elétrica e me sentei à mesa da cozinha. Foi difícil não voltar à sala e contar a Greta tudo sobre Toby; sei que faria o queixo dela cair até o chão. Eu teria adorado dizer a ela que ele pedira por mim. Que viera me procurar. Eu queria abrir aquela pasta de desenhos e enfiá-la no rosto de Greta e dizer: "Olha. Está vendo? Sei um monte de coisas que você não sabe". Mas, é claro, eu não podia.

A sopa estava quente e salgada, e eu a comi o mais rápido que pude. Depois, fui direto para o meu quarto e liguei todas as minhas velas. Eu tinha um conjunto de seis velas elétricas bruxuleantes que a Woolworth's estava vendendo barato depois do Natal do ano passado. A chama era laranja demais, mas era o melhor que eu podia fazer.

Meu quarto tinha duas janelas, e eu coloquei uma vela em cada. Amontoei as outras na escrivaninha. Quando eu tiver minha própria casa, terei velas de verdade por toda parte. Candelabros sobre as lareiras e grandes lustres de velas pendurados no teto. Mesmo se eu acabar parando em um apartamento pequeno e desconfortável em algum lugar, farei com que pareça de uma época completamente diferente. As pessoas vão tocar minha campainha e, quando eu abrir a porta, não vão acreditar no que virem.

Contei isso a Finn uma vez. Estávamos em uma exposição de cerâmicas turcas do século XVI no Met. Paramos em frente a um desses castiçais azuis e brancos de pintura intrincada e eu estava contando a ele como minha casa seria um dia. Finn virou-se para mim, sorrindo, seus olhos mais azuis do que nunca, e disse:

– Você é uma romântica, June.

Eu estava em pé perto de Finn, bem perto dele para não perder uma palavra do que ele sabia sobre a exposição. Imediatamente, eu me afastei e corei tanto que mal conseguia respirar. Senti como se todo o sangue do meu corpo tivesse nadado até meu rosto, deixando a pele em volta do coração completamente transparente.

– Não sou – respondi o mais rápido que pude.

Mantive o rosto virado, com medo de que Finn visse quão envergonhada eu estava. Apavorada com a ideia de ele poder ler todos os pensamentos esquisitos que eu já tivera.

Quando enfim olhei de volta, eu o vi me olhando com uma expressão estranha. Apenas por um segundo. Um pequeno flash de preocupação atravessou o rosto dele. Depois, sorriu, como se tentasse escondê-lo.

– *Uma* romântica, sua grudenta, não uma pombinha sentimental.

Ele se inclinou como se estivesse prestes a cutucar meu ombro com o dele, mas, depois, afastou-se.

– Qual é a diferença? – perguntei com cuidado.

– Ser *uma* romântica significa que você sempre vê o que é bonito. O que é bom. Você não quer ver a verdade desagradável das coisas. Acredita que tudo vai ficar bem.

Soltei a respiração. Não era tão ruim. Senti o sangue sair lentamente do meu rosto.

– Bem, e quanto a você? – ousei perguntar a Finn. – Você é um romântico?

Ele pensou a respeito. Olhou bem para mim, apertando os olhos, como se tentasse ver meu futuro. Foi essa a sensação. Depois, falou:

– Às vezes. Às vezes eu sou e às vezes não sou.

Tirei a pasta de desenhos e folheei direto até o que tinha o lobo. A luz fraca do quarto parecia destacá-lo ainda mais. Ou talvez fosse apenas por eu tê-lo visto antes e meus olhos saberem como encontrar o espaço negativo. Tracei o contorno com o dedo, ficando mais sonolenta a cada segundo.

Naquela noite, adormeci com a pasta de desenhos embaixo do travesseiro e as velas elétricas acesas, bruxuleando pela noite.

Sonhei com os lobos do bosque. Sonhei com eles saindo do espaço entre Greta e eu. Vi-os saírem graciosamente do retrato para o mundo real. Um após o outro, eles chacoalhavam os corpos pintados e se tornavam reais, até haver uma alcateia toda. Uma alcateia toda, faminta, correndo pela crosta de neve do bosque. Sonhei que eu estava lá. Que conseguia entender a língua deles.

– Você pega o coração dela – um deles sussurrou. – Eu pego os olhos.

E, no sonho, eu nem corria. Ficava exatamente onde estava, esperando os lobos me rasgarem.

Vinte e oito

Há duas histórias principais em *Ao Sul do Pacífico*. Uma tem final feliz e outra, não. Aquela da qual Bloody Mary faz parte é a triste. Nela, Bloody Mary tenta juntar sua filha Liat com o Tenente Cable, que está no Pacífico Sul para uma grande missão secreta. A filha é jovem e bonita e os dois se apaixonam, mas o Tenente Cable não quer casar com ela porque ela é polinésia e, bem no fundo, ele é racista.

Na outra história principal, há Nellie, uma enfermeira americana irritantemente alegre do Arkansas que se apaixona por um dono de plantação francês mais velho e charmoso chamado Emile. Emile parece muito legal e, sempre que vejo essa peça, nem consigo começar a imaginar por que ele quereria se casar com Nellie, mas acho que devemos acreditar que o amor é assim. Acontece que Emile é um assassino, mas isso não parece ser um problema para Nellie. O problema para ela é que ele era casado com uma mulher polinésia que morreu e tem dois filhos meio polinésios. E, como o tenente Cable, ela é basicamente racista.

A verdadeira questão para mim é por que o Tenente Cable e Nellie simplesmente não ficaram juntos. Porque teriam sido um par perfeito. Acho que a ideia é que os opostos se atraem, mas não acho que seja assim na vida real. Acho que, na vida real, as pessoas querem alguém que seja o mais parecido possível com elas. Alguém que pudesse entender exatamente como elas pensam.

De acordo com Greta, Bloody Mary é a única da peça que tem algum bom senso. Ela sabe tudo o que acontece naquelas ilhas.

– Mas é má – eu disse.

Estávamos esperando o ônibus de manhã e o dia estava agradável porque toda a lama da primavera havia secado no pequeno trecho de grama perto da caixa do correio. O sol estava forte e eu tinha de apertar os olhos para olhar para Greta.

– Não é, não – ela falou.

– Mais ou menos. Bem, ela leva as pessoas a fazerem as coisas de qualquer maneira.

– Não leva, não. Ela só é esperta. Só isso.

– Que seja – declarei, mas tinha bastante certeza de que a maioria das pessoas achava Bloody Mary má.

– De qualquer forma – Greta começou –, não é sobre isso que quero falar. Quero saber onde você estava ontem.

– Eu já disse. Biblioteca e Beans, e, aliás, cuide da sua vida.

Greta sorriu.

– Tudo bem, então. Vou perguntar para a Beans.

Não achei que ela fosse fazer aquilo, mas não podia ter certeza.

– Por que você se importa, afinal? – perguntei.

E eu queria mesmo saber. Queria mesmo entender por que alguém que parecia me odiar tanto se importava com aonde eu ia depois da aula.

O sorriso de Greta sumiu por um segundo e, depois, ela se virou para o outro lado. O ônibus dobrou a esquina e nós duas o olhamos para vê-lo balançar o grande corpo amarelo para dentro da nossa rua. Greta virou-se de novo para mim e levantou o queixo.

– Não me importo – falou.

Naquele dia, carreguei a chave do banco em um dos pequenos bolsos da frente da minha saia. Queria ver o retrato depois da aula. Queria ver como eu era antes de Finn morrer. Além disso, uma caixa-forte é como uma cripta, e uma cripta é como uma masmorra, e eu queria ver como algo assim era.

No dia em que minha mãe nos deu as chaves, também fez com que Greta e eu assinássemos um formulário para que o banco conhecesse nossas assinaturas. Para entrar, precisávamos mostrar nossa chave e assinar alguma coisa para eles saberem que éramos nós mesmas. Eu estava preocupada que minha assinatura não ficasse igual. Não tinha certeza de quando aconteceria aquela coisa que faz a pessoa sempre assinar o nome exatamente do mesmo jeito, mas não acontecera comigo ainda. Até aquele momento, eu só tivera de assinar três vezes. Uma em um código de conduta para a excursão da oitava série até a Filadélfia, uma em um pacto que fiz com Beans e Frances Wykoski na quinta série de que não teríamos namorados até o colegial. (De nós três, sou a única que cumpriu o pacto.) E, depois, no formulário do banco. Não sei como minha assinatura ficou nas primeiras duas vezes, mas tinha certeza de que não se parecia em nada com a que eu fiz para o banco.

No final, não precisava ter me preocupado, porque o homem que cuidava do cofre do banco era o pai de Dennis Zimmer, que me conhece desde o jardim de infância.

– Pequena Junie Elbus...

O Sr. Zimmer sorriu para mim. Ele tinha um desses rostos que parecem uma tartaruga. Alguma coisa no lábio superior. Eu não sabia dizer se ele estava fazendo piada de mim ao me chamar de pequena, porque, na verdade, eu era uns bons 5cm mais alta que ele. O Sr. Zimmer era mais velho que a maioria dos pais e achei que ele provavelmente só estava tentando brincar para fingir que era mais novo. Segurou a porta da escada aberta para mim.

– Obrigada – eu disse.

Gostei do cheiro do banco – como poeira limpa – e respirei fundo. O Sr. Zimmer tomou a frente e me guiou para descer a longa escada. Na metade do caminho, parou e virou-se para mim, um olhar sério no rosto. Ele estava ainda mais baixo do que antes, pois estava alguns degraus para baixo de mim.

– Vi a Greta e você na biblioteca – ele disse.

– Ah?

– O jornal... O artigo sobre o retrato.

– Ah. Isso.

A testa do Sr. Zimmer ficou mais tensa.

– Seu tio... Ele tinha AIDS?

Olhei para baixo e fiz que sim com a cabeça sem olhar para ele.

– Eu... É só que eu... descobri que um amigo da faculdade tem isso.

Batia o dedo indicador para cima e para baixo contra o corrimão.

– Sinto muito – eu disse, ainda sem olhar nos olhos dele.

– Foi horrível? Foi... ?

Havia um desespero estranho na voz dele.

Eu não queria ficar na escada do porão do Bank of New York falando com o pai de Dennis Zimmer sobre AIDS. Não tinha nenhuma resposta para ele.

– Basicamente – respondi.

Mas, na verdade, não sabia. Não era eu quem estava lá no final. Não fui eu quem teve permissão para estar lá.

– Sinto muito – ele falou. – Sinto muito por incomodá-la assim, sinto muito pelo seu tio. É uma boa pintura.

No final da escada, apontou para um corredor e eu vi a grossa porta da caixa-forte aberta. Não era muito parecida com uma masmorra. Não tão misteriosa quanto eu tinha esperado. Pelo contrário, era meio James Bond.

– Bem, aqui vamos. Vou precisar da sua chave.

Mostrei minha chave ao Sr. Zimmer e ele tirou a sua do bolso, e as duas chaves juntas abriram uma porta para uma caixa de depósito seguro alta e fina.

– Sua mãe teve sorte de conseguir uma caixa tão grande com tão pouca antecedência – ele falou.

Fiz que sim com a cabeça.

– É. Sorte – eu disse.

– Vou deixar a sala três para você, que tal?

– Está bom – respondi.

O sr. Zimmer acendeu a luz.

– Não se apresse – falou e fechou a porta depois de sair.

A sala tinha uma aparência sofisticada, com papel de parede vermelho-escuro que ia apenas até a metade da parede e frisos cheios de curvas em volta do teto que pareciam antiquados. Era como se o banco quisesse que seus bens valiosos se sentissem em casa naquela salinha, bem longe da casa real deles.

Fiquei sentada por pelo menos um minuto sem abrir a caixa. Era gostoso estar naquele lugarzinho privado no subsolo. Fechei os olhos e imaginei que era uma prisioneira. Uma rebelde que era mantida presa por um rei. Perguntei-me se a sala era à prova de som. Se alguém conseguiria me ouvir cantar o *Requiem* ali.

Quando tirei o retrato e coloquei-o na mesa, a primeira coisa que chamou minha atenção foram aqueles cinco botões pretos. Ainda estavam lá como se fossem o doce de alcaçuz perdido de alguém.

Depois, procurei o lobo. Não era tão fácil de ver no retrato de verdade. Tive de apoiar a pintura em pé e andar até a outra ponta da salinha para achá-lo, e, mesmo assim, tive de apertar os olhos para ver. No retrato real, havia coisas no pano de fundo. Uma janela. Uma cortina voando. Algumas coisas no peitoril da janela e fotos penduradas na parede atrás de nós. O espaço negativo estava todo picado e era quase impossível segurar o lobo ali sem deixá-lo escapar. Consegui por um segundo. Pensei que o pegara, mas depois ele partiu.

Meu rosto estava na maior parte igual, mas eu já podia ver que parecia um pouco mais nova do que agora. Já conseguia ver que o retrato sempre seria um tipo de espelho enganador que encontraria uma forma de me mostrar como eu costumava ser. Outra coisa que parecia diferente é que passei a querer saber qual era o segredo que Finn pintara na minha cabeça. Eu queria ter perguntado.

Olhei Greta com mais atenção. No começo, pensei que ela estava exatamente igual, mas não. Nas costas da mão dela havia o contorno de um crânio preto. Talvez fosse do tamanho de uma tampinha de garrafa e devia ter sido pintado com o pincel mais fino possível de encontrar, o tipo que eu vira na casa de Finn, em que havia apenas uma única cerda saindo do cabo. Não conseguia parar de olhar para o crânio, porque parecia impossível eu não ter visto aquilo ali antes, minha mãe não ter visto, mas também parecia impossível alguém ter pintado depois. Quem faria isso?

Tombei a cabeça para bem perto, meu nariz quase tocando a tela. Achava que, se olhasse perto o suficiente, veria de onde a mágica saía. Como era possível um crânio delicado de repente estar bem acomodado nas costas da mão da minha irmã. Mas não. Nada.

Guardei o retrato de volta. Quando abri a porta, o Sr. Zimmer estava do lado de fora esperando.

– Está tudo bem? – perguntou.

– Eu estava me perguntando – respondi. – Só me perguntando se mais alguém já veio aqui ver esta caixa.

– Ah, bem, na verdade, não posso dizer. Privacidade e tudo mais. – Ele tamborilou os dedos na caixa de metal. – Mas, até onde entendo, são apenas você e sua irmã que têm as chaves no momento. Foi o que sua mãe nos disse. Foi o que ela disse que queria.

Era o que eu pensava. Mas Greta devia ter ido lá. Greta devia ter ido lá antes de mim e pintado aquele crânio na própria mão.

Vinte e nove

Tudo parecia estar começando a descongelar de verdade. Era sábado e Greta tinha arrastado uma cadeira de sol para fora da garagem até o quintal dos fundos. Meu pai lhe disse para não fazer isso, mas ela fez sua carinha de triste e disse a ele que leria um livro de lição de casa lá fora e ele deu permissão. Assim, lá estava ela, com um agasalho grande demais e short, os olhos fechados, a *Odisseia* virada para baixo sobre o peito.

Minha mãe havia ido ao Grand Union para fazer umas compras de manhã cedo e, quando voltou, estava segurando uma pilha de correspondência.

– Tem uma coisa aqui para você, June.

– Para mim?

Ela levantou um grande envelope marrom.

– Jovens Produtores de Queijo da América?

Toby. Eu sabia que era Toby. Tentei não entrar em pânico.

– Ah, é... Eu... É uma coisa da aula de economia doméstica.

– Bem, aqui está. – Sorriu. – Eu quero um belo camembert gostoso e maturado. Se for fazer.

– Tudo bem... é. Camembert.

Joguei o envelope na mesa como se não fosse nada importante, mas, assim que tive a chance, peguei-o e corri para o meu quarto.

Toby havia mandado a foto antiga de nós dois do Playland. Ela me fez sorrir porque essa coisa secreta tinha passado bem pelas mãos da minha mãe sem ela saber.

A foto fora feita em sépia e, se eu acreditasse em coisas de contos de fadas, diria que Toby parecia quase um anjo. Suas mãos estavam unidas atrás das costas e a cabeça estava inclinada para baixo, mas seus olhos miravam para cima como se ele tivesse acabado de ouvir alguém tocar um sino acima da sua cabeça. Ele estava do lado esquerdo e eu estava em uma cadeira bem no meio da foto. Eu não estava sorrindo, o que ajudou na autenticidade da situação, já que ninguém sorria nos retratos daquela época. Minhas mãos estavam dobradas no meu colo e eu estava olhando direto para a câmera. Nós dois estávamos usando grandes rufos bufantes, o que fazia mais ou menos com que nossas cabeças parecessem estar em discos. Não era uma foto ruim, mas havia algo muito estranho na coisa toda.

Depois de examinar a imagem por alguns minutos, percebi o que estava errado: era uma fotografia, o que obviamente não estaria disponível na época elisabetana. Assim, embora nós dois estivéssemos muito bem em nossas fantasias, ainda havia algo de idiota naquilo. Algo esquisito. Se eu estivesse com Finn, ele teria percebido na hora que deveríamos escolher alguma coisa de uma época em que as câmeras já houvessem sido inventadas. Teria me convencido em um segundo a ser Annie Oakley ou algo assim.

Virei a foto e vi que Toby havia colado um bilhete ali com fita adesiva. *Pode me cortar se quiser!* Era tudo o que dizia. No começo, não entendi o que ele estava tentando dizer, mas, depois, percebi que queria dizer que eu poderia cortar a foto ao meio. Que, se quisesse, poderia jogar a parte dele fora.

Na manhã seguinte, domingo, eu estava sentada na cozinha com meus pais, lendo as páginas de quadrinhos. Era uma manhã comum até Greta descer. Ela atravessou a cozinha de pijama e estendeu a mão para o bule de café.

– Aqui está ela, nossa estrela emergente – meu pai disse.

Os dois ficaram sentados sorrindo para ela. Como se realmente estivessem bobos diante de uma celebridade.

Olhei para eles como se tivessem perdido a cabeça. Depois, olhei para Greta para ver se havia uma dica do que aquilo se tratava. Os olhos dela eram fendas finas.

– O que está acontecendo? – perguntei.

– Então parece que a Greta não dividiu a notícia com você também.

Fiz que não com a cabeça.

– Vamos, querida – meu pai disse –, conte para a sua irmã.

– Não tem nada para contar – Greta falou. – Nem sei se quero fazer.

– É claro que quer – minha mãe afirmou. – Oportunidades não chegam nadando...

– É, mãe. Todos nós sabemos.

Olhei para todo mundo ao redor.

– Então, o que foi? Qual é a grande notícia?

– Recebemos uma ligação do Sr. Nebowitz na noite passada e...

– E – minha mãe continuou – ele tem um amigo envolvido com a produção de *Annie* na Broadway e esse amigo perguntou se o Sr. Nebowitz tinha alguma aluna que pudesse ser boa para preencher o papel da Pepper durante o verão e, bem, ele disse que a única que ele ao menos consideraria recomendar era sua irmã. Dá para acreditar?

Os dentes de Greta estavam apertados e seu pé esquerdo batia no chão da cozinha.

– Mãe, provavelmente não vou aceitar, tudo bem? Talvez no ano que vem ou algo assim.

O sorriso de minha mãe desapareceu, e suas mãos de repente estavam nos quadris.

– Não tem ano que vem. Acha que eles vão esperar até o ano que vem? Mesmo se esperassem, o que não vão, você seria muito velha. É assim que as oportunidades funcionam.

– Talvez eu não me importe – Greta disse.

Os olhos da minha mãe se arregalaram.

– Bem, eu me importo. Esse é o tipo de coisa com que as pessoas sonham. Se deixar passar, vai atravessar a vida e chegar à minha idade e se sentar na sua cozinha pensando em como foi tola. – O rosto dela começou a ficar vermelho. – Acha que existem segundas chances? Acha? Bem, não existem. Elas passam voando e, antes de você perceber... antes mesmo de saber o que aconteceu, são apenas um borrão a distância. E depois? Depois, o que você deve fazer? Depois você vai me ligar e dizer que devia ter me escutado. Você devia ter aproveitado a chance quando ela apareceu. Você...

Todos nós ficamos parados ali, estupefatos.

– Mãe, você está chorando?

Ela fez que não com a cabeça, mas todos pudemos ver que havia lágrimas nos olhos dela.

No final, Greta concordou em fazer *Annie*. O pessoal da cidade ainda precisava vir vê-la pessoalmente antes de ser definitivo, mas todos sabíamos que ela conseguiria o papel. Subiria no palco e interpretaria uma órfã de verdade. Greta concordou e, depois, minha mãe passou um longo tempo perguntando se ela tinha certeza e deixando claro que não havia pressão. Pressão nenhuma.

Trinta

Todos estávamos assistindo a *Caras & Caretas*. A família toda junta, até mesmo Greta, que estivera mais emburrada do que o normal desde o episódio com *Annie*. Era muito gostoso e parecia acontecer apenas em noites quando *Caras & Caretas* e *The Cosby Show* estavam passando. Eu tinha bastante certeza de que Greta só assistia porque achava Alex Keaton, interpretado por Michael J. Fox, bonitinho. Eu a ouvi dizer isso ao telefone uma vez.

– Pipoca? – minha mãe disse depois do programa.

– Sim – falei.

– Eu também quero.

Meu pai havia comprado a pipoqueira no Natal e todos nós adoramos. Observar os grãos estourados se empilharem até ter uma quantidade suficiente para eles forçarem caminho até a tigela era um show por si só.

O noticiário começou e o cheiro quente da manteiga derretida misturou-se com fatos sobre os crimes de guerra de Klaus Barbie e o caso Irã-Gate.

– Então, como a boa e velha *Ao Sul do Pacífico* está indo? – meu pai perguntou.

Greta encolheu os ombros.

– Bem, eu acho. Tanto faz.

Ele pareceu estar esperando por mais, mas Greta logo pegou o guia da TV e começou a folheá-lo.

Minha mãe entrou, segurando uma enorme tigela de alumínio lotada de pipoca.

– Duas levas – ela disse. – E mais manteiga do que estou disposta a contar.

Sorriu e apoiou a tigela. Estendemos os braços, agarrando a pipoca com a mão cheia.

O noticiário local começou com uma história sobre um incêndio em Mount Kisco que destruiu um prédio de apartamentos. Depois disso, vi uma reportagem sobre um juiz em Yonkers que transferiu toda a sala do tribunal para o estacionamento porque o cara que ele estava sentenciando tinha AIDS. "Ar fresco e luz do sol", o juiz dissera, afirmando que achava mais seguro para os funcionários do tribunal não ficarem em uma sala apertada com germes como aqueles. Entrevistaram pessoas na rua para ver se elas achavam que o juiz estava sendo razoável. Uma mulher disse que não tinha certeza, mas achava que era melhor prevenir do que remediar. Depois, veio um homem que disse que não era o juiz que era louco, era a AIDS que era louca.

Seguiram com uma reportagem mais geral sobre a AIDS. Como sempre, começaram com imagens de algum tipo de clube noturno quente e abafado na cidade com vários homens gays dançando e usando roupas idiotas com penas. Eu não conseguia nem começar a imaginar Finn dançando a noite toda como um tipo de caubói meio vestido. Teria sido bom se, pelo menos uma vez, mostrassem alguns caras sentados em suas salas de estar tomando chá e conversando sobre arte ou filmes ou qualquer outra coisa. Se mostrassem isso, talvez as pessoas dissessem: "Ah, tudo bem, não é tão estranho".

Eu estava prestes a subir para o quarto quando o âncora apareceu com uma reportagem sobre o AZT, que, aparentemente, era uma droga que ajudava as pessoas a sobreviverem com AIDS. Sentei-me de novo, esperando para ouvir o que ele tinha a dizer e, depois, não consegui voltar a me levantar. O FDA tinha acabado de aprová-la, o âncora disse. A droga estaria disponível para o público em seis meses.

Nenhum de nós disse nada. A injustiça do que ouvimos nos deixou mudos. Meus punhos se fecharam no tecido do sofá. Finn tinha acabado de perder aquilo. Mais alguns meses e...

Minha mãe ficou em pé e saiu da sala sem olhar para trás, mas eu estava congelada no sofá. Um repórter de ciência apareceu, dando mais detalhes de como o AZT funcionava exatamente, mas parecia que eu não ouvia nada daquilo. Meu pai, geralmente o mais silencioso, gritou "chega" para a tela. Depois, atravessou a sala com passos pesados, bateu no botão de desligar com a palma da mão e saiu.

Trinta e um

Era 17 de março, 41 dias desde que Finn morrera. Na aula de ciências da Terra, o Sr. Zerbiak estava falando sobre buracos negros. Buracos negros não são um assunto de ciências da Terra, mas o Sr. Zerbiak é assim. Em um minuto, Adam Bell estava fazendo uma pergunta sobre um meteorito que encontrara no quintal e, no minuto seguinte, o professor estava dizendo que ia "sair um pouco do assunto aqui, mas...", e, é claro, de repente todo mundo estava muito interessado. Se os professores fingissem que tudo o que dizem é "fora do assunto", teríamos uma escola inteira de alunos que só tiram 10. É o que eu faria se um dia virasse professora, o que levaria muito em consideração se a falcoaria não desse certo. Podíamos ver certa expressão nos olhos do Sr. Zerbiak quando ele enveredava para fora do assunto, como se talvez sempre tivesse sonhado ser astrônomo em vez de professor de ciências do colegial. Suas mãos balançavam para todos os lados e ele falava sem parar sobre gravidade e velocidades de escape.

As pessoas se revezavam para levantar a mão, tentando evitar que o Sr. Zerbiak voltasse ao mundo real pelo máximo de tempo possível. Levantei a minha e perguntei se era verdade que os buracos negros podiam ser passagens secretas para outras épocas. Eu lera isso certa vez, que poderia haver buracos no espaço que poderiam ser como máquinas do tempo. Ele disse que achava que não.

– Isso nos leva ao reino da ficção científica, senhorita Elbus – comentou, antes de decidir que tínhamos ido longe demais pela tangente e deveríamos voltar ao material do curso.

A classe toda resmungou. Vi Jenny Halpern apertar os olhos na minha direção. No entanto, não importava de verdade, porque eu não teria de ver Jenny Halpern nem nenhum dos outros por alguns dias. O dia seguinte seria o treinamento dos professores. Nada de aula.

Eu havia ligado para Toby alguns dias antes para dizer a ele que faria uma visita. Ao telefone, ele parecera não conseguir acreditar que eu havia ligado mesmo, e fiquei pensando: *Não fique tão animado, amigo*, porque, para mim, a coisa toda era apenas uma missão. Uma missão para conseguir o que quer que ele tivesse de Finn.

Greta pegaria o trem para a Galleria em White Plains com Julie e Megan. Eu disse à minha mãe que talvez fosse à biblioteca ou não, o que de alguma maneira não parecia uma grande mentira. Ela perguntou se eu encontraria Beans e respondi que talvez, o que era uma mentira completa, mas fez minha mãe sorrir. O que tudo aquilo significava era que eu teria o dia todo na cidade sem me preocupar com que sentissem minha falta.

Peguei o trem seguinte ao de Greta e, durante todo o caminho, senti como se todo mundo pudesse perceber que eu não devia estar ali. Tinha colocado minhas botas medievais e, logo antes de sair, entrara sorrateira no quarto de Greta e roubara um jato do perfume Jean Naté dela. Era como colocar um disfarce, esconder-me sob o cheiro dela. Viajei naquele trem até a cidade sentindo-me uma pessoa completamente diferente, alguém que cheirava a limões e talco de bebê em vez de eu mesma.

Toby me disse para pegar um táxi da estação Grand Central até o apartamento. Fiquei olhando para fora da janela o caminho todo, pois estava chovendo, que é a maneira como mais gosto da cidade. Parece que foi polida. Todas as ruas brilham e as luzes de toda parte se refletem no preto. É como se o lugar todo tivesse sido mergulhado em calda de açúcar. Como se a cidade fosse um tipo de grande maçã doce.

Toby disse que esperaria do lado de fora para pagar o táxi quando eu chegasse. O prédio de Finn não é do tipo que tem porteiro. É do tipo em que você tem de tocar a campainha para entrar, e, enquanto parávamos, pude ver Toby em pé no pequeno espaço entre a porta externa e outra porta que dava entrada para o prédio. Ele saiu e sorriu, e vi que estava usando um dos cardigãs de Finn. Em Finn, ficava grande e mole, mas, em Toby, era muito curto e ele o estava esticando para baixo pelo corpo. Parecia errado para ele. Constrangedor. Devo ter franzido as sobrancelhas, porque, quando Toby saiu correndo na chuva para abrir minha porta, a primeira coisa que me disse foi:

– Está tudo bem?

Eu disse que sim. Estava me esforçando muito para não deixar meus olhos irem para a malha marrom e macia de Finn, mas não pude evitar. Toby me viu e não pareceu saber o que dizer.

– É, bem – ele disse, curvando-se um pouco, baixando a cabeça.

Depois, pagou o taxista e o mandou embora com um aceno sem nem esperar o troco.

– Vai na frente – disse.

Ele havia calçado a porta para ficar aberta com uma lista telefônica gorda de Manhattan e pegou-a conforme passamos. Seu braço comprido passou por cima do meu ombro para apertar o botão do elevador. A porta era de aço brilhante, e eu vi Toby olhar para mim pelo reflexo.

– Obrigado – ele disse. – Sabe, obrigado por vir.

– Não é nada de mais – respondi, embora, no esquema da minha vida, fosse muito significativo ir até a cidade sem ninguém da minha família saber.

O elevador do prédio de Finn era lento e velho, e sempre parecia levar muito tempo para chegarmos ao 12º andar.

– Está aberta – Toby disse quando chegamos à porta.

Coloquei uma mão na maçaneta e, depois, parei e virei-me para ele.

– Está diferente aqui dentro?

Não quis parecer assustada, mas foi assim que saiu.

Toby não respondeu; ele apenas estendeu o braço por cima da minha cabeça e empurrou a porta para abri-la, e lá estava. A casa de Finn. Como sempre fora. O tapete turco. O elefante de papel machê sobre o velho baú com entalhes que ele tinha. Aquelas fotos em preto e branco que ele tirara das mãos do meu avô, tão próximas que pareciam a paisagem de algum outro planeta. Havia uma foto com moldura de cada mão, esquerda e direita, de cada lado da enorme janela que se abria para a 83rd Street. A única coisa diferente no apartamento era que ele não cheirava mais a lavanda e laranja. O lugar estava cheirando, na maior parte, a fumaça velha de cigarro.

Toby recolheu vários papéis, livros e roupas do sofá e empilhou-os em uma das cadeiras da mesa de jantar.

– Pronto, assim é melhor – disse. – Entre. Sente-se.

Parecia nervoso, sorrindo muito e preocupando-se com coisas pequenas. Alisando uma almofada amassada, endireitando um quadro torto na parede. Ele tirara o cardigã de Finn enquanto estávamos entrando e, por baixo, estava usando uma camiseta preta gasta do Museum of Natural History com ossos de dinossauro que brilhavam no escuro por ela toda. Depois de um tempo, sentou-se no sofá em frente a mim.

– Então, o que achou da foto?

– É boa.

– Maravilha. – Ele pareceu surpreso. – Achei que tinha alguma coisa um pouco, não sei, estranha nela. Mas fico feliz por você ter gostado.

– Bem... é *um pouco* estranha.

– Ah.

– Mas de um jeito bom. Como a arte.

O sorriso de Toby desaparecera, mas voltava agora e estava bem aberto.

– É. Como a arte. Exatamente como a arte.

Ele olhou para mim como se achasse que eu era a pessoa mais inteligente que já conhecera.

– Como eu disse, pode me cortar se quiser. Há um grande espaço entre nós. Não me importo.

– Está tudo bem – eu disse. – Eu não faria algo assim.

– Bem, é a sua cópia, então, se mudar de ideia...

– Não faria mesmo.

Ficamos sentados ali depois disso, sem saber o que dizer um para o outro. Depois de alguns minutos, Toby levantou-se.

– Chá?

Enquanto ele estava na cozinha, tive a chance de olhar pelo apartamento sem ninguém me observar. A antiga poltrona de veludo azul de Finn ainda estava lá. O assento estava todo gasto, mas o encosto estava brilhante porque Finn sempre se inclinava para a frente quando sentava ali, em direção ao cavalete diante dele.

Em uma mesa no canto havia um abajur que Finn fizera ao enterrar uma lâmpada em um aquário redondo cheio de vidros do mar verdes. Havia pedaços de vidro liso de todos os tons de verde possíveis de imaginar e, quando a luz era acesa, parecia uma coisa do futuro. Perto dele estava o tabuleiro e as peças de xadrez que ele fizera na escola. Dissera que o guardava para lembrá-lo de nunca, nunca ser um idiota pretensioso. Todos os quadrados do tabuleiro eram pretos, e, assim, era difícil saber se você estava na casa certa. As peças eram uns crânios de rato bem pequenos que ele envernizara. Cada um tinha uma pequena marca para você saber que peça era. Os bispos tinham uma pequena cruz no topo e os cavalos tinham pequenas cabeças de cavalo. Tirando disso, eram iguais. Praticamente idênticos, a menos que você olhasse de perto e, então, começasse a ver as diferenças. Por exemplo, um podia ter um dente lascado ou algo assim. Eu não conseguia ver o que havia de tão pretensioso nisso. Era meio nojento, mas eu gostava.

Estava com um dos crânios na mão quando Toby voltou com o chá.

– Você gostaria de jogar? – perguntou.

Encolhi os ombros.

– Se você quiser.

Eu não sabia de verdade como jogar xadrez, mas não queria admitir para Toby. Trouxe o tabuleiro e coloquei-o na mesa de centro entre nós.

Ele havia feito o chá em um bule branco simples que babava quando a bebida era servida e não era nem de longe tão bom quanto o bule russo. Percebi que ambos sabíamos disso, mas nenhum de nós disse nada.

– Açúcar? – Toby perguntou, levantando uma colher por cima de um saco de açúcar meio cheio.

Finn costumava colocar cubos de açúcar em um pratinho com pinças pequeninas que tinham a forma das garras de um animalzinho. Toby não devia saber disso, porque trouxera apenas o saco de açúcar amassado.

– Duas – falei.

– Excelente. Gosto de mulheres ousadas com o açúcar.

Eu me virei e sorri, principalmente porque ele me chamara de mulher. Toby mexeu duas colheres cheias na minha xícara e, depois, o que pareceram quatro na dele.

Tirou um maço de cigarros do bolso e deslizou um para fora. Depois, olhou para mim como se não tivesse certeza do que fazer.

– Você...

Tombou o maço na minha direção e levantou as sobrancelhas. Era a primeira vez que alguém me oferecia um cigarro, e perguntei-me se Toby sabia quantos anos eu tinha.

Deslizei um para fora do maço e agradeci, como se fosse algo que eu fazia o tempo todo. Como Greta faria, sem demonstrar nada. Toby pegou o dele e, depois, acendeu os dois com um isqueiro laranja neon.

– Ahhh, isso é mais civilizado – ele declarou, tragando profundamente, de repente parecendo relaxar um pouco.

Eu dei uma tragada bem pequena e tossi; depois, coloquei o cigarro no cinzeiro. Estava esperando Toby rir de mim, mas ele não riu.

– Você ou eu? – perguntou, mexendo a cabeça na direção do tabuleiro.

– Você pode ir primeiro. Não me importo.

Ele alinhou todas as peças e, depois, mexeu uma das suas.

Observei o que fazia e, depois, mexi uma do meu lado que era quase igual.

– Onde estão todas as *suas* coisas? – perguntei, passando os olhos pelo apartamento.

Ele hesitou, cruzando as pernas compridas e magrelas. Ficou olhando para o tabuleiro e, depois, mexeu um dos seus peões.

– Bem – respondeu –, você sabe, algumas dessas coisas são minhas.

Olhei ao redor pelo apartamento. Só conseguia ver as coisas de Finn. As mesmas que sempre estiveram naquele lugar. Mexi um dos meus peões, mal olhando para o tabuleiro.

– O que quer dizer?

Toby não me olhou nos olhos. Estava com um dedo em um dos cavalos, mas tirou-o e deu um gole no chá. Depois, deu uma longa tragada no cigarro antes de apoiá-lo na borda do cinzeiro. Ainda não olhou para mim e, de repente, comecei a entender o que queria dizer. Olhei ao redor de novo, desta vez observando tudo com suspeita.

– Bem... – ele disse, deslizando o cavalo até a metade do tabuleiro.

– Então, quais coisas são suas?

Balancei as costas da mão para a sala.

– Eu moro aqui há quase nove anos, June. É difícil dizer *exatamente* o que é meu.

Nove anos. Nove *anos*? Nove anos atrás, eu tinha cinco anos. Ele tinha de estar mentindo.

– Bem, eu quero saber. Quero ver o que é seu.

Toby olhou para mim como se estivesse mesmo começando a ter pena. Deu uma olhada pela sala e, depois, apontou para a grande prateleira de madeira perto da porta.

– Aquele jarro. Aquelas palhetas de violão. São minhas, por exemplo.

As palhetas em conserva de Finn. Aquelas palhetas... "plectros", Finn me dissera para chamá-las se eu quisesse parecer que sabia do que estava falando. Eu costumava brincar com elas por horas e horas quando era pequena. Derrubava-as no tapete, as cores parecendo doces. Horas e horas separando-as e empilhando-as e arrumando-as em filas longas como estradas que se estendiam pelo comprimento da sala de estar de Finn. Eu costumava fazer concursos com Greta para ver quem conseguia achar o mais bonito de todos os desenhos marmorizados em redemoinho no jarro. Como podiam não ser de Finn?

– Tem certeza?

– June, o Finn não sabia tocar violão. Você sabe disso, não é? Ele era terrível com instrumentos musicais.

Eu não sabia daquilo. É claro que não, pois eu não sabia nada.

– É. Claro que sei. Não precisa me falar do Finn. Ele era *meu* tio.

Peguei meu rei e coloquei-o sem cuidado bem no meio do tabuleiro. Toby deslizou um peão na diagonal por três casas.

– Eu não tive a intenção...

– Bem, por que o Finn nunca me falou de você?

Eu estava me esforçando para deixar a raiva fora da minha voz.

Toby encolheu os ombros e olhou para baixo.

– Não sei. Acho que não sou algo de que alguém se gabe, na verdade. Olhe para mim. Sou bagunçado, sou...

– Isso não é desculpa. Eu também não sou nada de que alguém se gabe, mas você sabia a meu respeito, não sabia?

– June, olhe, eu costumava ter ciúmes de *você*, sabe?

Aquilo realmente me irritou, porque não sou uma pessoa ciumenta.

Nem um pouco. Por que *eu* seria ciumenta? Do que teria ciúmes? Olhei para Toby empoleirado na ponta do sofá, curvado, as pernas cruzadas, tentando dobrar seu longo corpo. Toby e seu sotaque ridículo. Inglês, mas não inglês de verdade. Não inglês do tipo *Uma janela para o amor* ou *Lady Jane*, mas uma coisa bem marcante e empastelada da qual eu não sabia nada. Observei-o sentado ali com cartas na manga. Baralhos e baralhos de cartas-surpresa que ele poderia tirar sempre que quisesse. Histórias sobre Finn que eu nunca ouvira. Meu baralho era fino. Gasto por ser embaralhado de novo e de novo na minha cabeça. Minhas histórias sobre Finn eram chatas e simples. Pequenas e idiotas.

– Não tenho ciúmes – eu disse.

– Tudo bem. Desculpe. É claro que não tem.

Toby raspou um dedo pelo braço do sofá e, depois, olhou para mim.

– Mas eu tinha. Tinha ciúmes de você. Todos aqueles domingos...

Ele só estava dizendo aquilo para eu me sentir melhor. Eu sabia.

– E não tem mais ciúmes?

– Não, na verdade, não.

– Porque o Finn morreu?

Toby brincou com a bainha da camiseta. Havia outra coisa em que eu reparara. Ele sempre estava brincando com alguma coisa. Por que Finn – que poderia ter escolhido quem ele quisesse para ser seu namorado, um dito *amigo especial* – escolhera Toby?

– É, provavelmente – respondeu.

Olhou para o chão e, depois, levantou o olhar para mim.

A chuva caía forte contra a janela, e nós dois ficamos sentados quietos por um longo tempo, dando goles em nossas xícaras de chá frio. Toby acendeu outro cigarro.

Fiquei olhando para o tabuleiro porque não queria que Toby visse meus olhos. Depois, levantei-me e disse que tinha de ir ao banheiro. Andei pelo corredor e logo pude ver que a porta do quarto de Finn estava aberta: a porta que sempre estivera fechada, privativa. Todas as vezes que eu estivera lá ela ficara fechada. Fui até o banheiro e fechei a porta, mas não entrei. Em vez disso, voltei na ponta dos pés pelo corredor e fiquei parada do lado de fora do quarto de Finn. Ele era mal-iluminado, a luz fraca entrava através de uma cortina branca fina. Fiquei olhando por um tempo, parada na porta. Depois, fiz o que sabia que não devia fazer. Entrei.

Havia um grande violão vermelho no canto. Havia dois pares de chinelos e dois roupões de banho pendurados sobre uma cadeira. Um deles era o amarelo de Finn. O outro era azul. A cama não estava feita, e tentei adivinhar de qual lado Finn dormia. Depois, ficou óbvio. Um dos criados-mudos tinha dois maços de cigarro vazios, meia garrafa de gim e um papel de embrulho de York Peppermint Pattie. O outro tinha um despertador antigo e uma moldura com três fotos. Aproximei-me e peguei a moldura. A foto de cima era de Finn e Toby. Era em preto e branco e parecia que podia ter sido tirada em Londres, porque havia um daqueles grandes táxis pretos no fundo. Os dois pareciam jovens e muito felizes. Toby era mais alto que Finn e estava inclinando a bochecha para apoiá-la no topo da cabeça de Finn. Peguei meu polegar e cobri o rosto de Toby com ele para deixar apenas Finn. Apenas Finn usando meu polegar como chapéu. A foto do meio era de Greta e eu quando éramos muito mais novas. Estávamos no apartamento de Finn e cada uma estava pintando em um cavalete. A terceira era a mais antiga. Era de Finn e minha mãe. Uma foto de férias. Uma praia em algum lugar.

Fiquei ouvindo por um segundo para garantir que Toby não estava vindo me procurar e, depois, subi na cama. Deslizei no lado de Finn e puxei as cobertas por toda a minha volta. Era ali que Finn e Toby faziam sexo. Aquela podia ser a cena do crime. Aquele podia ser o exato lugar em que Toby passara AIDS para Finn. Deslizei as mãos por cima dos lençóis e apertei o rosto no travesseiro de Finn. Privado. Era isso que privado significava.

– De quem é a vez? – perguntei a Toby quando voltei à sala de estar. Tentei manter a voz estável.

– Olhe, nem sei de verdade como se joga xadrez, June. Eu devia ter dito.

Olhei para aqueles pequenos crânios de rato espalhados pela superfície preta e lisa do tabuleiro, nós dois empurrando-os de um lado para o outro como se significasse alguma coisa.

– Nem eu.

– Bem, não importa. Mexa a peça que quiser.

Levei um tempo, olhando as peças. Coloquei o dedo indicador em um cavalo e escorreguei-o devagar pelo tabuleiro, até o rei de Toby.

– Vá em frente – ele falou. – Faça o que tem que fazer.

Ele levantou-se do sofá e atravessou a sala. Estava de costas para mim e, com um peteleco do dedo, bati no rei dele e derrubei-o pelo canto do tabuleiro. Depois, antes que ele pudesse se virar e ver o que eu tinha feito, rapidamente o peguei e coloquei de volta no lugar.

Toby perguntou se eu estava com fome e, antes que tivesse tempo de responder, ele já estava colocando o casaco e indo para a porta. Parou na escrivaninha de Finn, abriu a terceira gaveta, tirou bastante dinheiro e enfiou no bolso do casaco.

– Ah, antes que eu me esqueça. – Virou-se e correu pelo corredor até o quarto. Quando voltou, estava segurando um pequeno presente azul. – Para você – disse.

Eu o peguei e o virei nas mãos.

– Do Finn. Era uma das coisas dele. Ele disse para eu entregar se um dia você viesse até este apartamento.

Pude perceber que provavelmente era um livro. Estava embrulhado em um papel sedoso meio chinês com borboletas azuis por toda parte. Pensei que, se o segurasse ou olhasse para ele por muito tempo, poderia chorar bem na frente de Toby, o que eu não queria. Nem um pouco. Por isso, apenas disse "obrigada" e fui colocá-lo na mochila. Depois, saímos.

Assim que estávamos na rua, o vento e a umidade chegaram direto aos meus ossos, fazendo meus dentes baterem como loucos. Com Toby segurando um grande guarda-chuva preto acima de nós dois, viramos para o sul na Columbus Avenue e, depois, caminhamos por quarteirões e quarteirões. Depois de um tempo, ele parou e apontou para um restaurante chinês chamado Imperial Dragon. Era o tipo de lugar com lanternas vermelhas envernizadas e aquários compridos onde peixes-leão nadavam por cima de pequenos templos colocados sobre pedras coloridas. Toby pediu três refeições, embora fôssemos apenas nós dois. E rolinhos primavera. E sopa de *wonton*. E duas tigelas extras de macarrão crocante com molho de pato. Comemos tudo como animais famintos, sem dizer uma palavra.

Estávamos quase acabando. Eu estava colocando um pouco de açúcar na minha xícara de chá chinês.

– Ei – Toby falou. – Para você.

Debaixo da mesa, ele puxou um guardanapo dourado dobrado na forma de uma borboleta.

Fiquei olhando para aquilo.

Era o truque de Finn. Toby estava roubando o truque de Finn bem diante dos meus olhos.

– Não, obrigada – eu disse, empurrando-o de volta pela mesa.

– Você não gosta de borboletas? – perguntou.

Ele estava com a borboleta dourada aninhada na palma da mão. Estava olhando para ela da maneira como se olha para um pássaro ferido.

– Não tem nada de errado com borboletas – respondi.

– Guardanapos, então? Um daqueles casos raros de guardanapofobia dos quais tenho ouvido falar?

Revirei os olhos.

– Então, onde você aprendeu isso? Com quem aprendeu a fazer a borboleta?

Eu estava esperando que ele respondesse "Finn", e, assim, eu diria "foi o que pensei".

Toby apoiou a borboleta com delicadeza ao lado da sua xícara de chá.

– É só de um livro de origami. Quando eu era criança. É uma das minhas habilidades manuais. Truques com cartas, circo de pulgas, violão, origami. Quando... Se você chegar a me conhecer, vou mostrar mais coisas.

Na mesma hora, veio à minha cabeça a imagem de Toby ensinando Finn a fazer borboletas de pano. As mãos dele guiando Finn. Os dois rindo quando Finn errava. Os dois, eu pensei, e uma onda de tristeza encheu todo o meu peito.

– Ah – eu disse, sem olhar Toby nos olhos. – Acho que só não é o meu tipo de coisa.

– Muito justo – ele falou e, com um único movimento, pegou o guardanapo e balançou-o rapidamente no ar.

Observei todos os nós e as dobras caírem do pano dourado e a pequena borboleta desapareceu, deixando-o com um guardanapo comum na mão.

Porém, a tristeza continuou comigo. Não apenas tristeza por eu não ser parte do mundo de Toby e Finn, mas também porque havia coisas sobre Finn que não eram nem um pouco Finn. Naquele momento, a minha memória de Finn fazendo a borboleta no restaurante estava totalmente errada. E se tudo o que eu amava em Finn tivesse na verdade vindo de Toby? Talvez por isso eu sentisse que conhecia Toby havia anos. Talvez, durante todo aquele tempo, ele estivesse brilhando através de meu tio.

– Sinto muito por isso. Por tudo isso – Toby disse após um tempo. – Eu prometo que, se você vier de novo, não vai ser tão ruim. O pior acabou, tudo bem?

Eu não acreditava nele. Até onde eu podia ver, o pior nunca acabaria. Mas, assim como na estação de trem, Toby prometeu que tinha mais coisas para me dar. Coisas que Finn queria que eu tivesse.

– Vou buscá-la, combinado? Vou encontrá-la. Você não precisa fazer nada.

Encolhi os ombros.

– Se você quiser.

– Eu quero.

– Bem, tanto faz, mas tem que ser em uma quinta-feira. É o único dia em que eu posso.

– Quintas-feiras, então.

– *Uma* quinta-feira. Não quintas-feiras.

Toby sorriu e levantou as mãos como se estivesse se rendendo.

– Certo. *Uma* quinta-feira. Vamos começar assim.

Toby abriu o guarda-chuva e ficamos parados do lado de fora do Imperial Dragon enquanto ele chamava um táxi para mim. Quando um parou, ele colocou a mão no meu ombro e me puxou para trás para eu não me molhar com a água espirrada.

– Cuidado – disse.

Foi gentil. Aquele pequeno gesto. Mas, em vez de dizer "obrigada", eu mexi o ombro para tirar a mão dele e disse:

– Eu sei esperar um táxi.

– Sei que você sabe – falou.

Depois, inclinou o rosto para perto de mim e me forçou a olhar para ele.

– Você sabe que, se precisar de qualquer coisa... qualquer coisa mesmo...

Depois, abriu a porta do táxi para mim e eu entrei. Enquanto o táxi esperava para sair, Toby bateu na minha janela. Eu a abri.

– Qualquer coisa mesmo – repetiu. – De verdade. Falo sério...

Depois, com um assobio dos pneus contra a rua encharcada de chuva, o táxi saiu, deixando Toby parado lá no meio da frase. Não importava, de qualquer maneira. Eu não conseguia imaginar o que eu poderia precisar que Toby fizesse por mim. Não conseguia imaginar mesmo.

Trinta e dois

Quando eu tinha 12 anos e meio, logo antes de descobrir que Finn estava doente, pude passar quatro dias no apartamento dele. Greta havia viajado para um acampamento de verão em Rhode Island e meus pais tinham feito planos de dar uma escapada para o Maine com os Ingrams e outro casal. Tinham tentando encontrar outro lugar para mim, mas ninguém estava por perto, e, assim, tive sorte. Tive de ir para a casa de Finn.

Todas as noites, ele tirava *The Joy of Cooking* da estante de livros da cozinha. Levantava-o e dizia:

– Então, o que devemos dar para a Crocodilo comer esta noite?

Batia o dedo no livro como se estivesse prestas a procurar uma receita. Mas eu conhecia o truque dele. Finn tirara o miolo daquele livro, o transformara em uma caixa secreta e, dentro, guardava os cardápios de todos os melhores lugares da cidade. Todas as noites eram assim. Examinávamos os papéis até encontrarmos exatamente o que estávamos com vontade de comer. Um país diferente toda noite. Era assim com Finn. Não que ele não soubesse cozinhar. O que ele dizia era que não queria ofender ninguém.

– As pessoas devem fazer o que sabem fazer melhor – dizia. – Nós só estamos ajudando, certo, Crocodilo?

No dia 4 de julho, perguntei se poderíamos ir ver os fogos de artifício em algum lugar. Finn encolheu os ombros.

– Vou ser sincero, June. Não sou muito fã. Não vejo o motivo.

– Bem, é o Dia da Independência.

– Independência do quê exatamente?

– Você sabe. Em relação aos ingleses.

– Bem, diga para mim o que tem de tão errado com os ingleses.

– Não sei. Eles estavam cobrando impostos da gente e coisas assim, não era? Estavam trazendo todo o seu chá para cá e fazendo a gente pagar todo tipo de imposto por eles.

– Impostos não são o fim do mundo.

– Diga isso para a mamãe e o papai.

Nós dois rimos. O cabelo de Finn estava ficando longo e ele o colocara para trás da orelha, mas, sempre que ria, alguns fios caíam. Eu queria estender a mão e colocá-los para trás de novo, mas sabia que seria estranho.

– Tenho muitos amigos ingleses, June. – Ele fez uma pausa. – Sabe, um dos meus melhores amigos é inglês.

Olhou para mim como se esperasse que eu perguntasse sobre esse amigo. E quase perguntei. Esse é o único momento em que consigo pensar quando eu poderia ter descoberto a respeito de Toby. Em todos os oito anos, foi o único momento assim. Eu teria perguntado e Finn teria contado tudo. Mas aquele dia foi como qualquer outro. Eu não queria pensar em Finn tendo outros melhores amigos. Queria imaginar que ele era como eu. Que tudo o que tínhamos era um ao outro. Então, não perguntei. Deixei o momento passar. Em vez disso, revirei os olhos.

– Os ingleses não são malvados *mais*. É claro que são legais e inofensivos agora.

Finn estendeu o braço e me deu um tapinha nas costas.

– Você está certa. Pegue o casaco. Conheço um telhado de onde podemos ver os fogos.

Naquela noite, ele segurou minha mão e andamos pela cidade quente e agradável juntos. Eu sabia que as palmas das minhas mãos estavam suando, mas Finn não disse nada a respeito disso. Se havia alguma coisa ou alguém que queríamos que o outro visse, dávamos um apertão. Não muito forte, apenas o suficiente para sabermos que devíamos olhar. Fazíamos isso desde que posso me lembrar. Geralmente, era Finn que apertava minha mão, porque sempre via as coisas antes e, depois, eu tinha de passar os olhos rapidamente ao redor até achar o que ele queria. Mas, naquela noite, havia tantas pessoas loucas em volta de nós que ficávamos apertando ao mesmo tempo, nossas mãos firmes e juntas, as palmas pressionadas com força. Às vezes, eu apertava mesmo quando não havia nada, apenas porque não conseguia evitar. Via Finn olhar para cima e ao redor até finalmente desistir e olhar para mim confuso. Depois, eu ria e ele batia o ombro contra o meu. Adorava aquilo.

Eu estava no trem das 15h37 para casa. Tinha aquele cheiro de pessoas indo e vindo do trabalho – perfume e suor e tinta de jornal – e estava quase cheio. Tive sorte e encontrei dois assentos vazios no final de um vagão. Sei que não devia, mas coloquei minha mochila no outro assento para ninguém se sentar ali.

No meu colo estava o pequeno presente, embrulhado no papel azul de borboletas. Não abri logo, porque era assustador abrir algo vindo de uma pessoa morta. Em especial uma pessoa morta que você amava. Abrir um presente vindo de uma pessoa viva já era assustador o bastante. Sempre havia a chance de o presente ser tão errado, tão completamente longe do tipo de coisa de que você gostava, que você percebia que a pessoa não o conhecia nem um pouco. Eu sabia que não seria assim com aquele presente de Finn. O que era assustador nele era que eu sabia que seria perfeito... Completa e totalmente perfeito. E se ninguém me conhecesse como ele de novo? E se eu passasse a vida toda ganhando presentes medíocres – produtos para banho, caixas de chocolate e meias para dormir – e nunca encontrasse ninguém que me conhecesse como Finn?

Passei os dedos pelo papel sedoso com os olhos fechados e, depois, descasquei a fita adesiva com o máximo de cuidado que consegui. Era um papel de embrulho chique, resistente, então não foi difícil tirar a fita sem rasgos. O papel poderia ir para o fundo do meu armário com todas as outras coisas secretas e preciosas.

Deslizei o livro para o meu colo.

The Medieval Woman, an Illuminated Book of Days

A capa era marrom e tinha uma pintura de um homem e uma mulher medievais colhendo maçãs e peras. Bem no meio de tudo estava a mulher com a cesta de maçãs equilibrada na cabeça. Ela tinha uma mão na barriga, como se talvez tivesse comido frutas demais.

Apertei o livro contra o meu colo, com medo de abri-lo, porque Finn era o tipo de pessoa que sempre escrevia alguma coisa do lado de dentro dos livros e eu não queria me pegar chorando no trem. Assim, em vez de abrir a segunda capa, folheei algumas páginas do meio.

Era um livro bonito. Havia pinturas de um lado e um calendário semanal na página oposta. Em julho, havia mulheres escultoras, uma banqueira e duas mulheres cuidando de abelhas. Em agosto, havia uma mulher vendendo alho-poró, três pedreiras construindo o muro de uma cidade e uma cirurgiã fazendo uma cesariana. Nessa imagem, o bebê já saiu até a metade do corpo e parece uma menina de oito anos confusa em vez de um recém-nascido, o que dá à coisa toda uma aparência muito assustadora.

Continuei folheando, porque era um bom livro. Achei que talvez fosse o melhor livro que eu já tivera. Cheguei então à semana de 13 a 18 de setembro e foi como pegar uma aranha que subia pela minha manga. Lá estava a letra de Finn, suas linhas finas rastejando pela página. Bati a mão sobre as palavras dele e fechei o livro com força.

Uma mulher do outro lado do corredor olhou para mim.

- Você está bem?

Fiz que sim com a cabeça e ela voltou para a sua revista.

Abri o livro devagar. A letra estava confusa. Rabiscada e irregular.

Queridíssima June,

Preciso dizer a você.

Tudo está tão errado. Toby não tem ninguém.

Por favor, Crocodilo, acredite em mim. Ele é bom e gentil.

Cuide dele. Por mim.

Preciso de mãos novas. Estas estão todas gastas! Você consegue ler isto?

Vou assombrar o Cloisters por você se eu conseguir.

Com muito, muito amor,

Finn

Na página oposta, havia o detalhe de uma pintura francesa do século 15. Chamava-se "Enfermeira alimentando homem doente". O homem estava na cama, todo coberto por uma manta azul como o céu em um quarto cheio de camas. O homem parecia muito mal - cinza e careca, a mão no peito como se tentasse perceber o exato momento em que seu coração pararia de bater -, mas a enfermeira, ela parecia ainda pior. Estava levando uma colher com alguma coisa até a boca dele e seu rosto estava em pânico e ainda mais cinza que o dele.

Fechei o livro e o enfiei na mochila. Depois, deslizei-a para baixo do assento à minha frente. Fiquei olhando para fora da janela pelo restante da viagem. Prédio, árvore, carro, carro, van, muro, terreno baldio, van. Olhei com atenção, tentando achar um padrão. Pensando que, se olhasse com cuidado o bastante, talvez as peças do mundo se encaixassem de novo formando algo que eu conseguisse entender.

Trinta e três

Às vezes eu brinco de um jogo em que finjo ter sido jogada para fora do meu tempo. Como se eu fosse mesmo uma menina da Idade Média andando por aí em 1987. Funciona em qualquer lugar. Na escola. No shopping. Quanto mais moderno, melhor. É uma maneira de ver tudo pelo que é. A última vez que fiz isso foi no Grand Union, fazendo algumas compras para a minha mãe. Foi o dia depois de eu ter ido ver Toby, e estava fazendo o melhor que podia para tirar o bilhete de Finn da cabeça.

Assim que eu voltara da cidade para casa, enfiara o *Book of Days* o mais fundo que conseguira no guarda-roupa. Depois, batera a porta. Meu plano era ignorá-lo. Se eu fingisse nunca tê-lo lido, ele não importaria. Quem saberia?

Mas é claro que não funcionou. Depois de saber uma coisa, você nunca pode deixar de saber, e o livro ficou no meu guarda-roupa como um incêndio. Como algo que era preciso apagar. Talvez não tivesse sido tão ruim se minhas lembranças de Finn não tivessem acabado de ser despedaçadas. Ou se ele estivesse me pedindo para cuidar de alguém, qualquer pessoa, que não fosse aquele homem que pulverizara tudo.

Saí da escola com a lista de compras da minha mãe no bolso. No Grand Union, olhei para o teto e pensei que as luzes do painel pareciam várias estrelas que haviam sido abertas como massa de doce. Que os carrinhos de compras seriam bons para transportar madeira se tivessem rodas maiores. Que bananas e mangas e kiwis não se pareciam com nada que já vira antes. Eu estava segurando uma banana na frente do rosto, encarando a casca lisa e brilhante, murmurando para mim mesma, quando, de repente, Ben Dellahunt estava parado ao meu lado, olhando-me como se eu fosse a maior esquisitona do mundo. Meu rosto ficou quente e eu soube que estava corando feito louca.

– O que é essa coisa que vocês, terráqueos, chamam de *banana*? – ele disse, com uma voz de Dr. Spock.

Um milhão de explicações diferentes disparou pela minha cabeça. Eu estava pronta para dar a Ben qualquer uma daquelas mentiras, mas, depois, decidi não fazê-lo. Por que deveria? Tinha coisas mais importantes com que me preocupar. Ben podia pensar o que quisesse.

Virei-me, olhei para ele direto nos olhos e falei:

– Sou esquisita.

Pude perceber que não era o que ele estava esperando que eu dissesse, porque um sorriso grande e malicioso se espalhou pelo rosto dele.

– Às vezes ando por aí fingindo que sou uma menina medieval que foi deixada no nosso tempo e, assim, tudo em volta parece estranho e novo e ridículo. Tudo bem? Agora que sabe o quanto eu sou esquisita, está livre para contar a todos os seus amigos ou sei lá. Vá em frente. Sem questionamentos.

Ben ficou parado ali, estupefato, o sorriso ainda colado no rosto. Fez que sim com a cabeça, devagar, como se tentasse chegar a uma decisão.

– Gostei – declarou depois de um tempo.

A resposta de Ben me pegou de surpresa, e meu momento de coragem desapareceu. Eu me peguei corando de novo, tentando evitar o contato visual.

– Bem – eu disse –, você não deveria.

– Ah, *dever*... A palavra de que eu menos gosto.

Ben era tão nerd que eu na verdade me senti descolada por alguns segundos. Tentei devolver a banana sutilmente de volta à pilha, mas é claro que derrubei outras duas no processo. Ele inclinou-se para pegá--las. Depois, disse:

– Eu não contaria a ninguém. Não sou assim.

– Obrigada.

– June?

– Sim?

– Seu tio... Eu li o artigo na biblioteca. – Ben olhou para o outro lado por um momento. – Ele tinha AIDS mesmo?

Fiz que sim com a cabeça. Algumas pessoas tinham se aproximado de mim na escola depois de terem visto o artigo. Acho que éramos as primeiras pessoas a terem alguma ligação com essa coisa enorme que sempre estava nos jornais. As primeiras cuja história as pessoas conheciam, de qualquer maneira, e isso parecia fasciná-las. Quando me perguntavam a respeito, sempre havia um leve tom de admiração na voz delas. Como se Finn ter tido AIDS de alguma forma me fizesse mais descolada aos olhos deles. Nunca tentei tirar vantagem disso. Quando as pessoas mencionavam o assunto para mim, achavam que estavam falando de um parente casual. Para a maioria das pessoas, era isso que meu tio era. Não faziam ideia de como eu me sentia em relação a Finn. Não faziam ideia de que ouvi-las falar de AIDS, como se essa fosse a parte importante da história – mais importante do que quem Finn era, ou o quanto eu o amava, ou o quanto ele ainda estava partindo meu coração a cada hora de cada dia –, fazia-me querer gritar.

– Sinto muito – Ben falou.

Aquilo foi tudo. Ele não fez nenhuma pergunta curiosa mais e eu fiquei muito grata por isso.

No dia seguinte, na escola, usei minhas coisas antigas: meu vestido da Gunne Sax com uma malha por cima, uma par de meias-calças de lã grossa e, é claro, as botas. Estava com as tranças de sempre, mas, naquele dia, eu as tinha amarrado para trás com uma fita vermelha que cortara de uma enciclopédia. Não me importava com o que ninguém falasse. Em todo lugar aonde eu ia, o bilhete de Finn estava, sempre confundindo minha cabeça, e aquelas roupas, aquela outra eu, pareciam uma forma de eu me esconder dele.

Minha última aula do dia era no laboratório de computação, e eu me joguei em uma das cadeiras de escritório giratórias. Havia algumas pessoas da minha turma que tinham permissão para passar para a programação em Fortran, mas eu estava presa no básico. Semana após semana, tentava desenvolver um programa que calculasse as porcentagens se você escrevesse números simples e, ainda assim, de alguma maneira, meu programa travava. Nem me preocupei em trabalhar no programa de porcentagens naquele dia, porque tudo em que eu conseguia pensar era: *Cuide dele. Por mim.* Digitei no único programa que nunca tinha parado de funcionar:

```
10 imprimir "O que devo fazer?"
20 ir para 10
30 processar
```

Observei, hipnotizada, as palavras rolarem mais e mais para baixo na tela. Esperei, na expectativa de que, de alguma forma, o computador fosse mais esperto do que eu. Que, de algum jeito, ele parasse a cachoeira idiota de palavras que eu forçara a se derramar sobre a tela dele e cuspisse uma resposta. Mas é claro que ele não podia. Apenas ficou repetindo minha pergunta boba até o Sr. Crowther chegar e me mandar trabalhar de verdade.

Depois da aula, a luz vermelha da secretária eletrônica mostrava duas mensagens. Joguei minha mochila na mesa e ouvi. A voz da minha mãe veio primeiro:

– *Meninas, só estou ligando para dizer que vamos comprar pizza na volta para casa. Vamos chegar por volta das oito. Então, não se preocupem com o jantar. Façam a lição de casa. Voltamos logo. Amo as duas.*

Depois, veio a voz de Greta:

– *Oi, mãe? Bem, quem quer que esteja aí. Vou jantar com a Megs na lanchonete. Tudo bem? Ensaio até as nove... pelo menos. Até mais tarde.*

Naquela noite, meus pais trouxeram para casa pizza de cogumelo e uma grande salada grega, tudo que eu costumava adorar, mas, em vez de me jogar na comida, disse a eles que achava que talvez estivesse ficando doente. Depois de se revezarem apertando as palmas das mãos contra a minha testa, eles me deixaram ir para a cama.

Passei a hora seguinte virando devagar as páginas do *Book of Days* mais três vezes, procurando outros recados, algo que me dissesse exatamente o que eu deveria fazer, mas não havia nada.

Ouvi Greta chegar por volta das 21h30. Com a orelha contra a parede, pude ouvi-la colocar *New Year's Day* do U2 para tocar. Ouvi-a cantar junto com a música e, assim, apertei a orelha contra a parede. Eu adorava ouvir Greta cantar, especialmente se ela não soubesse que eu estava escutando.

Coloquei o *Book of Days* sob o travesseiro e peguei as duas latas de Yoo-hoo que eu parara para comprar depois da aula. Em seguida, bati na porta dela. Ela não respondeu, mas entrei mesmo assim.

Greta estava de costas para mim porque estava colocando o pijama, que era de flanela xadrez. A vovó Elbus tinha mandado para nós pijamas combinando no Natal.

– O que foi? – Greta disse.

– Não sei, só queria conversar.

– Você tem tempo para isso na sua agenda, tem?

– Esquece.

– Não – Greta falou. – Só estou sendo chata. Feche a porta.

Fechei a porta e coloquei as latas de Yoo-hoo na escrivaninha. Passei algumas roupas para a cama e me sentei na cadeira.

Greta soltou o sutiã e tirou-o pela manga. Quando estava vestida com segurança, voltou-se. Ao ver que estávamos usando o mesmo pijama, revirou os olhos.

Greta era a única para quem eu achava que conseguiria contar sobre o livro. Sobre o que Finn me pedira para fazer. Ela estava mordendo as unhas, o que eu não a via fazer havia anos, e fiquei sentada tentando me decidir se devia confiar nela.

– Parece que o coreógrafo vem amanhã – ela disse –, então vamos fazer coisas de dança a tarde toda.

Virou-se de novo e começou a escovar o cabelo.

– E isso é bom ou ruim?

– Tanto faz. Nem me importo mais.

Olhou para mim e depois disse:

– Você poderia vir. Assistir se quiser.

– Não sei. Pode ser estranho. Não acha? Eu estar ali de repente?

A conversa parecia frágil, como sempre acontecia com Greta.

– Não, não seria. Você pode entrar para a turma dos *geeks* e cuidar da iluminação. Fazer o que quer que eles façam lá em cima.

– Greta?

– O quê?

– Você já esteve em uma situação em que não tinha certeza se queria fazer uma coisa e, mesmo se decidisse que queria fazer, não tinha certeza de como fazer, de qualquer forma?

Ela ficou me olhando, apertando os olhos como se estivesse tentando arrancar a história real de dentro de mim. Depois, devagar, um sorriso se espalhou pelo rosto dela. Aproximou-se e sentou perto de mim.

– Eu sabia – falou, batendo na cama. – Tem alguém. Todas as saídas escondida. A maquiagem. Ai, meu Deus. Eu sabia que você tinha algum tipo de namorado secreto. Você está morta. Se a mamãe descobrir...

– Não tenho. Não é isso que estou dizendo.

– June, preste atenção. Você *não* deve mesmo fazer sexo a menos que esteja total e completamente pronta. Estou falando sério. Aconteceu com a Hallie Westerveldt, a irmã mais nova da Keri, sabe? E, tipo, ela vai se arrepender para o resto da vida.

– Não é sexo. Sério...

E, de repente, eu explodi em risadas, porque estava pensando na ideia de Toby ser meu namorado secreto e no quanto isso era idiota.

– Viu? Eu descobri. Eu sabia. Posso ver por todo o seu rosto risonho.

– Não. Cale a boca. Não existe namorado secreto. Quem iria querer fazer sexo comigo, de qualquer maneira? Pense nisso.

– Bom argumento, mas alguém deve querer. Ben? É o Ben Dellahunt? É o Ben, não é? Ele me disse que gosta das suas botas.

– Bem, ele pode fazer sexo com as botas, então.

Nós duas caímos na gargalhada.

– Isso é muito nojento, June. Você é muito nojenta.

Nós duas com os pijamas combinando, rindo com gosto no quarto de Greta, era muito bom.

Eu ainda estava rindo, mas ela tinha parado, o rosto de repente sério.

– June, estou falando sério, tudo bem? Só não faça nada idiota.

– Certo.

– De verdade. Eu falo sério.

– Certo.

– E, sem querer ofender, mas eu posso ajudar com a maquiagem se você quiser. Você pesa um pouco a mão.

Eu ri de novo.

– Certo – respondi.

– Então você com certeza vai à festa no próximo sábado, né?

Eu não sabia de nada sobre festa, e a surpresa deve ter aparecido no meu rosto todo.

– No bosque de novo. Como da última vez. Todo o elenco e a equipe de produção e... o Ben.

– Não sei.

– É claro que vai – ela afirmou.

E, então, me lembrou da Greta que costumava ser. A Greta de nove anos que ficava esperando o ônibus com o braço em volta dos ombros daquela eu de sete anos. As meninas Elbus. Era assim que as pessoas nos chamavam. Como se nem precisássemos de nomes separados. Como se fôssemos uma coisa sólida e inquebrável.

Eu estava feliz por não ter levado o livro. Eram coisas normais que Greta queria que eu confessasse. Namorados e sexo e paqueras. Coisas que poderíamos ter em comum. Tudo o que eu tinha era um homem estranho na cidade e viagens secretas para o Playland e apelos de ajuda vindos dos mortos.

Trinta e quatro

Os bastidores eram basicamente um lugar bem assustador. Figurinos solitários pendurados em cabides. Cheiro úmido de porão. Sofás e cadeiras velhos e rasgados. Lâmpadas nuas penduradas no teto manchado pela água. Assustador de todas as formas. Mas sempre havia pessoas ali quando uma peça estava acontecendo, brincando ou matando o tempo, e, assim, em vez de parecer desagradável, na verdade tinha um clima ótimo.

Eu fui porque queria ver Greta dançar. Queria poder dizer a ela que a tinha visto. E ela me convidara, o que era legal. Desci os degraus estreitos saindo pela esquerda do palco que iam para os bastidores. Ao olhar ao redor, não vi Greta, mas vi as costas de Ben Dellahunt curvadas por cima de uma carteira de colégio. Ele estava usando uma longa capa de veludo preto que parecia parte do figurino de uma peça antiga e tinha dados na mão. Ele os balançou antes de deixa-los caírem fazendo barulho na mesa.

– Três pontos de vida!

Dois outros meninos da produção estavam sentados em frente a ele, parecendo tristes. Eu esperava passar sem que reparasse em mim, mas ele me viu.

– Ei – disse.

– Ei.

– Interessada?

Apontou para um mapa quadriculado na carteira. Eu tinha bastante certeza de que tinha alguma coisa a ver com Dungeons & Dragons.

– Não, só estou procurando a Greta. Você a viu?

Ben olhou ao redor.

– Não.

Virei-me para sair.

– Ei, espere um segundo. – Ele balançou a cabeça na direção do jogo de novo. – Pense bem. Você pode ser qualquer um. A Rainha Loba das Regiões Distantes, ou...

– Não, obrigada, eu... – Ouvi a voz de Greta ecoando pelas escadas. – Tenho de ir.

Encontrei Greta na escada. Atrás dela vinham três ou quatro meninas que eu não conhecia. A notícia do papel dela em *Annie* tinha começado a se espalhar, e, embora ainda não tivesse ganhado a vaga oficialmente, as pessoas pareciam estar tratando-a como se já fosse famosa. Eu a vira no refeitório durante o almoço cercada por vários alunos da turma dela, meninos e meninas, todos olhando para ela. Eu não sabia dizer se ela gostava daquilo ou não.

Conforme passei por minha irmã na escada, garanti que ela me visse. Eu queria que soubesse que eu fora vê-la dançar. Não nos cumprimentamos nem nada, mas ela me viu e nossos ombros se rasparam enquanto eu subia e ela descia. Depois, eu a vi olhar para Ben e um sorrisinho malicioso apareceu no rosto dela.

Fiquei no fundo do auditório e observei. Greta chegou atrasada e, quando estava no palco, parecia desinteressada, sem entusiasmo. Como se estivesse tentando não ser tão boa quanto poderia. No entanto, talvez eu fosse a única que reparara nisso, porque ainda assim foi excelente. Ela não conseguia evitar.

Trinta e cinco

– Não preciso de jeans. Eu odeio jeans.

– É claro que precisa – minha mãe disse. – Todo mundo precisa de jeans.

Era o fim de semana da grande liquidação de primavera da Macy's. Era algo que minha mãe, Greta e eu costumávamos fazer juntas. Depois, Greta simplesmente conseguiu que minha mãe lhe desse dinheiro e passou a ir com as amigas. Eu não queria ir, nem um pouco. Nem um pouco.

Minha mãe parou em frente ao meu armário. Puxou um cabide que tinha duas saias azuis cotelê penduradas de qualquer jeito.

– Olhe para isto. – Ela passou a mão pelas duas saias. – Parece que você andou rastejando na lama. O que faz para deixar as saias neste estado?

– Elas não estão ruins – eu disse. – Estão boas.

Minha mãe vasculhou mais para dentro do armário e eu me lembrei do bule de chá e das fitas e dos bilhetes e de tudo mais que estava no fundo. Em pânico, dei um pulo e fiquei sentada.

– Tudo bem – falei.

– O que foi?

– Eu vou.

Sentei-me em um banco e minha mãe ficou em pé na minha frente, olhando para os trilhos. O cabelo dela era cortado curto e, como já tinha ficado todo grisalho quando ela tinha 23 anos, sempre o pintava de um castanho avermelhado profundo. Era daquela cor por inteiro, exceto por uma mecha superfina no topo da cabeça, em que o cinza aparecia. Às vezes eu queria tocar naquele ponto da cabeça da minha mãe, aquela rachadura fina por onde a verdadeira ela tinha forçado passagem. Naquele instante, no sol frio de março na estação de trem, pareceu que, se eu colocasse o dedo bem ali, tudo poderia voltar ao normal. Não haveria mais encontros secretos com Toby. Nem fantasmas dizendo-me de quem cuidar, dizendo-me para fazer coisas que eu nem imaginava como fazer. Nem estranhos retratos mutáveis em cofres subterrâneos. Nem irmãs que desapareciam em bosques em noites escuras. Eu poderia esquecer tudo e voltar a ser uma menina normal que ia à Macy's com a mãe e sonhava viver no passado.

Levantei-me e dei alguns passos na direção da minha mãe.

Ela sorriu para mim, pegando minhas mãos sem luvas entre as dela, com luvas, dando-lhes uma esfregada para esquentá-las.

– Será como nos velhos tempos, Junie – ela disse.

Havia apenas algumas pessoas esperando o trem naquela manhã. Um grupo de alunos mais velhos da minha escola. Um homem de terno. Minha mãe e eu nos sentamos de frente uma para a outra. Ela passara batom, o que quase nunca usava. Minha mãe nem usava maquiagem no trabalho. Apenas para sair à noite ou para ir à cidade. Ficou me olhando como se estivesse prestes a dizer alguma coisa. Depois, finalmente, soltou:

– Que tal Horn & Hardart no almoço?

Fiz que não com a cabeça.

– June.

Ela deu um longo suspiro.

– Eu só não quero.

– Querida, eu sei que você não quer. E sei por que não quer.

Ela estendeu o braço e colocou uma mão no meu joelho. Pareceu que o trem estava me apertando e eu sabia que estava em uma armadilha. Minha mãe me atraíra até ali para falar sobre esquecer Finn, e eu não tinha como sair.

– Se sabe o motivo, então por que quer me obrigar a fazer isso?

– Porque uma das maneiras de fazer as coisas pararem de ser tão difíceis é cobrir as memórias com algo novo. Se formos ao Horn and Hardart, será como jogar um lençol fino por cima das outras vezes que você foi lá com o Finn. Cada vez que você for, uma lembrança nova será depositada por cima, até seus momentos lá com o Finn serem silenciados embaixo de tudo. Entende?

– Outro dia.

– E o Cloisters. A mesma coisa com o Cloisters...

Era como se ela não conseguisse me escutar. O Cloisters? A ideia de ir ao Cloisters com minha mãe era completamente errada. Aquela Maria de madeira de bétula me olhando, todos aqueles cantos de pedra apertados que podiam segurar uma palavra durante séculos. Nem todos os cobertores mais espessos e com mais lã do mundo poderiam cobrir os fantasmas meus e de Finn naquele lugar.

– Podemos simplesmente não falar disso? – perguntei.

– June, já faz mais de um mês.

Encostei-me para trás no assento. Fechei os olhos, cruzei os braços em frente ao peito e soltei o ar devagar. Quando abri os olhos de novo, olhei para a minha mãe.

– Conte uma história sua com o Finn. De quando eram crianças. Uma história e eu vou ao Horn & Hardart.

– Ah, June...

Mas pude perceber que ela já estava pensando sobre ser criança. Pude perceber que não conseguiria evitar falar a respeito disso.

Minha mãe acabou contando sobre a praia em Cape Cod aonde ela e Finn costumavam ir nas férias quando eram pequenos. Eu tinha bastante certeza de que era a mesma praia de que Toby falara. A diferença era que minha mãe sabia contar uma história de verdade. Contou que meus avós dormiam até tarde e ela e Finn cruzavam a rua correndo até a praia, sozinhos, assim que o sol saía. Que o sol brilhava no rosa quente das bochechas animadas ao nascer e que eles tinham a praia toda para si. Como se fosse uma outra época, ela disse. Contou que eles viravam o mundo de cabeça para baixo. Fingindo que a areia eram nuvens e o mar era o céu. Contou que, certa vez, Finn achou um caranguejo-ferradura do tamanho de uma melancia e que um desafiou o outro a ajudá-lo a voltar para a água.

– Era pré-histórico, June. Parecia algo saído de um filme.

Eu podia perceber que ela estava lá. Estava de volta àquele verão de céu cor-de-rosa com Finn.

– E aí?

Minha mãe sorriu.

– Aí o Finn virou o caranguejo de costas com o pé e levantou-o como uma panela grande e carregou-o até a água.

O trem seguiu pelo White Plains e o Fordham, passou pela escola no Harlem que não tinha janelas e pela estação da 125th Street na qual eu nunca descera. Depois disso, deslizou para dentro de um labirinto escuro de túneis que serpenteavam sob Manhattan até a estação Grand Central.

– Por que o Finn parou de pintar? – perguntei, sem olhar para ela.

Todas as janelas tinham virado espelhos naqueles túneis escuros e, quando levantei o os olhos, vi o reflexo da minha mãe me observando. O rosto dela tinha ficado mais sério e a maneira como a luz atingia as janelas fazia parecer que era uma pintura. Na janela, ela era apenas lábios e olhos claros, sem nenhuma textura na pele.

– Toby – falou.

– Toby?

– Eu culpo aquele homem por destruir a vida do Finn.

– Ele não deve ser tão ruim. O Finn não era idiota. Ele não deixaria alguém forçá-lo a parar de pintar.

Minha mãe cruzou os braços na frente do peito. Ela pareceu ficar muito tempo ali, sem falar nada.

– Ele tem um passado, June. Você entende? Esse Toby, ele não é todo inocente e leve. Um dia você entenderá melhor do que entende agora. O amor supera tudo, certo? Família, arte, o que quiser. O Finn estava apaixonado pelo Toby e isso significava que nada mais importava para ele.

Nada mais importava. Eu não importava.

– Por que eu nunca soube dele?

– Porque eu não queria que você e a Greta tivessem qualquer coisa a ver com aquele homem. Finn sabia que o acordo era esse. Se ele queria um relacionamento com as sobrinhas, teria de manter o Toby fora dele. Você não pode simplesmente adotar alguém abandonado e esperar que todos à sua volta fiquem felizes e contentes com isso. Não se pode ter tudo. É algo que o Finn nunca entendeu.

Eu também não entendia. Por que não se podia ter tudo?

– Você fez o Finn escolher? – perguntei.

Ela se virou para o outro lado. Não ia responder.

– Você...

Eu não conseguia acreditar que ela faria algo assim. Não se parecia com nada que eu já vira minha mãe fazer. Fiquei mesmo com pena de Toby.

– Chega. Já tive o suficiente desta conversa.

– Mas...

– Sério, June – ela disse. – Sou eu que devia estar triste. Ele era o meu irmão mais novo. Fui eu que cuidei dele quando éramos crianças. Sabe o que é ter um pai militar? Sabe? Mudando de base para base. Eu era encarregada de garantir que o Finn estivesse bem. Esperavam que eu cuidasse dele. Eu, June. Simplesmente não vou permitir que você continue triste do jeito que tem estado. É fora de proporção. Essa coisa de sentir pena de você mesma. Sou eu quem deveria estar acabada, June. Fui eu que perdi um irmão.

Ela apertou as palmas das mãos nos olhos.

– Acha que eu não sei o que você fica escutando no seu quarto toda noite? Acha que eu não sei que é o *Requiem*? Quem você acha que mostrou aquela música para o Finn? Ele não é o único que conhece coisas bonitas.

Ela se inclinou na direção do corredor e seu rosto desapareceu da janela. Eu aproximei o meu mais, para ver do lado de fora. As paredes dos túneis estavam cobertas com tanta sujeira que quase pareciam pelos. Pensei que aqueles túneis era o tipo de lugar onde os lobos podiam morar. Achei que eram como as veias do coração humano.

No final, não fomos almoçar no Horn & Hardart. Compramos o que precisávamos na Macy's e, depois, comemos um pedaço de pizza na estação de trem antes de irmos para casa.

Quando chegamos em casa, descobrimos que, embora Greta tivesse gastado os 75 dólares que minha mãe lhe dera, só voltou para casa com um jeans da Guess, que nem estavam em liquidação, e cerca de 20 daquelas pulseiras de borracha preta de um vendedor na 34th Street.

Minha mãe parecia extorquida.

– Não são todas para mim – Greta disse. – Algumas são para a June.

Greta tirou algumas pulseiras do braço e entregou para mim.

– São? – perguntei.

Minha mãe ficou olhando de Greta para mim e de mim para Greta. Soltou um longo suspiro. Eu queria muito dizer alguma coisa que minha mãe quisesse ouvir porque, assim, talvez, apenas talvez, ela de alguma forma voltasse a ser a mãe que nunca faria alguém escolher entre o namorado e a irmã.

Antes mesmo de eu pensar bem naquilo, disparei:

– Vou ajudar com a peça amanhã.

Minha mãe e minha irmã se viraram para olhar para mim.

– A Greta disse que eles precisam de ajuda com algumas coisas nos bastidores.

– Isso é ótimo, June.

Minha mãe balançou a cabeça para cima e para baixo, olhando para mim. Espiei Greta e vi que ela estava sorrindo. Um sorriso verdadeiro e honesto.

– E Friendly's depois, combinado?

Greta disse isso em uma voz animada que soou falsa, mas pareceu agradar minha mãe.

– Isso é ótimo, meninas. – Ela olhou para nós duas e abriu um sorriso. Depois, olhou só para mim. – Assim que se faz, Junie.

Fiz que sim com a cabeça e talvez tenha fixado o olhar por tempo demais. Talvez eu quisesse olhar bem aquela versão da minha mãe.

– Certo. Agora, que tal vocês duas irem lá para cima um pouco? Eu vou começar o jantar.

No meu quarto, deslizei as pulseiras elásticas sobre minha mão. Em Greta, elas ficavam soltas e balançando. Em mim, ficavam justas, como o aparelho ortopédico de pulso que meu avô usou quando caiu de um cortador de grama que se dirige sentado. Uma a uma, tirei-as do meu pulso e coloquei-as na escrivaninha. Depois, coloquei-as no fundo do guarda-roupa com o bule de chá. Aquelas pulseiras eram a primeira coisa que Greta me dava em três anos, e, embora eu tivesse certeza de que o fizera apenas para não ficar tão encrencada, ainda queria mantê-las em segurança.

Trinta e seis

Eu não quebro promessas. Se digo que vou fazer alguma coisa, falo sério. Eu dissera a Toby que o veria de novo e, assim, foi o que fiz. Não precisava que ele viesse me buscar. Decidi ir na segunda-feira porque tinha educação física na última aula desse dia. Embora eu nunca tivesse matado aula antes, nem pensado em matar aula antes, fui direto até o Sr. Bingman, coloquei a mão na barriga e comecei a dizer para ele que estava com um problema de menina. Todo mundo conhecia aquele truque com o Sr. Bingman e, antes mesmo de eu terminar meu discurso, ele tinha pegado a caneta, rabiscando uma dispensa.

Enquanto eu saía do ginásio, contei as batidas das bolas de basquete conforme atingiam o chão liso, respirei fundo o ar suado e mantive a expressão neutra. Mesmo andando muito devagar, ainda teria bastante tempo para pegar o trem das 14h43 para a cidade.

– June. Que maravilha – Toby disse quando toquei o interfone, e pareceu mesmo sincero.

Decidi subir pela escada em vez de pegar o elevador. Queria tempo para me preparar antes de ver o apartamento de novo. *Toby não tem ninguém. Toby não tem ninguém.* Era o que eu ficava dizendo a mim mesma.

Assim que entrei, vi que o apartamento havia começado a ficar diferente. Sem Finn. Havia três ou quatro pratos sujos empilhados na mesa de centro. O cinzeiro, que era uma tigela moldada que Finn fizera com asfalto ("*tarmac*"[1], Toby dissera da última vez, revirando os olhos e sorrindo), estava cheio e as cortinas estavam puxadas, cobrindo as grandes janelas.

Toby ficou parado com seu casaco cotelê marrom amassado e aquela mesma camiseta com ossos de dinossauro por baixo. Ele me viu olhar para as janelas, deu passos largos até elas e abriu as cortinas com um estalo.

– Pronto – disse. – Melhor, não é? Sente-se.

Toby se sentou no sofá azul e eu me sentei em frente a ele no marrom. Ele fez um bule de chá e cada um de nós pegou um cigarro, que eu consegui fumar sem tossir nem uma vez. Toby tinha uma pequena garrafa de conhaque e colocou um pouco na sua xícara. Ele o estendeu para mim, mas fiz que não com a cabeça. Tentei não olhar muito ao redor pelo apartamento. Não queria que Toby pensasse que eu estava tentando adivinhar de quem era cada coisa, mas não conseguia evitar. Nos últimos dias, eu estivera me preparando. Queria poder olhar ao redor e não me importar se metade das coisas não era de Finn. *Toby não tem ninguém*, eu disse a mim mesma.

– Essas botas são bonitas.

Toby mexeu a cabeça na direção dos meus pés.

– Ganhei do Finn – eu disse, um pouco rápido demais.

Depois, virei-me de forma que a saia cobrisse meus pés.

Houve alguns segundos de silêncio constrangedor e, depois, do nada, Toby começou a falar com uma voz fingida de repórter. Usava um sotaque estranho e fingia estender um microfone para mim:

– Então, diga, senhorita Elbus, o que a fascina na Idade Média?

Eu cruzei os braços na frente do peito e olhei para ele.

– Não. Sério – ele falou com a voz normal. – Quero saber.

[1] Forma como ingleses chamam o asfalto. (N.T.)

Era o tipo de pergunta que me deixava sem palavras. Quase pensei em fingir que não ouvira, mas sabia que ele tentaria de novo. Meu cérebro passou por todas as respostas possíveis. Castelos; cavaleiros; noites escuras à luz de velas; cantos gregorianos e vestidos que iam até os pés. Livros que precisavam ser copiados a mão e decorados por monges nas cores mais bonitas. Livros que ganhavam iluminuras e, assim, brilhavam.

– Talvez... Não sei... Talvez seja apenas porque as pessoas não sabiam de nada na época. Havia coisas que as pessoas nunca tinham visto antes. Lugares aonde ninguém nunca tinha ido. Você podia inventar uma história e as pessoas acreditariam. Você podia acreditar em dragões e santos. Podia olhar para as plantas e achar que talvez elas pudessem salvar sua vida.

Eu havia ficado olhando para o tapete o tempo todo, porque sentia que minha resposta não estava fazendo muito sentido e Toby poderia estar rindo de mim. Mas, quando levantei o olhar, vi que ele não estava. Estava fazendo que sim com a cabeça.

– Eu gosto disso – ele disse.

– Mesmo?

Observei Toby para ver se ele estava falando sério e, quando me convenci de que estava, continuei:

– E, bem, também, talvez, parece que não teria problema não ser perfeita. Ninguém era perfeito naquela época. Quase todo mundo tinha defeitos e a maioria das pessoas não tinha escolha a são ser ficar desse jeito.

Toby ficou sentado fazendo que sim com a cabeça. Ele mantinha uma mão apoiada no joelho e vi que seus dedos tinham calos.

– Mas também era sujo e escuro e havia ratos e a peste...

– Acho que sim. – Olhei para baixo, pensando. Depois, olhei para Toby e sorri. – Então não era muito diferente de Nova York.

Toby riu.

– Bom argumento.

Ele fez que sim com a cabeça para si mesmo de novo, como se estivesse refletindo sobre alguma coisa.

– A não ser por... Bem, a não ser por termos a AIDS em vez da peste.

Era a primeira vez que eu ouvia Toby dizer aquela palavra. *AIDS*. Ele desviou o olhar de mim quando disse.

– Não são a mesma coisa.

– Bem, não exatamente, mas...

– Nem um pouco. Você não podia evitar que a peste o pegasse. Não era culpa de ninguém. Apenas acontecia. Não havia culpado.

As palavras dispararam da minha boca antes de eu ter uma chance de impedi-las.

Toby começou a torcer uma linha solta na ponta do bolso do casaco. Pensei em pedir desculpas, mas não pedi.

– June, ninguém sabia nada sobre a AIDS. Você entende? Não havia nem uma palavra para ela quando o Finn e eu nos conhecemos.

– Então, por que a minha família toda diz que você passou para ele? Por que diriam isso?

Toby tombou a cabeça para a frente e fechou os olhos. Respirou fundo antes de abri-los.

– Porque foi isso que decidimos contar a eles.

– Quem?

– O Finn e eu. Principalmente eu. Sua mãe presumiu que tinha acontecido assim e decidimos deixá-la acreditar. Eu disse ao Finn que não me importava. Que, se isso a fazia se sentir melhor, devíamos deixá-la acreditar nisso.

– Mas...

– Deixe pra lá, June. Não importa mais.

Mas importava. A verdade importava. Não era certo Toby levar toda a culpa quando podia não ter sido culpa de nenhum deles. Quando não era culpa de ninguém.

– Por que o Finn iria...

– Psiu – Toby disse e colocou duas pontas de dedo secas nos meus lábios.

Eu congelei e ele lentamente tirou os dedos.

– Mas...

– Estou contando tudo isso porque preciso que você entenda o quanto eu amei seu tio. Então, talvez, talvez, se você entender isso, você... não me odeie tanto. O Finn era como você, ele queria contar a verdade, queria que todos soubessem que não era culpa de ninguém. Fui eu que forcei. Eu o amava, June. E, se levar a culpa tornava as coisas mais fáceis para ele, então era o que eu queria fazer. Agora, deixe pra lá, tudo bem? Já estamos muito longe de qualquer uma dessas coisas ainda ser importante. Combinado?

Eu não disse nada.

– Por favor? É o que o Finn ia querer. De verdade.

Como você sabe o que o Finn ia querer?, eu pensei. Mas encolhi os ombros e disse:

– Acho que sim.

– Bom.

Ele olhou para o outro lado, pela janela.

Fiquei sentada ali como se estivesse prestes a chorar. Eu não sabia por quê. Não era porque Toby havia sido nobre e bom. Não era porque provavelmente ninguém no mundo jamais saberia a verdade além de mim. Não era porque eu finalmente tinha novidades para contar a Greta, mas acabaram sendo novidades que não podia contar a ninguém. Fiquei ali deixando aquela tristeza animal cobrir meus ombros, esperando que ela me dissesse por que estava ali. E, então, ela disse. Arrastou-se para perto e sussurrou no meu ouvido:

Ele amava Finn mais do que você.

Foi o que ela me disse. E eu sabia que era verdade.

Pude sentir um nó duro e frio se formar no centro do meu peito. *Não sou uma pessoa ciumenta. Não sou uma pessoa ciumenta.* Pensei assim comigo mesma de novo e de novo, desacelerando minha respiração. Olhei para Toby.

– Bem... O Finn já pintou um retrato *seu*?

Assim que eu disse aquilo, percebi quão patético soara. Quão triste e cruel. Mas foi como se Toby nem tivesse ouvido a crueldade. Ele levantou o dedo indicador, dizendo-me para esperar um segundo. Depois, pulou do sofá e mexeu na gaveta secreta da escrivaninha até achar uma chave. Ele a levantou e sorriu.

– Você nunca foi ao porão, foi?

Toby estava certo. Eu nunca fora ao porão do prédio de Finn. Mas minha mãe, sim. Às vezes, aos domingos, enquanto Finn estava nos pintando, ele lavava uma máquina de roupa para ele. Ela subia fazendo não com a cabeça, dizendo *nunca mais*.

– Aquele porão é como uma coisa saída de um filme de terror – declarou certa vez.

Toby guardou a chave no bolso.

– O que tem no porão? – perguntei.

– Vem comigo.

Ele estava acenando para mim com as duas mãos como um Svengali desajeitadamente alto e magro.

– Não sei. E se eu não quiser?

– Você vai querer. Eu garanto. Há um armário. Cada apartamento tem um. Como uma grande gaiola de armazenamento. Vem comigo.

Uma imagem minha sendo presa em uma gaiola em um porão assustador veio à minha cabeça. Eu nem conhecia Toby. Não de verdade. E ele mesmo dissera que tinha ciúmes de mim. Talvez fosse me trancar lá no porão e ninguém no mundo jamais adivinharia onde eu estava.

Os ombros de Toby caíram, ele tombou a cabeça para um dos lados e disse "por favor" na voz mais patética de todos os tempos. Depois, endireitou-se de novo.

– Olhe, de verdade, June. Você não vai se arrepender.

Pensei a respeito por alguns segundos e cheguei à conclusão de que um psicopata não teria mencionado uma gaiola. Um psicopata de verdade teria me atraído lá para baixo dizendo que havia um filhote de cachorro ou alguma coisa assim.

– Certo – eu disse –, mas você vai na frente e eu quero meu casaco.

Queria meu casaco porque minha caneta de pena estava nele e, se o pior acontecesse, eu poderia espetá-la em Toby.

Ele levantou as mãos.

– Tudo totalmente bem.

Toby apertou o botão *P* e descemos. No pequeno espaço do elevador, pude sentir o cheiro dos cigarros, mas, também, por baixo dele, havia o frescor bom do sabonete.

– Você não vai se arrepender – repetiu enquanto o elevador parava fazendo barulho e a porta deslizava para abrir.

Ele saiu e eu o segui. Assim que consegui olhar ao redor, pude ver que minha mãe estava certa. O porão parecia mesmo saído de um filme de terror. O corredor em frente ao elevador era estreito e iluminado por lâmpadas sem lustre penduradas no teto. O lugar todo cheirava a poeira superaquecida e as paredes eram amareladas e rachadas. Conforme andávamos, vi que havia pequenos corredores sem saída e quartos que saíam do corredor principal. Alguns tinham colchões sujos, como se pudesse haver pessoas morando ali embaixo. Por cima do ombro, vi a porta do elevador bater e se fechar. Ele rangeu e balançou enquanto subia do porão.

Olhei para os ombros de Toby à minha frente e comecei a ficar agradecida por ele estar comigo. Não que parecesse que ajudaria muito caso um psicopata de verdade estivesse esperando no porão, mas, ainda assim, era melhor saber que eu seria cortada até a morte com mais alguém em vez de sozinha.

Passamos pela lavanderia. A secadora estava batendo algumas roupas, mas não havia ninguém ali.

– Bem aqui – Toby disse.

Nós viramos em um canto e entramos em uma grande sala, contornada de um dos lados por gaiolas de alambrado do chão ao teto com cadeados. Cada uma tinha cerca de 3m de um lado ao outro e era bem profunda, e cada uma tinha uma lâmpada sem lustre pendurada no teto. Segui Toby pela fileira de gaiolas, espiando as coisas que as pessoas guardavam. A maioria das gaiolas estava com pilhas altas de coisas como bicicletas e caixas e cadeiras. Uma tinha uma raposa empalhada que olhou bem para mim quando passei. Outra tinha cerca de 20 gaiolas diferentes para pássaros. Outra tinha três pilhas até o teto de caixas fechadas de sopa de tomate Campbell.

Toby parou na gaiola marcada com 12H. Eu fiquei ao lado dele, apertando os olhos ao ver aquilo. Um pano de veludo cor de vinho, como uma cortina inteira, estava pendurado lá dentro de todos os lados e, assim, era impossível ver o que havia dentro. Ele tirou a chave do bolso.

– Pode ser um pouco... complicado – falou enquanto colocava a chave na fechadura.

– O que é tudo isto? – perguntei, apontando a cortina.

– Ah, consegui. – Toby torceu o cadeado para abri-lo e tirou-o da porta da gaiola. Olhou para onde eu estava apontando. – Apenas privacidade – disse. – Agora, preciso que você me dê um minuto.

Ele entrou primeiro e eu esperei do lado de fora. Ouvi um fósforo sendo riscado dentro da gaiola e, depois, pude perceber pelo cheiro que ele havia sido apagado. Aproximei-me da porta. Fiquei ali por mais alguns segundos e estava começando a ficar tensa quando um som metálico, como uma grande porta sendo deslizada, ecoou pelo porão. Depois, um sopro e um baque alto.

Devo ter soltado um gritinho, porque Toby colocou a cabeça para fora.

– Incinerador para o lixo. É só isso. Fica do outro lado do prédio. Não tenha medo.

– Não tenho – falei, mas tinha. Dei um passo na direção da porta da gaiola e abri a cortina. – Posso?

Ele me ofereceu a mão, que não aceitei, e entrei.

– Ah, nossa.

Eu não estava planejando ficar impressionada, mas era impossível não ficar. Do lado de dentro, a gaiola não se parecia em anda com as outras pelas quais tínhamos passado. Não parecia nem um pouco uma gaiola de depósito. Era como entrar em um salão vitoriano. Em vez de uma lâmpada nua, um pequeno lustre de cristal pendia do teto. Havia um tapete oriental gasto em tons azuis e verdes no chão e, em cima dele, duas cadeiras estofadas e uma *chaise longue* de veludo verde. Uma estante de livros baixa em madeira escura, cheia de livrinhos encadernados com couro vermelho, aninhada em um canto do salão e uma vela gorda queimando uma chama baixa sobre ela. Havia duas mesas de canto com pés de pata de leão. Uma tinha uma tigela de vidro azul-escuro cheia de barras de chocolate em miniatura e a outra tinha um daqueles conjuntos de garrafas de cristal com licor que gente velha e rica às vezes tem. Cada garrafa tinha apenas entre 2 e 5 cm de bebida ainda no fundo, e Toby serviu um pouco em um copo de cristal.

– Sente-se – ele disse, sorrindo.

Perguntei-me se aquilo sempre estivera ali. Todas as vezes que eu havia visitado Finn. Outro segredo que ele não se dera ao trabalho de compartilhar comigo. De repente, tive a esperança de que, talvez, Toby tivesse montado tudo aquilo depois de Finn morrer.

– O que é este lugar?– perguntei.

– O Finn que fez. O anexo, ele o chamava.

Não queria que Toby visse a expressão no meu rosto e, assim, fui até a estante. Agachei-me e vi que cada um dos livros vermelhos era um guia de campo para alguma coisa. Vida marinha, flores silvestres, árvores, pedras preciosas. Eram lindos. Tirei um sobre mamíferos e folheei as páginas duras com borda dourada sem olhar de verdade. Segurei o livro na palma da mão, de costas para Toby, e senti a unha do meu polegar arranhar a lombada de couro. Arranhei para a frente para trás, até ter certeza de que a marca não poderia ser apagada.

Ouvi Toby ficar em pé e pude sentir que estava bem atrás de mim.

– Era para cá que eu costumava vir quando você estava visitando o Finn – contou. – Não sempre, é claro, mas às vezes eu vinha para cá se voltava de algum lugar e não tinha certeza se você já tinha ido embora. Por isso ele fez este lugar para mim.

Finn escondia seu namorado secreto no porão? Eu poderia ter sentido pena de Toby se aquele lugar não fosse tão bonito. Se não fosse completamente óbvio que uma pessoa faria um lugar assim apenas para alguém que amasse muito. Pensei em todas as vezes que eu estivera lá em cima, no apartamento, e, agora, aquelas memórias estavam se misturando com a imagem de Toby escondendo-se lá embaixo. Bem abaixo de mim o tempo todo. Pensei nas sessões de pintura, naquelas tardes depois do Cloisters, todo o longo fim de semana do 4 de julho. Ele não podia ter ficado ali embaixo o tempo todo. Podia?

Depois, percebi que era culpa da minha mãe. Não haveria nenhum anexo subterrâneo se não fosse por ela. Eu teria sabido que Finn e Toby estavam juntos desde sempre. E então? Acho que eu nunca teria sido tão próxima de Finn. Nunca teria imaginado que eu poderia ser a pessoa mais importante que ele tinha. Nunca teria me tornado a menina patética parada ali, desejando que ele tivesse feito aquele salão secreto para mim.

– De qualquer maneira – Toby falou –, a pergunta era se o Finn já pintou retratos meus. Por isso estamos aqui embaixo, certo? Então, dê uma olhada aqui atrás. Atrás da *chaise* sei lá o quê.

Eu me apertei ali atrás sem olhar para Toby. Havia um palete de madeira no chão com um lençol branco por cima. Pude perceber o que era sem levantar o lençol. Era uma grande pilha de telas de Finn. Fiquei ali sem me mexer.

– Vá em frente – Toby disse.

Curvei-me para levantar o lençol, mas não pude fazê-lo. Eu não podia encarar mais partes de Finn que nunca vira antes.

Fiz que não com a cabeça.

– Talvez em outro momento.

Toby fez que sim, como se entendesse.

– Tudo bem – ele disse, colocando uma mão hesitante em meu ombro. – Quando você estiver pronta.

Enquanto me virava para ir embora, vi o que parecia ser um palco em miniatura com uma cortina de veludo azul. Ele tinha pernas e, assim, ficava acima do nível do peito e parecia ser antigo.

– O que é isso?

– Ah, é apenas um antigo circo de pulgas. Às vezes a gente faz qualquer trabalho.

Pela primeira vez naquela tarde eu ri, porque aquele parecia o tipo de coisa que as pessoas costumavam falar sobre ser garçom ou trabalhar como lixeiro. Não parecia se adequar à ideia de administrar um circo de pulgas.

– É seu?

– É, eu costumava montá-lo em parques. Ou às vezes em feiras.

– E as pulgas?

Toby sorriu.

– É claro, as pulgas. Minhas coleguinhas.

– Então... onde elas estão agora?

– Quem?

– As pulgas.

Toby me lançou um olhar engraçado. Como se estivesse tentando entender alguma coisa.

– Sente-se – disse.

Ótimo. Aquele seria um tipo de apresentação fantasticamente boba durante a qual eu teria de tentar sorrir. Eu me perguntei se Toby descia até ali para alimentar as pulgas. Se elas tinham uma gaiola especial do tamanho certo para pulgas e algum tipo de tigelinha de água.

– Não machuque nenhuma pulga por minha causa – falei, tentando virar a cabeça para espiar o que Toby estava montando.

– O que você pensa de mim?

Essa era a questão. Eu não sabia o que pensar de Toby. Ainda não tinha ideia.

Ele virou toda a plataforma de frente para mim. Era como um circo encolhido com três picadeiros. Havia escadinhas e uma bicicletinha sobre um fio. Havia um fio de trapézio estendido entre duas plataformas e um trapézio instável em miniatura que pendia dela. Não pude deixar de sorrir quando Toby entrou no clima total de *showman*. O trapézio balançou e a bicicleta se mexeu devagar pela borda do palco. Durante todo o tempo, Toby dava ordens gentis para as pulgas e, quando elas faziam o que ele pedia, ele lhes dizia o quanto eram incríveis, elogiando-as sem parar.

– *Bellissimo*! – dizia. – *Bravo*!

Depois de um tempo, disse que elas podiam descansar e pediu que eu aplaudisse bastante.

Eu bati algumas palmas fracas e, depois, cruzei os braços em frente ao peito.

– Não tem pulgas, tem?

Toby me virou um sorriso travesso.

– Não, June. Não tem pulgas. É um truque. Habilidade manual.

– Então você é como o homem com mãos de ouro?

Eu não tinha certeza se queria que aquilo saísse com o tom de zombaria com que saiu, mas, mas uma vez, Toby pareceu não reparar. Ou, se reparou, decidiu não deixar que isso o aborrecesse.

– Não, na verdade não – disse. – Bem, talvez para coisas bobas e trabalhosas. Não sei escrever nem pintar nem desenhar. Nada útil. E são apenas as minhas mãos, na verdade. Olhe para o resto de mim. O homem mais desajeitado da Terra.

– Então, como um super-herói com um único poder.

– Eu não iria *tão* longe. De qualquer forma, então, qual é o seu? Qual é o único superpoder de June Elbus?

Pensei em mim mesma da cabeça aos pés. Era como ser forçada a ler a parte mais chata do catálogo da Sears. Como folhear as páginas de acessórios para o banheiro. Cérebro chato, rosto chato. Nenhum *sex appeal*. Mãos desastradas.

– Coração. Coração duro – falei, sem saber ao certo de onde aquilo viera. – O coração mais duro do mundo.

– Hummm – Toby disse, batendo um dedo no ar. – Esse é útil, sabe? Muito vantajoso. A questão é...

Fez uma pausa, como se estivesse pensando em tudo aquilo com muita seriedade.

– Qual é a questão?

– A questão é: pedra ou gelo? Quebrar ou derreter?

Toby não se apressou, dobrando com capricho todas as pequenas partes do circo de pulgas. Ele podia deixar o apartamento uma bagunça, mas parecia ter cuidado extra para garantir que o circo de pulgas fosse guardado bem arrumado e limpo. Perguntei-me quantas vezes ele estivera ali embaixo, conversando com suas pulgas invisíveis, enquanto eu estava lá em cima com Finn. Perguntei-me se Finn comprara aquele circo de pulgas para ele. Perguntei-me se Toby me odiava. Se, talvez, odiava minha família toda. Eu não poderia tê-lo culpado se odiasse. Fechou o topo da caixa e prendeu um trinco enferrujado em uma lingueta.

– Como você conheceu o Finn? – perguntei.

Toby franziu as sobrancelhas. Deu um gole de uísque e, depois, uma batidinha na borda do copo de cristal.

– Ah, não foi nada de interessante. Em uma aula de arte.

Ele se levantou e andou até a estante, virando as costas para mim. Passou a mão pelas lombadas daqueles guias de campo vermelhos.

– O Finn disse que vocês costumavam ir muito ao Cloisters.

Pude perceber que ele estava tentando mudar de assunto e eu não queria deixar.

– Pensei que você não fizesse arte – eu disse.

– Não, eu não sou bom. Era apenas uma aula. Só isso. Então, diga, o que tem no Cloisters.

– Nunca foi lá?

Ele fez que não com a cabeça.

Virei-me rapidamente, porque não queria que ele me visse sorrir. Não queria que percebesse o quanto eu estava feliz por saber que Finn havia reservado aquele lugar especial para mim.

– Vai em frente – Toby disse. – Conte como é. Quero saber.

– Mesmo?

Ele fez que sim com a cabeça e eu comecei a ver o Cloisters na minha mente.

– Bem, não parece ser grande coisa pelo lado de fora. É a primeira coisa. Mas, depois de entrar, é como se você nem estivesse mais em Nova York. Nem mesmo na América.

Contei a ele que, no instante em que você entra pelas portas, é como se tivesse sido levado diretamente para fora da cidade e até a Idade Média. Contei a ele sobre os degraus de pedra largos e curvos que levavam as pessoas até os claustros principais e que as paredes eram feitas de grandes blocos de pedra, exatamente como um castelo. Toby sentou-se de pernas cruzadas no tapete para ouvir e eu contei sobre os jardins de ervas no pátio. Pulmonárias e briônias e confreis e milefólios.

Na minha cabeça, eu estava andando ali com Finn. Ele esfregando uma folha entre os dedos por causa do aroma. Contando para mim sobre a teoria das assinaturas, o que significava que Deus assinara cada planta medicinal para que pudéssemos saber o que elas curariam. Vermelhas para disfunções no sangue. Amarelas para icterícia. Outras plantas de cujos nomes eu nem me lembrava, com raízes no formato de hemorroidas ou de rins ou de coração. Finn dizia que era tudo bobagem, mas era uma ideia legal. Era legal imaginar alguém assinando seu nome no mundo. Não contei a Toby sobre isso. Sobre Finn e eu lá. Fiquei com a curva dura e graciosa da rocha sobre as arcadas e os caminhos de pedras e as tapeçarias de detalhes impossíveis. Nunca falei uma palavra sobre Finn, mas, ainda assim, quando olhei para baixo, vi que os olhos de Toby estavam molhados de lágrimas.

– O que foi?

Ele limpou os olhos e tentou abrir um sorriso.

– Não sei – disse, rindo um pouco. – Tudo, eu acho.

E, bem naquele momento, senti meu coração amolecer por Toby, porque eu sabia exatamente o que ele queria dizer. Eu entendia que quase qualquer coisa no mundo podia nos fazer lembrar de Finn. Trens, ou Nova York, ou plantas, ou livros, ou biscoitos macios e doces em preto e branco, ou um cara no Central Park tocando uma polca na gaita e no violino ao mesmo tempo. Coisas que você nunca vira com Finn podiam fazê-lo se lembrar dele, porque ele seria a pessoa para quem você quereria mostrar aquilo. "Olhe só", você gostaria de dizer, porque sabia que ele encontraria uma maneira de achar maravilhoso. De fazê-lo se sentir a pessoa mais observadora do mundo por ter visto aquilo.

Sentei-me ao lado de Toby no chão, perto o bastante para nossos braços quase se tocarem. Ficamos sentados pelo que pareceu um longo tempo, ninguém dizendo nada, até Toby enfim quebrar o silêncio.

– Você sabe que, se um dia precisar de alguma coisa, pode me ligar, certo? Qualquer coisa mesmo.

Fiz que sim com a cabeça.

– Você sempre diz isso.

– Mas quero que saiba que eu falo sério. Não estou falando só para ser legal. Você pode me ligar do mesmo jeito que teria ligado para o Finn. Só para conversar ou qualquer coisa. Qualquer coisa mesmo.

Eu disse a ele que sabia que ele falava sério, mas percebi que o tom da minha voz estava dizendo que, na verdade, eu nunca ligaria. Que ele não era Finn. E, mesmo parecendo que ele falava sério, bem lá no fundo eu tinha a sensação de que *estava* apenas falando para ser legal.

– Acho melhor eu ir – comentei.

Toby se ofereceu para me acompanhar até a estação Grand Central. O tempo mudara enquanto estávamos enterrados no porão. Quando saí da escola, havia apenas algumas nuvens, mas, quando saímos do prédio de Finn, o céu todo estava escuro. Tínhamos andado somente alguns quarteirões quando as primeiras gotas gordas de chuva caíram.

– Merda – Toby disse. – Sem guarda-chuva.

Fugimos para uma *delicatessen*, esperando que talvez pudéssemos esperar a chuva passar, mas, depois de darmos três voltas nos corredores, o homem atrás do balcão saiu e perguntou se precisávamos de ajuda. Toby disse a ele que estávamos só procurando balas de hortelã e o homem apertou bem os lábios e apontou para a prateleira de balas em frente ao caixa.

Andamos até o centro da cidade na chuva, os dois chupando aquelas balas fortes e apimentadas de menta que não tivéramos a intenção de comprar. Quando o gosto picante começou a aparecer, quase cuspi a minha, mas não o fiz. Achei que era bom as pessoas testarem a si mesmas às vezes. Era bom ver o quanto você podia aguentar.

Toby pediu uma das minhas histórias sobre Finn. Hesitei por alguns segundos, decidindo, e, depois, enfim contei-lhe sobre certo Dia de

Ação de Graças, quando todos os outros estavam assistindo ao jogo de futebol americano, e Finn e eu saímos escondidos da casa e andamos pelo bosque até nos perdermos.

– Só nós dois – eu disse –, porque detestávamos futebol.

Contei a Toby como era bom o cheiro do bosque e que Finn fez para nós uma pequena fogueira apenas com gravetos e, depois, nós nos sentamos bem colados e ele me ensinou o que todas as palavras em latim da parte *Lacrimosa* do *Requiem* de Mozart significavam, e cantamos de novo e de novo com as vozes irregulares até eu saber tudo de cor. Contei que Finn me disse que queria ficar ali para sempre, que nunca queria voltar para a cidade, mas sabia que não podia. Depois, eu disse, seguimos nossos rastros até minha casa e vimos que nem estávamos perdidos de verdade. Quando voltamos, minha mãe guardara dois pedaços de torta de abóbora com creme batido para nós e comemos sem contar a ninguém aonde tínhamos ido.

– Hummm. Isso é muito interessante, June.

– É.

Toby começou a contar sobre uma vez em que Finn tentara se disfarçar para poder ir a uma exposição do seu próprio trabalho e ouvir o que as pessoas estavam dizendo a respeito. Ele foi estendendo a história, mas eu estava me distraindo, deixando de prestar atenção, até, de repente, o formato circular brilhante de um bueiro lustrado pela chuva chamou minha atenção e eu parei no meio da calçada.

Toby continuou andando.

– Ei – gritei para ele. – O que você sabe sobre aqueles botões? Aqueles botões pretos no retrato?

Toby estava alguns passos à frente, mas me ouviu e parou. Não se virou logo. Por alguns segundo, simplesmente ficou parado. Quando enfim se virou, tinha uma expressão de súplica no rosto. Parecia culpado e constrangido, e pude perceber que ele sabia com exatidão do que eu estava falando.

Ele me puxou para o canto e, assim, fiquei debaixo do pequeno toldo de um prédio enquanto ele ficou na chuva. Depois, começou a se desculpar de novo e de novo antes de me contar o que acontecera.

– Certo – disse, como se tivesse chegado a algum tipo de decisão. Soltou a respiração lenta e demoradamente. – Isso é muito difícil. – Cruzou a calçada antes de girar e voltar.

– Você não precisa me contar – falei, embora não tenha sido sincera.

Ele pareceu pensar nisso por um momento antes de fazer que não com a cabeça. Caminhou para longe de mim e, depois, se aproximou de novo, antes de falar qualquer coisa.

– Certo, bem... O retrato está bonito, não está?

Eu fiz que sim com a cabeça.

– Mas Finn não achou. "Precisa ser perfeito. Mais detalhes. Precisa de mais detalhes." Era o que ele ficava falando. Ele me fez levar a pintura até ele. Perto da cama. Mal conseguia ver, mal levantava a cabeça. Se você tivesse visto... Ele só falava nisso, June. Entende? E, assim, eu prometi. Disse que faria o que pudesse. Deixaria perfeito. – Toby baixou a cabeça. – Pronto. Tudo bem? Agora você sabe.

Pensei naqueles botões desajeitados, e nem eu conseguia acreditar que Toby acharia que eles deixavam a pintura melhor. Ele deve ter visto a minha expressão, porque imediatamente disse:

– É. Eu sei. Estraguei o quadro completamente. Mas você não sabe como foi. Estávamos apenas nós dois naquela tarde e, então... E, então, fiquei apenas eu.

Observei o rosto dele e pude ver que estava voltando àquele dia.

– Ficou tão, tão silencioso, e eu pensei que gostaria de conseguir corrigir alguma coisa. Uma coisa... E nem consegui fazer isso. Nem mesmo botões pretos.

Meu coração estava disparado porque eu não conseguia parar de imaginar o apartamento naquele dia. Finn de repente rígido e morto. Toby desesperado e atrapalhado. Mordi o lábio porque conseguia sentir o canto da boca se torcendo, o que significava que eu choraria, e não queria chorar na frente de Toby. A chuva escorria do meu cabelo encharcado pelo rosto, e os olhos escuros de Toby estavam olhando direto para os meus, esperando minha reação. Eu não choraria. Não choraria, mas então, sem aviso, as lágrimas estavam lá, incontroláveis.

Comecei a andar para longe, mas, depois, me virei. Decidi parar até mesmo de tentar segurar as lágrimas. Decidi ficar parada embaixo do toldo na Madison Avenue e deixar Toby me ver. Deixá-lo entender que eu sentia tanta falta de Finn quanto ele. E, depois de começar, não houve como parar. Tudo o que estivera esmagado e apertado em uma bola firme no centro do meu coração se desfez. Fiquei parada ali, tremendo e ofegando na Madison Avenue em frente a Toby, esperando que ele saísse correndo ou me enfiasse em um táxi, mas ele não fez isso. Aproximou-se, colocou os braços longos em volta de mim e inclinou a cabeça no meu ombro. Ficamos ali sob o toldo até eu sentir que ele estava chorando também. O barulho da bala de Toby contra os seus dentes e o guincho alto dos freios dos carros e a chuva pingando na lona sobre nossas cabeças, tudo se juntou aos nossos soluços baixos e profundos para formar um tipo de música naquela tarde. Transformou a cidade toda em um coro da nossa tristeza e, depois de um tempo, a sensação quase parou de ser ruim e virou outra coisa. Começou a parecer alívio.

Quando nos afastamos, eu não conseguia olhar Toby nos olhos.

Ouvi-o sussurrar:

– Desculpe. – Ouvi-o falar: – Não sou artista, June. Sinto muito... por tudo. Por tudo isso.

Encolhi os ombros só um pouquinho e, depois, cuspi a bala na mão e joguei-a na calçada.

– São horríveis – eu disse.

Toby sorriu.

– É – falou.

Mas não cuspiu a sua. Conservou-a na boca, onde deve ter queimado a língua até sumir completamente.

Trinta e sete

Era tarde da noite. Naquele mesmo dia. Bem depois de todo mundo estar dormindo profundamente. Eu estava sentada na cozinha, no chão, com o *Book of Days* aberto no colo. Fiz uma concha com a mão em volta do telefone e sussurrei.

– Estou ligando para dizer que eu inventei tudo.

– Ah... certo. Você o quê?

A voz de Toby parecia entorpecida, como se eu o tivesse acordado de um sonho do profundo.

– Aquela história. Minha história do Finn. Não era verdade.

– Ah. É você, June. Oi. Que horas são?

– É tarde. Desculpe por acordá-lo.

– Eu não estava dormindo. Apenas descansando com um pouco de conhaque.

Eu ri de boca fechada, tentando não fazer barulho. Estendi uma mão para o armário perto da lava-louças. O fino, que era o armário de bebidas dos meus pais. Procurei até ver o conhaque. Coloquei-o no chão perto de mim e bati o dedo contra a parte de cima da garrafa.

– De qualquer forma, ainda devo uma história.

– Tem certeza de que a sua não era verdade? Eu, de minha parte, acreditei em cada palavra.

Eu sorri, embora Toby pudesse estar gozando de mim.

– Ora, vamos.

– Não, é sério. Ótimo uso dos detalhes. Nota 10.

Toby estava sussurrando, embora estivesse totalmente sozinho do outro lado da linha.

Nós dois ficamos quietos por alguns segundo e, depois, ele disse:

– Sabe, está tudo bem, June. Você não precisa me dar uma das suas histórias se não quiser.

Eu o ouvi dar um gole no conhaque.

Abri a tampa de rosca da garrafa em minhas mãos, mergulhei um dedo e, depois, toquei na língua.

– Não. Eu quero. Da próxima vez.

Quase pude ouvir Toby sorrir do outro lado.

– Vem quando quiser. Quando puder. Sabe disso, né? Se precisar de qualquer coisa...

Eu pensei que, se estivesse me afogando no oceano, Finn seria como um navio forte e polido de madeira com velas que sempre pegavam o vento. E Toby? Bem, Toby era mais parecido com um grande bote amarelo de borracha que poderia estourar a qualquer momento. Mas talvez ele continuasse por perto. Era o que eu estava começando a pensar.

Fiz que sim com a cabeça e virei a garrafa nos lábios. O conhaque atravessou meu corpo com tanto calor que, por um segundo, senti como se meu interior tivesse virado lava.

– Eu sei – sussurrei.

De novo, silêncio.

– Bem... Boa noite, então – eu disse.

– Bons sonhos, June.

Eu me estiquei deitada de costas no chão frio de linóleo e segurei o telefone contra o peito. O único som na cozinha era o barulho do relógio amarelo bem lá em cima, na parede, acima da pia. Devo ter ficado um minuto ou dois assim e, depois, naquela cozinha silenciosa e escura, ouvi meu nome:

– June.

Coloquei o telefone na orelha.

– Sim.

– Vá para a cama.

– Ok – sussurrei. – Você também.

Depois, desliguei, deixando Toby sozinho no apartamento de Finn.

Eu não sabia como selar uma promessa com uma pessoa morta. Como alguém que não está morto, você pode pegar uma tesoura e fazer um corte bem pequeno nas suas roupas. Não podem ser roupas em mau estado. Têm que ser novas, que você use o tempo todo e que o colocariam em uma grande encrenca se as cortasse. O corte pode ser em qualquer lugar. Bem na bainha interna ou na axila, e pode ser o menor que você conseguir. Esse era um dos truques. Aprender a fazer cortes bem pequenos. Essas eram as regras que Greta e eu usávamos para selar promessas quando éramos pequenas. Quando tínhamos muito medo de usar sangue.

Levantei-me e tirei um cartão postal de Miami Beach do quadro de recados e joguei-o no balcão. Segurei a tachinha na mão e empurrei-a contra meu dedo indicador, apertando-a até uma gota de sangue aparecer como uma pequena joia. Li o recado de Finn mais uma vez e, depois, apertei o dedo com força bem no meio dele.

Finn estava certo. Eu percebia. Toby não tinha ninguém. Mas tudo bem. Estava selado. Agora, ele tinha a mim.

Trinta e oito

Março estava indo embora trazendo tempo bom. As árvores ainda estavam nuas, mas, além disso e dos restos fragmentados de neve nos cantos de grandes estacionamentos, o inverno parecia ter ido embora.

Pôsteres de *Ao Sul do Pacífico* haviam começado a ser pendurados por toda a cidade. Foram colocados cedo para que, se um número suficiente de apresentações tivesse ingressos esgotados, eles tivessem tempo de programar algumas noites extras. Fora Beans quem vencera o concurso para fazer os pôsteres. Ela fizera o "s" de "Sul" e o "p" de Pacífico" parecerem palmeiras, e o pôster todo tinha o formato de uma cabana de sapê. Era muito bom e eu pensei em não deixar de dizer isso a ela quando a visse de novo.

Tudo estava ficando com clima de primavera, exceto meus pais, que estavam entrando na fase sofrida da época de impostos. A faixa grisalha do cabelo da minha mãe estava ficando mais grossa e eu não via meu pai bem barbeado havia dias. Greta e eu estávamos prestes a sofrer envenenamento por ensopado, que, costumávamos dizer, é quando o sangue realmente vira molho.

Saí da escola e andei direto para o centro da cidade até o banco.

Folha de ouro - folha de ouro de verdade - é cara, mas tinta dourada pode às vezes ter uma aparência igualmente boa e custa o mesmo preço que outras cores. Eu comprara um vidrinho de tinta dourada e um pincel fino no Kmart. Estivera guardando-os no bolso lateral da mochila, bem ao lado da chave da caixa de depósito seguro.

Desta vez, o Sr. Zimmer não falou nada sobre AIDS. Ele agiu normalmente e me levou direto ao porão.

- Vamos fechar em mais ou menos meia hora - disse, olhando para o relógio. - Eu bato na porta para você ter tempo de guardar tudo, combinado?

- Obrigada. Está ótimo - falei.

Coloquei a pintura toda apoiada na mesa e toquei com um dedo cada botão preto. Um por vez. Não pareciam tão feios naquele momento. Como eu já sabia a história deles, eram quase meio bonitos. Pérolas negras brilhantes. Depois, tracei o crânio na mão de Greta com o dedo.

Apoiei a pintura em pé contra a parede e sorri para ela. Finn gostaria... Não, ele *adoraria* o que eu estava a ponto de fazer. Tirei o vidrinho de tinta e o pincel da mochila e os coloquei na mesa. Precisei de algum esforço para abrir a tampa de rosca, mas consegui depois de alguns segundos. Um sopro leve de partículas da tinta encheu a sala e eu respirei fundo, porque o cheiro me lembrava muito Finn. Depois, mergulhei o pincel no vidro e raspei contra a borda. Parei, minha mão pairando sobre a pintura, de repente assustada de tocar as cerdas na tela. Mas eu conhecia Finn. Eu não era como as pessoas que tentaram finalizar o *Requiem* para Mozart. Eu sabia o que Finn diria.

Assim, comecei, levemente no início, arrastando o pincel por um fio do meu cabelo no retrato. Depois, fiz um fio de Greta. Dei um passo para trás e olhei, como os artistas fazem. Tombando a cabeça como eu sempre vira Finn fazer quando estava tentando analisar algo. Eu não queria fazer muito. Sabia quão fácil era se deixar levar. Mergulhei o pincel de novo e, naquela pequena sala subterrânea, tentei imaginar a mão de Finn guiando a minha, mal tocando, sua palma macia contra as costas da minha mão. Imaginei isso e deixei o pincel descer devagar pelo comprimento do meu cabelo pintado, o cabelo que Finn fizera. O trabalho dele. Com quanta atenção Finn tivera de olhar para fazer essa outra eu? O que ele vira? Percebera que eu sempre usava o gloss de lábios de chiclete da Bonne Bell quando ia vê-lo? Ele me vira estudando seus pés descalços enquanto trabalhava na tela? Conseguira ler meu coração? Eu gostaria de pensar que não. Gostaria de pensar que eu tinha habilidades suficientes para manter aquilo escondido.

Fiz mais alguns fios do meu cabelo e, depois, mais alguns de Greta. Andei para trás de novo. O que eu estava tentando fazer era algo como as asas dos anjos de um dos manuscritos iluminados no andar de baixo do Cloisters. Algo parecido com aquilo, mas não exatamente igual, porque nós não tínhamos asas, apenas cabelo castanho sem graça. Mas iluminado. Eu queria que aquela pintura brilhasse com ouro. Queria que ela cantasse louros sobre Finn e o quanto eu o amava. Da maneira como os botões de Toby faziam, se você soubesse a história.

Rosqueei a tampa de volta na tinta, enrolei o pincel em um pedaço de papel de fichário e coloquei os dois na mochila. Todos nós estávamos no retrato agora. Nos três. Greta, Toby e eu.

E o lobo. Enquanto eu deslizava a pintura de volta para a caixa de metal, tive um vislumbre dele. Ainda ali, ainda escondido na sombra do espaço negativo.

Trinta e nove

– O que você vai vestir?

Olhei para o meu corpo.

– Minha saia marrom e minha malha cinza.

– Não, burrinha. Para a festa. No sábado.

– Não sei. Por quê?

– O Ben perguntou se você vai.

Eu revirei os olhos.

Estávamos no fim da entrada de casa, esperando o ônibus, que estava ainda mais atrasado do que o normal. Greta parecia cansada. Não estava usando maquiagem e o cabelo estava torcido em um coque bagunçado. A alça da sua mochila de sempre havia quebrado na volta para casa dias antes naquela semana, e, assim, ela tinha de usar uma de Snoopy de anos atrás, na qual Woodstock está voando em volta da cabeça de Snoopy, prestes a pousar.

– Por que você sempre está tentando me fazer ligar para o Ben Dellahunt, afinal? Eu mal o conheço.

Ela soltou um suspiro frustrado.

– Você não tem jeito.

– Não, de verdade.

Ela apertou os lábios, colocou a mão nos quadris e olhou para mim.

– Talvez eu esteja tentando te ajudar. Já pensou nisso?

– Não.

Vi uma expressão passar pelo rosto de Greta naquele momento. Como se ela quisesse dizer alguma coisa, mas não pudesse.

– Que seja, June. Que seja. Você... Você...

– O que foi?

– Nada.

– De qualquer maneira – falei –, talvez você devesse pensar no que *você* vai usar na festa. Talvez você também não esteja tão bonita.

Greta se virou, as mãos nos quadris. Seu rosto passara de normal a assassino em um instante.

– Eu sei que você não estava no ensaio na segunda-feira. Você é uma mentirosa, June. Você disse para a mamãe e para mim e acha que ninguém vai descobrir para onde vai. Acha mesmo que pode manter o seu grande segredo para sempre?

Ela estava mesmo gritando comigo. Bem na rua. Pareceu uma bomba explodindo e eu fiquei parada, congelada. Depois, com a mesma rapidez, Greta virou as costas para mim e andou para o outro lado do bordo. Ela se inclinou contra ele de forma que todo o seu corpo desaparecesse. Tudo o que eu conseguia ver era um dos pés saindo do tronco, batendo na terra. Esperamos mais cinco minutos pelo ônibus e, durante todo o tempo, observei o pé delicado de Greta bater no chão, como se estivesse mandando algum tipo de código Morse pelo solo.

Naquela noite, meus pais voltaram para casa a tempo para o jantar. Greta mencionara que não haveria ensaio e, assim, eles decidiram que seria bom ter um verdadeiro jantar em família. Fiquei feliz por estar ali, por não ter feito planos para ir à cidade. Às vezes, eu nem me lembrava de que sentia um pouco de falta dos meus pais durante a época de impostos. Era apenas quando eles enfim estavam por perto que eu me lembrava do quanto era bom tê-los ali. Quando pegava meu próprio jantar, eu apenas colocava um pouco de ensopado em uma tigela, mas, quando minha mãe o preparava, ela fazia pão de alho e salada e colocava um tanto de creme azedo no ensopado de todos. Parecia uma refeição de verdade em vez de algo que apenas tínhamos de fazer.

Greta e eu estávamos fazendo a lição de casa em pontas diferentes da mesa da cozinha quando eles chegaram naquela noite. Greta fizera um muro com seus livros de biologia e cálculo para não ter de olhar para mim. Ela os baixou quando meu pai entrou pela porta.

– Adivinhem o que eu trouxe – ele disse, levantando uma sacola da Caldor por cima da cabeça. Estava com um sorriso enorme.

– O que é? – perguntei.

– Adivinhe.

Greta olhou para a sacola.

– Trivial Pursuit – ela respondeu.

– Ah – ele disse, parecendo decepcionado. – Bem, sem problemas. Acho que você acertou.

A decepção ficou no rosto dele por alguns segundos, mas, assim que abriu a caixa, começou a ficar animado de novo. Imaginei que nós provavelmente éramos a única família do país que não tinha o Trivial Pursuit. Meu pai sempre se segurava para comprar as novidades. Ele sempre dizia que pessoas espertas esperavam um pouco, até o preço diminuir.

– Então, quem quer jogar? – perguntou, balançando as pecinhas de torta para a mesa.

Mesmo sendo uma noite do meio da semana, jogamos até tarde. Nós quatro. Minha mãe fez pipoca e chá gelado instantâneo, que era doce e tinha gosto de limão.

Era o primeiro jogo em anos no qual nossos pais realmente eram bons e, embora Greta tenha se recusado a olhar para mim durante o tempo todo, foi divertido.

– *Quem interpretou o competidor de rodeios veterano Junior Bonner?* – Greta leu em voz alta e, imediatamente, minha mãe sabia.

– Steve McQueen – ela disse, sem hesitar um segundo.

Eu acertei algumas perguntas de ciências, como *Fe é o símbolo de qual elemento químico?* e *Qual é o nome científico da aurora polar no norte?*, mas a maioria era muito difícil. As mais engraçadas eram as perguntas de esportes, que, na verdade, eram sobre bebidas. Greta tirou *O que torna um Black Russian preto?*, que não teve problema em acertar. A resposta era Tia Maria *ou* Kahlúa, e Greta sabia as duas.

No final, meu pai ganhou com uma pergunta de História:

– *Um acordo de 1962 entre a Grã-Bretanha e a França levou à construção do quê?* – Greta perguntou.

– Hummm... Concorde? – ele disse.

Todas nós resmungamos e ele ficou sentado, em total descrença.

– Eu ganhei? Ganhei o jogo?

Minha mãe subiu para se deitar e Greta saiu para ligar para uma amiga, mas meu pai e eu ficamos ali sentados, lendo perguntas da caixa um para o outro e tomando goles de chá gelado, até mal conseguirmos ficar de olhos abertos. De vez em quando, uma pergunta como *O que é um prestidigitador?* aparecia e eu pensava em Toby.

– Pai?

– Espere um segundo, deixe-me pegar uma nova.

– Não. Eu tenho uma pergunta de verdade.

Ele fez que sim com a cabeça.

– Certo, mande.

– Você conheceu o... amigo especial do tio Finn?

Quase não consegui dizer aquelas palavras estúpidas, mas não queria transparecer nada.

Ele olhou por cima do ombro para o corredor. Achei que estava se certificando de que minha mãe já tinha ido. Depois, virou-se de novo para mim.

– Eu encontrei com ele algumas vezes. Quando eles se mudaram para cá. Foi, talvez, há oito, nove anos. O que você quer saber?

– Só... A mamãe. Ela parece odiá-lo e, não sei, não consigo imaginar o Finn com uma pessoa que fosse tão má.

Ele pegou sua torta de plástico e virou os pequenos triângulos na mesa. Depois, um por um, ele os colocou de volta. Suspirou.

– Tudo bem. Vou contar algumas coisas e confio em você para não exagerar na reação a elas. Vou confiar em você especialmente para não repetir nada para sua mãe, combinado?

Fiz que sim com a cabeça e ele continuou:

– Não quero que pense que a sua mãe... Eu quero que entenda os motivos dela.

– Certo.

– Você viu o Finn e a sua mãe como adultos, e parecia que eles eram tão diferentes que mal dava para saber que eram irmãos, não é? Sua mãe, a contadora; Finn na cidade, com sua arte e tudo mais. Mas não costumava ser assim. Quando eles eram crianças, e na adolescência também, ficavam juntos o tempo todo. Eles se mudavam para uma nova base do exército e eram apenas os dois. Eu não entendo muito de arte... Tudo bem, não entendo nada de arte... Mas, no que diz respeito aos desenhos, sua mãe tinha talento. Ela fala sobre isso às vezes. Que ela e o Finn iam para algum lugar e desenhavam e desenhavam. Ela nunca disse nada disso para você?

Fiz que não com a cabeça.

– Eu nem sabia que ela desenhava.

– Exato.

Pensei naquele caderno de desenhos que Finn dera a ela anos atrás. A expressão dela no restaurante.

– Sabe, ela ainda tem a lata de aquarelas que os dois costumavam levar com eles. Ela disse que eles tinham planos. Que os dois se mudariam para Nova York e seriam artistas lá. Eles falavam sobre isso como se fosse verdade. Como se fosse acontecer um dia. Você conheceu o Finn. Quando ele falava as coisas, a gente não conseguia deixar de acreditar. Sua mãe não podia deixar de achar que ele daria um jeito de tornar aquilo realidade. E, um dia, ele simplesmente se foi. É claro que ele era jovem, apenas 17 anos, mas ela ficou arrasada. Ele deixou um bilhete dizendo que voltaria, que a encontraria em Nova York quando resolvesse as coisas, mas não foi o suficiente. Ela não conseguiu superar aquilo. Ele viajou por todo o mundo. Paris, Londres, Berlim. Enviava para ela cartões postais das suas exposições, o que ela dizia que era pior do que não ter notícia nenhuma. E, um dia, ele voltou. Ele realmente estava em Nova York. Mas, nessa época, nós já estávamos casados. Nessa época, tínhamos Greta e você, e sua mãe não pintava nem desenhava nada havia anos. Fomos juntos até a cidade ver o Finn, e ela estava muito animada. Posso estar errado, mas acho que ela pode ter tido a esperança secreta de que finalmente teria a chance de fazer a sua própria arte. Que talvez nos mudássemos para a cidade e, de alguma forma, ela trabalhasse com o Finn.

Não tive certeza, mas achei que vi um pouco de mágoa no rosto do meu pai nesse momento. Ele virou as peças de torta de novo na mesa e deixou-as lá.

– Naquele dia na cidade, encontramos o Finn em um café, mas ele não estava sozinho. O Toby estava com ele. E todo o entusiasmo que a Danni tinha carregado com ela até a cidade foi embora quando viu os dois juntos. Eu não entendi na época. Achei que o Toby não parecia ruim. Um tipo estranho de homem, mas simpático o bastante. Mas sua mãe, ela não gostou dele na hora. Mais tarde, ela me disse que o Finn tinha escrito para ela contando do Toby. Contou para ela o passado dele. Não sei a história toda, mas parece que ele tinha passado por um grande problema. Ela sempre voltava a essa história. Que ele não era adequado. Que ele estava usando o Finn. E, então, anos depois, quando o Finn ficou doente... Bem, o Toby era a resposta para tudo. Ele fez o Finn ficar preguiçoso, fez o Finn parar de pintar, afastou-o da família e, depois, além de tudo, passou AIDS para ele. Acho que ela imaginou que, de alguma maneira, sem o Toby as coisas poderiam ter sido diferentes para ela e o Finn. A Danni sempre disse que o Finn merecia coisa melhor. Mas a verdade é que eu acho que isso não tinha nada a ver com o que o Toby tinha feito no passado nem nada do tipo. Ele poderia ter sido vencedor do Prêmio Nobel da Paz e mesmo assim a Danni teria um problema com ele. Eu acho...

Meu pai olhou para baixo e mexeu nas peças de torta.

– Acho que sua mãe estava envergonhada com a maneira como as coisas ficaram. Envergonhada por ter virado contadora. De ter se casado com um cara chato e velho dos números como eu e de estar morando no temido subúrbio. Lá estava o Finn, um artista de Nova York, com seu namorado inglês descolado, e lá estava ela, contadora, com duas filhas, no subúrbio, sentada ao meu lado, o cara menos descolado possível.

Desta vez eu tive certeza de que havia um pouco de mágoa na voz dele.

– Você já viu algum desenho da mamãe?

– Só uma vez. A vovó Weiss mostrou para mim. Sua mãe não soube de nada. A vovó Weiss disse que sempre se sentiria culpada por isso. Por Danni nunca ter tido a chance de fazer o que queria. Eu diria que ela era tão boa quanto o Finn. Talvez, não sei... Talvez até melhor.

Fui até a geladeira e tirei uma caixa de leite. Servi um copo para mim e um para o meu pai.

– Não acho que a mamãe tenha vergonha de você.

Ele sorriu.

– Obrigado, Junie. Talvez você tenha razão.

Dei um gole no meu leite e meu pai deu um gole no dele. E ficamos sentados ali na cozinha silenciosa à noite, com nossos próprios pensamentos.

– Pai?

– Sim?

– Então, como o Finn virou meu padrinho? Se a mamãe estava brava com ele.

– Ah, ela não estava brava com o Finn. Ninguém nunca ficava bravo com o Finn. Era tudo com o Toby. Você nem teve padrinho até os cinco anos. Sabia disso? Sua mãe sempre teve o Finn na cabeça. Ela continuava tendo esperança. Então, o Finn começou a escrever, dizendo que estava pensando em se mudar para a cidade. Ele nunca mencionou que o Toby viria com ele. Disse que estava pensando em voltar da Inglaterra e conseguir um apartamento em algum lugar do centro. Foi quando ela o convidou, e ele pareceu muito feliz com a ideia. Lembro que demos risada porque ele disse que viria o mais rápido possível. Como se fosse algum tipo de emergência.

Meu pai fez uma pausa, como se estivesse relembrando.

– Acho que talvez sua mãe tenha pensado que fazer do Finn seu padrinho era uma maneira de ficar com ele. Um laço para prendê-lo. Acho que o Finn viu aquilo de um jeito um pouco diferente. Como se talvez ele e o Toby pudessem ser seus padrinhos juntos. Uma forma de levarem uma vida mais calma. Uma forma de terem seu tipo próprio e estranho de família ou algo assim. Ou talvez seja bobagem. Talvez só esteja ficando muito tarde.

Ele soltou um bocejo um pouco exagerado e bateu a mão sobre a boca. Depois, pegou nossos copos da mesa e colocou-os na pia. Olhou para mim pensativo e, depois de um tempo, disse:

– Então, isso resolve todos os mistérios do universo?

Eu sorri.

– É – falei. – Talvez alguns deles.

Quarenta

Na manhã seguinte, eu me sentei sozinha perto do fundo do ônibus. Encontrei uma página em branco no meu caderno de inglês, o que não era difícil porque eu não faço anotações na aula de inglês na verdade. Se você leu *Ratos e Homens*, por que precisaria ter o trabalho de anotar que George e Lennie tinham uma amizade extraordinária ou que a morte de Lennie era inevitável? Você simplesmente sabe essas coisas. Essas coisas são impossíveis de esquecer.

No topo da página, escrevi isto:

Cuidar de Toby...
Fase 1: Ligar para ele e visitá-lo sempre que possível.
Fase 2: Fazer algo grande e espetacular (um trabalho em andamento).

Saí da escola o mais cedo que pude naquele dia. Arrisquei cabular a aula de educação vocacional e o horário de estudo para poder pegar o trem das 13h43. Quando toquei a campainha, Toby abriu a porta de pijama e um velho roupão de banho azul e peludo que me lembrava o Come-Come da *Vila Sésamo*. Os olhos dele estavam enormes, maiores do que eu já vira.

– Desculpe, está frio aqui, mas entre. Isto é adorável. É adorável vê-la.

Eu não achava que estava nem um pouco frio, mas não disse nada. O fato pelo qual valia a pena pedir desculpas era a enorme bagunça que estava o lugar. Havia pratos e copos sujos por toda parte, discos espalhados sem as capas e pelos menos três cinzeiros transbordando de saquinhos de chá e bitucas de cigarro. Eu não me importava muito com esse tipo de coisa, mas o apartamento de Finn nunca fora bagunçado e, assim, quase parecia um lugar diferente.

Peguei alguns pratos e fui para a cozinha.

– Não, não, não – Toby disse. – Deixe-os aí.

Ele os tirou das minhas mãos e colocou-os de volta na mesa de centro.

– Eu não me importo. Posso ajudar com as coisas.

– Eu sei, mas é a minha bagunça.

Ele parou e olhou ao redor. Enquanto corria os olhos pelo quarto, pareceu entender alguma coisa. Olhou para mim, envergonhado.

– Isso a incomoda, não é? – disse com delicadeza. – Ver o apartamento assim.

Encolhi os ombros.

– Você está certa. É pavoroso. – Ele deu um sorriso constrangido. – O Finn me *mataria* se visse isso.

Não, não mataria, pensei.

– Vem então – Toby falou. – Vamos limpar as coisas.

Durante a hora seguinte, recolhi pratos e copos e talvez uma dúzia de pequenas taças de cristal cor de rubi de toda a casa. Eu os carreguei para a cozinha e Toby ficou na pia, lavando. Quando a louça estava toda limpa, sentei-me de pernas cruzadas em frente a uma grande pilha de discos soltos, tentando combinar as capas.

– O Finn te mataria por *isto* – eu disse quando Toby entrou.

Ele estava secando as mãos em um pano de prato verde xadrez.

– Eu sei.

Sentou-se no chão e começou a separar os discos comigo. Eu o observei em segredo. No começo, não parecia certo algumas das coisas que eu amava em Finn poderem ter vindo de Toby, mas eu havia começado a pensar que talvez houvesse algo de bom nisso. Talvez funcionasse no outro sentido também. Se eu olhasse com atenção suficiente, poderia conseguir ter vislumbres de Finn brilhando através de Toby.

Ele escorregou uma pilha de discos para uma prateleira e, depois, olhou para mim. Sorriu e colocou uma fita cassete no som. Sentou-se na poltrona azul de Finn e, de repente, a sala toda se encheu de uma música de violão clássico superdifícil. Bach, eu achei que fosse. E conhecida. Achei que já tinha escutado aquela música antes. Como se, talvez, Finn tivesse tocado aquela mesma fita quando eu o visitei certa vez.

– O que é? – perguntei.

– Você gosta?

Toby virou-se para o outro lado e inclinou-se para pegar outro disco.

– Sim. É... – procurei na minha mente algo inteligente para dizer – complexo.

– Isso é bom ou ruim?

– Bom. Complicado é ruim. Complexo é bom, certo? Então, mas o que é?

– Apenas uma coisa que eu costumava fazer.

– Você?

Ele fez que sim com a cabeça.

– Mas parecem dois ou três violões.

– Esse é o truque. Por isso é tão difícil. Mãos de ouro, lembra?

Olhei para Toby. A maneira como seu corpo longo mal cabia na poltrona. A maneira como eu o conhecia, mas não o conhecia nem um pouco. Eu estava começando a entender por que Finn o escolheria. Podia ver que Toby na verdade tinha algo a oferecer. Mas o que eu tinha? O que eu teria um dia? Estava condenada à mediocridade. Como Salieri em *Amadeus*. Lá está Salieri, sabendo que nunca será tão bom quanto Mozart, e, além de tudo, ele é o vilão. Ele é quem todo mundo acaba odiando.

Virei o rosto para o outro lado.

– É – concordei. – Mãos de ouro.

Eu disse a Toby que precisava ir ao banheiro, mas em vez disso me enfiei no quarto. Abri algumas gavetas da cômoda e mexi no guarda-roupa. Abri gaveta depois de gaveta, procurando alguma coisa, mas não sabia o quê. Talvez fosse algo que não existia. Talvez eu estivesse esperando por algum objeto pequeno que provaria que todas as horas que passei com Finn foram tão significativas para ele quanto para mim. Em vez disso, peguei uma cueca boxer da terceira gaveta de cima para baixo. Desdobrei-a e levantei-a na minha frente, tentando descobrir de quem era.

– Você pode pegar o que quiser, sabe.

Eu me virei. Toby estava parado na porta, o ombro encostado contra a moldura dela. Fiquei parada olhando para ele, com aquela cueca azul esticada entre minhas mãos como um mapa.

– Talvez eu não recomende uma roupa íntima minha como a melhor escolha, mas, sabe, fique à vontade.

Havia tantas camadas de constrangimento naquele instante. Fiquei ali corando tanto que minha cabeça parecia a ponto de explodir. Fiz uma bola com a cueca e coloquei-a em cima da cômoda.

– Eu sinto muito, eu...

Pude sentir lágrimas quentes começando a se formar e olhei para o chão.

– Ei – Toby falou. – Não se preocupe com isso.

Ele entrou no quarto e se sentou na ponta do lado de Finn da cama. Colocou o braço longo em volta dos meus ombros e eu me vi inclinando a cabeça contra o peito dele. Ficamos sentados naquele quarto escuro por um longo tempo, nenhum dos dois falando nada. Eu conseguia ver as fotos do lado de Finn da cama. Toby parecendo jovem e até meio bonito do seu jeito estranho, com os olhos escuros e o cabelo bagunçado. Eu me aconcheguei mais e senti os braços dele me apertarem com mais força. Foi gostoso. Toby era carinhoso e gentil e, de um jeito estranho, quase familiar. E triste. Assim como eu.

– Ei, sabe, eu estive pensando – ele falou. – Você sabe que vou morrer, não é?

Toby nunca dissera nada como aquilo antes. Nada tão grande. Tão definitivo. Eu me senti entorpecida. Como se concreto frio e duro tivesse sido jogado em todos os espacinhos da minha cabeça onde eu estivera escondendo os talvezes.

– Acho que sim.

– Entende o que significa?

– Acho que sim.

– Diga.

– Significa que você não vai estar por perto muito mais tempo.

Toby fez que sim com a cabeça.

– Sim, tem isso, mas, também, você não percebe? Significa que eu posso fazer o que quiser. Nós podemos fazer o que quisermos.

Por um segundo esquisito, sentada na cama daquele jeito, pensei que Toby estava falando de sexo. Lancei para ele um olhar enojado e ele se afastou de mim tão depressa que eu quase caí da cama. Ele ficou sentado com os braços cruzados em frente ao peito, dizendo:

– Não, não, não. Nada *assim*. Ah, June, por Deus, não pense isso...

– Eca – eu disse. – Não seja tão nojento.

Esse era um dos truques de Greta. Fazer a outra pessoa achar que a coisa nojenta era ideia dela e você se livrava.

A postura de Toby relaxou.

– Certo. Tudo bem. De verdade, June.

Fiquei em pé e andei pelo quarto. Peguei um peso de papel de vidro e deixei meus dedos escorregarem pela superfície lisa e fria. Pensei no que Toby dissera sobre poder fazer qualquer coisa. Não fazia muito sentido.

– Bem, sem querer ofender nem nada, mas *eu* não estou morrendo.

– Não. Mas qual é a pior coisa que pode acontecer a você? Comigo, eu poderia ser mandado para a prisão ou deportado, mas agora não importaria. Sou livre. Você percebe?

– É, acho que sim.

– Então, diga. Se você pudesse fazer qualquer coisa, o que gostaria de fazer? O que você quiser, June.

Eu não conseguia pensar em nada na hora. Além disso, não achava que Toby entenderia que, embora eu provavelmente não pudesse ir para a prisão, poderia me meter em todo tipo de encrenca em casa.

– Bem, não sei. É uma oferta bacana e tudo mais. Vou pensar nisso, combinado?

– Eu não quis constrangê-la. Não se apresse. Fique ruminando isso.

– Toby?

– Sim?

– Quanto tempo é não muito mais tempo?

Normalmente, eu não perguntaria algo assim. Normalmente, não quereria saber. Greta sempre queria saber tudo. Cada detalhezinho. Mas eu entendia. Você pode estragar qualquer coisa se souber demais. Porém, a situação era diferente naquele momento. Eu estava encarregada de cuidar de Toby. Precisava saber das coisas.

Toby encolheu os ombros.

– Não sou muito fã de médicos. – Depois, usou uma voz trêmula e leve e disse: – Um dia por vez, June. Um dia por vez.

Toby inclinou-se para o criado-mudo e pegou dois cigarros. Eu sorri, porque estivera praticando no canto mais distante do meu quintal quando ninguém estava em casa. Sentei-me na cama e tombei a cabeça para trás para dar um trago bem forte no cigarro. A fumaça era quente e boa, como um cobertor colocado por todo o interior do meu corpo.

– O Finn nem parecia se importar de estar morrendo – comentei.

E era verdade. Finn estava calmo como sempre até a última vez em que o vi.

– Você não sabe? Esse é o segredo. Se você sempre garantir que é exatamente a pessoa que esperava ser, se sempre garantir que conhece apenas as melhores pessoas, então não vai se importar de morrer amanhã.

– Isso não faz nenhum sentido. Se você fosse tão feliz, então iria querer ficar vivo, não iria? Iria querer ficar vivo para sempre, para continuar sendo feliz.

Estendi o braço e bati as cinzas em um bonito pratinho de cerâmica que Toby estava usando como cinzeiro.

– Não, não. São as pessoas mais infelizes que querem ficar vivas, porque acham que não fizeram tudo o que querem fazer. Acham que não tiveram tempo suficiente. Acham que ganharam menos do que mereciam.

Toby abriu as duas mãos e fez mímica como se as apertasse contra uma janela.

– Encere a direita com a mão direita, encere a esquerda com a mão esquerda – ele disse, mexendo uma mão por vez em um arco plano. – Você está me transformando no Sr. Miyagi com toda essa conversa. Sinto que estou em *Karatê Kid*.

Eu ri muito, pois nunca poderia imaginar Toby assistindo àquele filme. O que ele dissera ainda não fazia sentido de verdade, mas havia uma pequenina centelha de algo que eu senti que estava quase pegando. Apenas por um segundo, foi como se eu entendesse e, depois, evaporou-se de novo.

– E quanto a você? – falei.

– Eu?

Fiz que sim com a cabeça.

– Digo... Você recebeu menos do que merece?

Toby deu um longo trago no cigarro e estendeu os braços pela cama.

– Acho que estou naquele grupo bem pequeno de pessoas que não estão esperando que sua própria história se desenrole. Se minha vida fosse um filme, eu já teria saído do cinema.

– Bem, eu não teria – afirmei – Eu não teria saído.

– É porque você não viu a primeira metade.

– Conte para mim, então. Tudo.

Toby passou uma mão pelo cabelo, franzindo as sobrancelhas por um segundo.

– Em outro momento, tudo bem? Em outro dia. Olhe, está um dia bonito. Pela primeira vez você não trouxe chuva.

Ele sorriu para eu saber que estava brincando.

Entendi imediatamente que eu nunca saberia a verdadeira história da vida de Toby. Não haveria outro momento. Tudo entre Toby e eu estava no aqui e no agora. Era tudo o que havia. O aqui e o agora e Finn. Nenhuma outra história, apenas fragmentos e alguns próximos meses. E, sabe, havia algo perfeito naquilo. Significava que tudo poderia ser corrigido. Tudo poderia ser novo e exatamente como deveria.

– Você vai usar isto? – eu disse, apontando para o roupão azul peludo.

– Só se você quiser – respondeu, em tom de brincadeira.

Eu me levantei e saí do quarto, fechando a porta para ele poder se trocar.

Quando eu estava na cidade, sempre tinha a sensação de que todo mundo poderia me decifrar. Como se todas as pessoas verdadeiramente da cidade pudessem ver na hora que eu era do subúrbio. Não importava o que vestisse ou o quanto tentasse parecer descolada, eu percebia que Westchester estava escrito por todo o meu corpo, da cabeça aos pés. Mas não quando eu estava com Finn. Finn era como um ingresso para ser uma pessoa verdadeiramente da cidade. Ele tinha um brilho que me cobria da luz autêntica da cidade. Pensei que seria assim com Toby também. Mas não foi. Como Toby, senti que nós dois éramos estranhos naquele lugar. Não apenas sentia que eu era do subúrbio, mas como se eu fosse de um lugar a um mundo de distância dali. Como se não pertencesse àquele local, mas também não quisesse pertencer. Como se não me importasse. E, de várias formas, foi tão bom quanto me misturar. Talvez até melhor.

Era uma tarde bonita. Céu bem azul e quente, e todos por quem passávamos pareciam estar de bom humor. Andamos até o Riverside Park, que é longo e estreito e estende-se pelo Hudson até a 158th Street. Era bom ter alguém com quem conversar de novo, e eu falei demais. Contei a Toby sobre Greta. Sobre *Ao Sul do Pacífico* e *Annie*. Que Greta provavelmente seria uma estrela da Broadway.

Toby riu.

– Broadway? Ah, June, o Finn teria adorado vê-la lá.

Depois, contei a ele que eu a encontrara toda coberta de folhas depois da festa. Contei que nós duas costumávamos ser melhores amigas, mas não éramos mais. Que Greta me odiava.

– Ela não a odeia de verdade – Toby disse.

Mas falei para ele que ela odiava, sim. Odiava mesmo, mesmo.

– E vai ter outra festa no sábado – contei. – Ela me prendeu com outra festa e eu nem quero ir.

– Talvez você se divirta.

Lancei para ele um olhar informando que não havia chance de isso acontecer. Toby me devolveu um olhar compreensivo.

– Por isso o Finn pintou o retrato, sabe? – afirmou depois de um tempo. – Ele teve a ideia de que, se as pintasse juntas daquele jeito, então vocês sempre estariam ligadas. Não sei exatamente no que estava pensando. Ele queria fazer algo por causa de como as coisas acabaram ficando entre ele e a sua mãe.

– O que você quer dizer?

A testa dele se enrugou e ele não respondeu no começo. Depois, pareceu chegar a uma decisão.

– Eu não deveria contar nada disso; não é da minha conta. Mas quem se importa? O que importa agora? O Finn sempre se sentiu triste porque ele e a Danielle não eram íntimos, porque ela se afastou dele. Costumavam ser muito próximos. Tudo por causa das mudanças. Um foi tudo que o outro tinha por muitos anos. Ela era quem garantia que o pai deles nunca tivesse nenhuma ideia de que o Finn era gay. O Finn não se importava com quem soubesse, mas ela entendia o que significaria. Especialmente porque o pai deles era um militar importante. Ela marcava encontros falsos com as amigas para o Finn. E, é claro, todas acabavam se apaixonando por ele, então era meio cruel, na verdade.

Eu corei.

– Ele me disse que nunca teve a intenção de ficar longe por tanto tempo. Você sabe disso, né? Que o Finn foi embora?

Fiz que sim com a cabeça como se soubesse havia anos. Como se não fosse outra coisa que ninguém se dera ao trabalho de me contar.

– Ele me disse que escrevia sempre para ela. Desde o dia em que partiu. No ônibus para sair da cidade. Durante anos, não teve resposta. Nem uma carta. E, sabe, eu consigo entender. Mas o Finn nunca quis que sua partida a magoasse. Ele não via aquilo como deixar alguém para trás. Ele sempre pensou que voltaria em alguns meses. Mas, como ela não respondeu e ele começou a andar pelo mundo... Bem, ele tinha 17 anos. Você pode imaginar.

Eu não podia. Não queria.

– Ele disse que até mandou dinheiro para ela uma vez. Para se encontrar com ele em Berlim. Talvez aquela fosse a chance dela de fazer algo diferente. Não sei. Mas ela não foi, então ficou assim. Depois, ele finalmente voltou e não se parecia em nada com o irmão mais novo que ela conhecia. O menininho na praia. Em seguida ele ficou doente e a Danni o perdeu de novo. Nada disso é justo. Nada disso. Essa coisa de eu não ser parte do relacionamento do Finn com você, a coisa toda se tratava da Danielle querer dizer ao Finn que ele não podia ter tudo. Que precisava fazer um sacrifício também. Ele sempre sentiu que devia alguma coisa à Danielle... E acho que eu acabei sendo essa coisa.

– Mas é tão idiota. Não resolveu nada.

– Claro que não.

Pensei na história da minha mãe. Sobre Finn carregando aquele caranguejo-ferradura enorme para ela.

– Mas, se eles se amavam tanto, não podiam conversar para resolver a situação?

Toby soltou uma risada exasperada.

– Você cai nos hábitos. Jeitos de agir com certas pessoas.

Ele olhou para um banco vazio. Olhou como se pudesse ver todas as pessoas que já haviam se sentado ali e todas as pessoas que poderiam se sentar ali no futuro. Ou talvez estivesse apenas pensando em Finn.

– É difícil às vezes, sabe? Difícil parar. O Finn não queria que isso acontecesse com você e a Greta. Assim, enfiou as duas naquele retrato juntas.

Duas mulheres usando saias de tênis passaram em uma corridinha e, depois, passamos por um homem com dois basset hounds se arrastando. Os cães estavam ofegando, as línguas, quase raspando no chão.

Como um retrato faria Greta parar de me desprezar? E, então, veio-me um pensamento. Talvez tivesse sido Finn quem mandara o retrato ao jornal. Talvez, de alguma maneira, tudo fosse parte do que ele estava pensando. Empurrando-nos para o mundo daquele jeito. As duas sob os holofotes, juntas, para todos verem. Mas como isso mudaria alguma coisa?

Toby parou em uma barraca do Slush Puppie e comprou uma raspadinha de laranja para mim e uma de framboesa azul para ele. Nós nos sentamos nos degraus do Soldiers' and Sailors' Monument, bebendo pelos nossos canudinhos grossos.

– Sinto muito – eu disse.

– Pelo quê?

– Por você ter tido que se esconder de mim.

Ele encolheu os ombros.

– Não é culpa sua.

Eu sabia que não era, mas, de alguma maneira, a ideia de ser culpa da minha mãe parecia pior do que assumi-la eu mesma. Era uma exigência tão infantil a fazer – tão desesperada e mesquinha –, e eu não queria pensar na minha mãe daquele jeito. Fazia-me sentir pena dela.

– Ei – falei, tentando aliviar o clima. – Quem pediu a Matilda para valsar?

– O que é?

– Trivial Pursuit. É uma pergunta. Estou te testando.

– Ah, não. Testes não são meu ponto forte. Deixe-me ver...

Ele começou a murmurar o ritmo da música primeiro, mas, depois, começou a cantar. Estava toda fora de tom e eu coloquei a mão sobre a boca para parar de rir. Era difícil acreditar que alguém conseguia fazer uma música tão bonita com um violão e ser um cantor tão ruim.

– Um andarilho alegre. É isso, não é?

Fiz que sim com a cabeça, ainda rindo.

– E o que é um andarilho, afinal?

– Acho que é alguém como um nômade. Um sem-teto.

Às vezes, como naquele instante, o sotaque de Toby aparecia muito forte. Eu adorava aquelas vezes. Ele falava diferente de todos que eu já ouvira antes, e eu teria escutado qualquer coisa que ele quisesse dizer.

– Então, quem é a Matilda? – perguntei.

Toby tombou o copo e cutucou a raspadinha com o canudo.

– Acho que Matilda é a garota com quem ele sentia que estava em seu lar.

Naquela noite, peguei o *Book of Days* e li o bilhete de novo. Às vezes, quando eu o lia, via as palavras que diziam que Finn me amava. Às vezes, só conseguia ver que ele amava Toby. Que tudo que lhe importava era garantir que Toby ficasse bem.

Eu me acomodei bem sob as cobertas. Como o homem doente na pintura. Bem assim, pensei, e um gancho de raiva prendeu-se na minha barriga, porque *eu* queria receber cuidados. Queria alguém para cuidar de mim, como devia ser. Eu era a criança, não era? Toby era o adulto já crescido. Ser a pessoa doente parecia melhor do que ser a enfermeira. Ficar deitada ali, com as pessoas trazendo tudo de que você pudesse precisar. Quem não quereria isso?

Porém, depois pensei melhor. A pessoa doente sempre seria a pessoa doente, mas a enfermeira, ela teria de ser enfermeira só por um curto tempo. E foi quando eu entendi o que aquilo significava, o que Toby estava tentando dizer mais cedo. Ele definitivamente morreria. Não havia tempo, mas também não havia limite. Se eu fosse fazer alguma coisa por ele, alguma coisa grande, teria de fazer logo.

Desci escondida para a cozinha depois de todos terem dormido e liguei para Toby. Conversamos um pouco e, depois, cheguei ao que eu queria mesmo saber.

– Qual é o nome da sua cidade? – perguntei para ele. – Qual é o nome do lugar onde você nasceu na Inglaterra?

Quarenta e um

Era sábado, o dia da festa, e eu entrei no ensaio por um tempinho, caso Greta estivesse procurando por mim. Eles estavam passando o espetáculo inteiro e o Sr. Nebowitz parecia irritado. Estava fazendo os alunos recitarem as falas de novo e de novo até ele decidir que estava feliz com elas.

– Você deve ser uma enfermeira, Julie – eu o ouvi dizer. – Não pode ficar parada aí de cara brava. Vamos, pessoal. Melhorem. Tem pessoas da cidade aqui hoje, caso não tenham notado.

Fez um gesto para os dois assentos ao lado dele: um homem mais velho usando um lenço no pescoço e uma mulher com cabelo bem vermelho estavam sentados ali, assistindo ao ensaio. Perguntei-me se eles seriam de *Annie*. Estavam ali para ver Greta. O Sr. Nebowitz bateu as mãos antes de dizer para todos passarem a cena inteira de novo.

Eu podia ver a parte de trás da cabeça de Greta na primeira fileira. Todo o elenco que não estava no palco tinha se sentado nas cadeiras vermelhas macias do auditório. O diretor dizia que era importante todos entenderem a peça *inteira*, não apenas a sua parte, e isso significava que, quando você não estava no palco, devia assistir às outras cenas. Pensei em me sentar perto de Greta. Talvez Toby estivesse certo. Talvez ela não me odiasse. Talvez fosse outra coisa completamente diferente.

Porém, a possibilidade de ser forçada a parecer idiota bem ali na primeira fileira me fez mudar de ideia. Em vez disso, sentei-me no fundo e esperei que ela subisse no palco.

Desta vez ela não estava nem de longe tão boa quanto na última vez que eu a vira. Na vez anterior, nem estava usando o figurino, mas parecia ser Bloody Mary de verdade. Até eu tinha me pegado esquecendo que estava vendo Greta. Desta vez não foi assim. Desta vez, pude ver Greta por inteiro. Especialmente quando ela estava cantando *Happy Talk*. Todas as notas estavam certas, mas, ainda assim, eu não acreditava em uma palavra. Ela pareceu aliviada ao sair do palco quando a música terminou. Eu saí do auditório logo antes de Nellie, que estava interpretando Antonia Sidell, cantar *Dites-Moi* pela última vez.

Vaguei até os bastidores, que no final estavam quase vazios. Cheiravam a sanduíches velhos, e as únicas pessoas lá embaixo eram duas garotas da equipe do figurino e um cara que pintava os cenários. Eles pararam a conversa por alguns segundos quando me viram e, depois, curvaram-se para o outro lado e continuaram conversando. Subi a escada de volta e, quando cheguei ao topo, fiquei lá, as costas pressionadas contra a parede, imaginando aonde poderia ir depois. Havia algo de tão solitário naquele momento, todos ao meu redor completamente envolvidos nessa coisa da qual eu não fazia parte, eu sem ter aonde ir, esperando por uma festa da qual não queria participar. A única coisa que queria fazer de verdade era ligar para Toby. Eu não tinha nada a dizer para ele. Nada interessante, nem um pouco. Mas parecia não ter problema. Parecia que ele era o único que eu conhecia no mundo para quem podia ligar e simplesmente não falar nada. Coloquei a mão no bolso, esperando que houvesse algumas moedas de 10 centavos, troco do meu dinheiro do almoço, mas não havia nada. Assim, fiz a segunda opção. Fui para o bosque.

Estava ventando e havia uma umidade de primavera, e, quando eu estava lá, tudo de triste pareceu explodir para fora de mim. Fazia algum tempo que não ia até lá e eu quase esquecera o quanto amava o bosque. Vaguei, sem rumo no começo, mas, depois, tentei prestar atenção. Eu queria saber que conhecia bem o local de novo. Queria garantir que sabia exatamente onde cada coisa estava. Meu plano para a festa era ficar de olho em Greta e, depois, sair de lá o mais rápido possível.

Segui o rio, que estava rápido por causa de toda a chuva e da neve derretida. Não caminhei até o meu lugar perto do bordo. Virei-me para longe do rio antes disso e caminhei para uma grande pedra redonda não muito longe da escola. Tentei fingir que estava na Idade Média, mas não funcionou. Não como costumava. Sempre que eu quase conseguia, lembrava-me de algo que Toby dissera. Ou de uma pergunta do Trivial Pursuit. Ou um pedaço da letra de uma música de *Ao Sul do Pacífico*. Era como se meu cérebro tivesse mesmo mudado. Como se alguma parte dele, minha parte favorita, tivesse entrado em extinção.

Abri o zíper da mochila e tirei um cigarro. Acendi-o e sentei-me contra aquela pedra até a última luz sumir. Até o espaço entre os galhos das árvores e os galhos em si virarem a mesma coisa escura. Eu não tinha medo. A festa não era nada. Eu tinha um amigo secreto na cidade. Eu fumava e provara conhaque. Eu tinha alguém de quem cuidar.

Depois de Toby me dizer o nome da sua cidade natal, fui à biblioteca e procurei em um atlas. Não conseguia acreditar no quanto ele era sortudo. Sua cidade ficava bem no limite do parque de North Yorkshire Moors. *O Morro dos Ventos Uivantes*, *Jane Eyre*, *O Jardim Secreto*. Eu não conseguia imaginar por que alguém sairia de um lugar assim. Finn dissera que Toby não tinha ninguém, mas ele devia ter querido dizer ninguém em Nova York, porque parecia impossível que eu pudesse mesmo ser a única pessoa que ele tinha no mundo. Decidi dizer a ele que queria ir à Inglaterra. Diria que *eu* queria ir, mas na verdade o que queria era levá-lo de volta para casa. Eu vira como ele parecera feliz em Londres, naquela foto no quarto. Tão livre e relaxado. Não queria estragar aquilo. Havia detalhes em que pensar. Ligações a fazer. Um passaporte a encontrar. Havia muita coisa, mas, pela primeira vez, eu faria exatamente certo. Era algo especial que faria por Toby.

Dei um trago forte no cigarro, de forma que a ponta brilhou em um laranja ardente na luz fraca. Pensei que havia um tipo de poder em ser necessária. Em ter um objetivo. Podia senti-lo endurecendo meus ossos e engrossando meu sangue. Senti-me mais velha e mais esperta do que qualquer um que eu conhecia. Eu podia fazer qualquer coisa, qualquer coisa mesmo.

Depois de um tempo, as pessoas começaram a vir da escola descendo o morro. Eu as vi como pontinhos de luz, como vaga-lumes descendo aos pulos para o bosque. Havia risadas e, depois, gritinhos, conforme algumas pessoas tropeçavam em raízes, suas luzes caindo no chão. Entrei em um espaço atrás de um grande tronco de árvore caído e observei.

Não vi Greta, mas vi Julie, Megan e Ryan, os braços cruzados atrás das costas uns dos outros, fazendo um cancan enquanto desciam o morro. Eu vi Ben, usando uma capa, sendo seguido por vários meninos mais novos da equipe de iluminação. Havia pessoas que eu não conhecia. Alguém levara um violão e outra pessoa estava explodindo a pior música do mundo em um toca-fitas apertado entre os galhos de uma árvore. Tiffany, com sua voz de menininha, cantando *I Think We're Alone Now.*

A lua estava enorme e o bosque tinha um brilho que eu nunca vira antes. Havia mais pessoas que da última vez e tudo era mais barulhento e louco. Observei e observei, mas não vi Greta passar. Pensei que podia ter deixado de reparar nela, porque tinha visto quase todo mundo, mas, então, eu a vi. Ela estava sozinha, descendo o morro devagar e com cuidado. Estava usando seu longo casaco preto e um cachecol laranja neon.

O cabelo escuro caía pelos seus ombros e ia por quase todas as suas costas, e ela não sorria.

Andou até a fogueira e puxou uma garrafa do bolso interno do casaco. Colocou-a nos lábios e virou-a para trás por tanto tempo que deve ter bebido metade naquele único gole. Não falou com ninguém e eu pensei em me aproximar dela, mas não o fiz. Estava olhando com tanta atenção para Greta que, quando os nós dos dedos de Ben Dellahunt bateram no topo da minha cabeça, girei e gritei.

– Nossa – ele disse, puxando a mão de volta.

– Você me assustou.

– Estou vendo.

Ele apontou na direção da fogueira e sorriu.

– Espionar pode deixar uma menina fácil de assustar.

– Não estou espionando. Eu disse para a Greta que viria para este negócio e estou apenas ficando na minha. Só isso.

– A-hã – ele falou.

– É verdade.

Ben tinha um jeito irritante de agir como se fosse muito mais velho do que eu. Como se ele fosse adulto e eu fosse só uma criança.

– Certo, vou propor uma coisa – ele disse. – Não estrago seu disfarce se você me contar onde é aquele lugar do lobo.

Arrependi-me mais do que consigo expressar de ter falado qualquer coisa sobre lobos para Ben Dellahunt.

– Por que você quer saber?

Ele colocou a mão no bolso e tirou um par de dados estranhos. Jogou-os no ar e pegou-os com uma mão.

– Uma jornada. Dungeons & Dragons. Além disso, aqueles meninos do primeiro ano vão se borrar se eu disser que tem lobos aqui.

Eu não tinha muita escolha. Precisava ficar sozinha. Precisava continuar observando Greta. Assim, disse para ele seguir o rio até a grande árvore partida e subir e cruzar o morro a partir dali.

– Então vai ouvir os lobos – falei.

– Legal. – Ele sorriu e me deu um tapinha no ombro. – E, sabe, se de repente mudar de ideia... – Entregou-me um dos dados estranhos. – Pense nisso.

– Pode deixar – respondi. – Eu te aviso com certeza.

Ele ficou parado por um segundo sorrindo para mim e, depois, de repente, seu rosto avançou em direção ao meu e ele me beijou nos lábios. Antes de eu poder dizer alguma coisa, ele saiu correndo. Enquanto corria, recolheu a capa e chamou os outros meninos em uma voz forte de comando que nunca imaginei que Ben pudesse ter.

Fiquei parada ali corando no escuro. O beijo provavelmente não significava nada. Ninguém nunca tinha me beijado e significado alguma coisa. Mas e se, pela primeira vez, significasse? Não. Ele provavelmente estava apenas tentando me desestabilizar. Quero dizer, se alguém se parecia com a Rainha Loba das Regiões Distantes, era Greta. Sob aquela lua grande e brilhante, Greta parecia a rainha triste de tudo. Era exatamente o que eu estava pensando enquanto tentava tê-la de novo à vista. Passei os olhos pelos rostos em volta da fogueira. Duas vezes meus olhos percorreram aquele círculo, mas Greta não estava lá.

Perguntei a todo mundo que consegui encontrar se tinham visto minha irmã: ninguém tinha. Ryan disse que achava que ela estava completamente bêbada, mas ele estava se apoiando no meu ombro quando disse isso, como se mal conseguisse ficar em pé sozinho. Margie Allen disse que achava que podia tê-la visto subindo de volta para a escola, mas eu não deveria confiar na informação porque ela não tinha nenhuma certeza de que era Greta. Ainda assim, subi o morro correndo. Andei por trás da escola até a porta dos bastidores e testei-a, mas estava trancada. Espiei pela janela fina: a sala estava vazia.

Se eu fosse esperta, teria ido para casa naquele instante. Greta não merecia que eu procurasse por ela. Mas, ainda assim, não conseguia me convencer a ir embora. Voltei para o bosque, desci aquele morro e sentei-me perto da fogueira, esperando que ela aparecesse.

O fogo estalando e as risadas e as vozes entorpecidas e a música do toca-fitas incharam e viraram uma bolha confusa na minha cabeça. Apertei as mãos sobre as orelhas e tudo encolheu. Apenas a batida do baixo da música sobrou e eu estava quase gostando dela. Senti-me quase invisível ali, bem no meio de tudo.

Então, vi algumas pessoas ficarem em pé. Depois, mais algumas. Em pouco tempo, estavam correndo e gritando que havia sirenes da polícia. Luzes vermelhas e azuis de cima do morro no estacionamento da escola lançaram-se na escuridão. Por toda a minha volta, as pessoas estavam em pânico. A coisa toda foi feita de um jeito estúpido desta vez. A fogueira estava muito perto da escola e o barulho era muito alto.

Pessoas corriam em todas as direções. Entravam mais no bosque ou saíam para onde podiam cortar para as ruas sem ter de passar pelo estacionamento. Alguém estava chutando terra para a fogueira e eu estava correndo feito louca, procurando Greta. O toca-fitas fora deixado para trás e, assim, era como se houvesse uma trilha sonora para aquilo tudo. *Blister in the Sun* estava tocando – uma música boa finalmente – e fazia tudo parecer um desenho animado das manhãs de sábado, enquanto policiais perseguiam as pessoas em meio às árvores, apontando as lanternas e gritando para elas pararem.

Fui de árvore em árvore, escondendo-me até ser seguro avançar. Entrei mais e mais naquele bosque, procurando minha irmã. Nem precisava de lanterna, porque a lua estava muito forte. Depois, sem pensar, virei-me e corri para o lugar onde havia encontrado Greta da última vez. Fui para o meu lugar.

Era como se ela estivesse esperando por mim. Como se quisesse que eu a encontrasse. Não podia ser coincidência ela conhecer aquele lugar exato. Saber que eu também conhecia. Mas não entendi. Ela estava enterrada em folhas, assim como da última vez. Era uma noite mais quente. Muito mais quente que da última vez, e ela se aconchegara bem embaixo das folhas como se elas fossem um cobertor úmido. Seu rosto branqueado pela lua estava no chão, parecendo algo separado do resto do corpo.

Tirei as folhas dela rapidamente. Desta vez, decidi que ela teria de andar. Até correr. Eu a puxei para cima e a sacudi com força suficiente para acordá-la. Ela abriu os olhos e olhou para mim.

– June – sussurrou. – É você.

– Levante, Greta. Agora.

Levantei-me e puxei os braços dela até deixa-la quase em pé.

– Não, não, não. Ouça. Psiu. June, acho que estou morrendo.

Ela estava agarrando uma garrafa de Schnapps de damasco. Eu vira a mesma garrafa não muito tempo antes, empoeirada e esquecida, no fundo do armário de bebidas dos meus pais.

– Você não está morrendo. Só está bêbada. Agora, levante.

Ela riu e seus olhos se fecharam de novo. Depois, por um segundo, eles se mexeram e abriram de novo. Ela levou um dedo aos lábios.

– Somos amigas, não é?

– Se você andar – respondi. – Somos amigas se você andar.

E ela andou. Greta colocou o braço em volta dos meus ombros e cambaleou ao meu lado pelo bosque. Foi difícil, uma longa caminhada pela margem do rio. Não podíamos subir de volta pelo estacionamento por causa da polícia e, assim, tivemos de atravessar o bosque e, depois, cortar como fizéramos da vez anterior. Greta pendurava-se em meu ombro como uma bolsa pesada.

– Vamos – eu disse, mas ela havia parado e não ia.

– Lembra-se do salão de beleza?

Lá vamos nós de novo, pensei. *Eu arrastando Greta até em casa enquanto ela cambaleia pela rua da memória.* No começo, fiquei brava com tudo aquilo. Mas, depois, ela levantou minha mão até a sua e passou um dedo por cada uma das minhas unhas.

– Você se lembra daquelas pétalas de gerânio? – perguntou, e a raiva diminuiu porque eu me lembrava.

Salão de beleza era uma brincadeira que costumávamos fazer quando éramos pequenas, quando ainda éramos melhores amigas. Se fosse a vez de Greta, eu tinha de me sentar na grama. Depois, ela desaparecia pelo quintal, procurando coisas. Colhia coisas como pétalas de gerânio e pluminhas de paina-de-seda e aquelas violetinhas roxas que crescem livremente no gramado. Ela me dizia para deitar de costas com as mãos abertas. Depois, começava a trabalhar. Colocava violetas nas minhas pálpebras e salpicava pluminhas de paina-de-seda no meu cabelo e, uma por uma, punha aquelas pétalas de gerânio bem vermelhas nas minhas unhas dos pés e das mãos, encontrando as que eram do tamanho exato para cada uma. Depois, gritava "foto", fazia um som de clique, fingia que tinha uma câmera nas mãos e preservava aquele momento para sempre.

Quando ela terminava, eu tentava me levantar o mais devagar que conseguisse, para que todo o trabalho dela não caísse de mim. Geralmente, conseguia evitar a queda apenas das unhas dos pés e as pluminhas. Era suficiente. Especialmente as unhas dos pés, porque aquelas pétalas pareciam mesmo esmalte.

O constrangedor é que a última vez que me lembrava de ter brincado daquilo fora quando eu tinha 11 anos e Greta tinha 13. Nós duas sabíamos que estávamos muito velhas para isso – ela já usava maquiagem de verdade –, mas também sabíamos que gostávamos daquela brincadeira e, quando estão apenas você e sua irmã, vocês podem fazer qualquer coisa constrangedora que quiserem.

– Deite – Greta falou.

No começo, não entendi, mas, depois, sim. Ela queria fazer o salão de beleza ali no meio do bosque. Continuei andando, puxando-a comigo.

– Sem chance – eu disse.

– Aaaah, Junie, vamos. Como a gente costumava...

– Como a gente costumava? Do que você está falando? Você que é malvada. Você que estragou o jeito que a gente costumava ser.

Ela não disse nada. Seu braço caiu das minhas costas.

– Você já pensou que *eu* posso ter problemas? – perguntei. – Que posso estar lidando com... situações?

Greta saiu cambaleando na minha frente. Ela se virou e riu.

– Pobrezinha da senhorita Sortuda. Pobrezinha da senhorita Especial – disse. – Talvez eu devesse sair e pegar AIDS. Então todo mundo pode vir me bajular e...

– Cale a boca, Greta. Cale a boca.

– Eu seria especial o bastante para você assim, June? Trágica o bastante?

Ela me lançou um olhar, depois disparou na minha frente, como se o seu corpo tivesse ficado sóbrio instantaneamente.

– Espere – gritei.

Mas ela não esperou. Tive de correr o mais rápido que consegui para acompanhá-la. A lua iluminava todo o bosque com a luz mais suave e prateada. Eu ficava pensando que Greta poderia se perder, mas ela não se perdeu. Afastou-se do rio no ponto exato e, depois, cortou para Evergreen Circle, onde finalmente eu a alcancei.

Andamos em silêncio pelo resto do caminho, cruzando os quintais e as ruas da nossa cidade. Eu olhava as costas de Greta. Seu cabelo embaraçado, decorado com folhas rasgadas e marrons e terra. O que estava acontecendo com a minha irmã? E se eu nunca tivesse ido até lá? Por quanto tempo ela ficaria escondida naquelas folhas frias e úmidas? Quanto tempo até acordar sozinha e assustada, com nada além do uivo de lobos para lhe fazer companhia?

– Greta, você precisa me dizer o que está acontecendo. Você está me assustando de verdade agora. Vou contar. Vou contar para a mamãe e o papai se precisar.

Ela olhou para mim e sorriu.

– Não vai, não. Você está aqui, não está? E em outros lugares, não é? Eu devo contar para eles sobre todas as saídas escondidas? Devo contar para eles que você está fumando agora?

– Meu Deus, Greta. Eu não estou dizendo isso para ser má. Vou ajudar com o que quer que seja. É sério.

Greta sentou-se no meio-fio entre a casa dos Aults e a dos DeRonzis. Sentei-me ao lado dela. Uma luz da rua brilhava bem em cima de nós e, assim, era como se estivéssemos em um pequeno círculo claro separado de todo o resto. Ela olhou para mim com olhos cansados e bêbados.

– Você está mesmo com medo, June? De verdade?

– Sim. É claro que eu estou.

Olhou para mim como se estivesse prestes a chorar.

– Isso é bom – disse.

Depois, ela me abraçou; um abraço de verdade, forte e caloroso. Cheirava a bebida e à umidade do chão do bosque, mas, embaixo de tudo, estava o aroma doce de bebê do Jean Naté. Depois, inclinou-se para mais perto e sussurrou:

– Eu também estou, June. Também estou com medo.

– Do quê?

Ela acariciou minha bochecha com a parte de trás dos dedos e apertou os lábios contra a minha orelha.

– De tudo.

Quarenta e dois

Na manhã seguinte, nós duas dormimos até tarde. Até a hora que nossa mãe deixou, de qualquer forma, que foi 10h30. Iríamos à casa dos Ingrams para um churrasco naquela tarde. Eles faziam um para os meus pais todo ano, bem perto do final da época de impostos. Para ajudá-los a aguentar o trecho final, diziam.

Eu não me importava muito em ir à casa dos Ingrams, mas Greta tentou de tudo para escapar. O engraçado é que, no final, ela foi forçada a ir porque seria indelicado com Mikey se não fosse, mas, quando chegamos, o próprio Mikey tinha saído com os amigos. Também nos disseram que ele não queria mais ser chamado de Mikey, apenas Mike. Assim, lá estávamos nós no quintal dos Ingrams, Greta de ressaca e eu, passando o tempo nos velhos balanços enferrujados deles. Ela sentou-se em um balanço, enterrando a ponta da bota no pedaço de terra nua do chão. Eu balancei o mais alto que pude, forçando uma perna da armação dos balanços a sair do chão de novo e de novo, causando a sensação de que a coisa toda estava prestes a nos mandar embora voando.

– Você pode parar com isso? – Greta disse.

– Não – respondi e continuei balançando.

Ela se levantou e olhou na direção da mesa de piquenique, onde todos os adultos estavam sentados com copos de cerveja e vinho. Meu pai levara o Trivial Pursuit e, embora os Ingrams tivessem um havia alguns anos, ele os convenceu a jogar. Ouvi minha mãe rir e quis cobrir as orelhas porque não conseguia parar de pensar no que sabia sobre ela. Como alguém podia agir de forma tão forte e normal e, por baixo de tudo, ser tão desesperada e triste? E má. Essa era a parte mais difícil. Fora apenas nos últimos anos que eu até mesmo pensara em Finn e na minha mãe como irmãos. Que realmente acreditara que quem eles eram para mim – mãe, tio – não era tudo o que eles eram. Talvez Finn e minha mãe tenham se sentado em balanços durante um churrasco no quintal dos fundos, muito entediados, assim como Greta e eu. Eles deviam ter guardado os segredos um do outro. Assim como nós.

Greta colocou a mão sobre a boca, fez um som enjoado e soltou um suspiro antes de se sentar de novo no balanço. Eu estava tentando pensar em um jeito de falar de tudo o que acontecera na noite anterior. Algo que não a deixasse se voltar contra mim imediatamente. Eu estava com os braços presos em volta das correntes do balanço e as mãos nos bolsos do casaco porque estava muito frio. Muito frio para um churrasco, embora todos estivessem fingindo que não estava. Meus dedos estiveram brincando com alguma coisa no bolso esquerdo e eu percebi que era o dado esquisito que Ben me dera. Tirei as mãos dos bolsos e esperei até o balanço estar no ponto mais alto, depois pulei para a grama.

– Ei – eu disse. – Olhe para isto.

Mostrei a palma da mão para Greta. Era a primeira vez que eu via o dado à luz do dia e percebi que era até bonito. De um azul translúcido, com dez faces, de forma que pareciam duas pirâmides de cinco lados grudadas pelas bases. Parecia uma grande joia com números gravados.

Ela deu uma olhada.

– E, então, o que é isso?

– Um dado de Dungeons & Dragons. Do Ben.

Greta recuperou a energia na hora.

– Óóóóó – ela disse. – Rituais de galanteio nerd.

Eu sabia que estava corando, mas, por mais doloroso que fosse fingir ter algum tipo de fofoca sobre Ben e eu, pude ver quer era uma forma de fazer Greta se abrir. Percebi que ela estava se soltando. E acho que havia o beijo.

– Você viu o Ben ontem à noite? Com aquela capa?

Ela fez que não com a cabeça.

– Mas parece que *você* viu.

Levantou as sobrancelhas e deu um sorriso torto.

Fiz que sim com a cabeça para a coisa toda continuar não muito clara e manter Greta pensando. Ela me analisou e depois me olhou de um jeito que dizia que sabia de tudo no mundo.

– Sabe, June, só estou entrando no seu jogo aqui. Pode parar de fingir.

– Que jogo?

– A coisa do Ben. Não tem coisa do Ben.

O engraçado era que, pela primeira vez, havia alguma coisa. Ben *tinha* me beijado. Fora desajeitado e rápido e talvez não tivesse significado nada, mas fora real.

– Sabe de uma coisa, Greta? Você não sabe de tudo. Acha que sabe, mas está muito longe de saber tudo...

– Eu sei que vi o Ben saindo com a Tina Yarwood na noite passada.

Olhei para o outro lado depressa. O que ela disse me machucou mais do que eu teria esperado.

– Ah – falei depois de um tempo.

Não era como se eu tivesse ficado fantasiando com Ben Dellahunt. Nem era que eu gostasse dele especialmente. Ele era cheio de si e nerd e não se comparava a Finn ou Toby. Mas, ainda assim, quando Greta disse aquilo, sobre Tina Yarwood. Quando pensei naquele beijo. Como eu tinha corado depois, como se significasse alguma coisa. Quando pensei em tudo aquilo, fui atingida bem na garganta. Nada mudara. Eu era a idiota de novo. Era a menina que nunca entendia quem ela era para as pessoas.

Greta ficou me olhando nos olhos por um segundo, com um sorriso malicioso. Ela sabia que tinha me magoado. Percebi. E, embora soubesse que era a pior coisa que eu poderia fazer, que Greta era a pior pessoa no mundo para dizer qualquer coisa, olhei para o rosto de ressaca dela e disse:

– O Ben não é nada, Greta. Eu tenho um namorado na cidade. Ele é mais velho do que eu. Até mais velho do que você. Vou para a cidade sozinha o tempo todo e nós fumamos e bebemos e fazemos o que queremos.

Eu quase continuei. Eu quase mencionei o plano sobre a Inglaterra, mas não o fiz.

– Mentirosa – ela disse. Falou com tanta maldade que percebi que ela achava que podia ser verdade.

Encolhi os ombros.

– Acredite no que quiser.

– Não se preocupe. Vou fazer isso.

Eu tinha precisado de cada pedacinho de concentração para parecer tão confiante e sentei-me no balanço, tremendo por alguns minutos, pensando na idiotice do que acabara de fazer. Todos os problemas aos quais isso poderia levar. Não apenas para mim, mas para Toby. Levantei-me e comecei a me afastar, mas, depois, pensei em algo.

– De qualquer forma, como você conhece aquele lugar do bosque?

Ela sorriu.

– Eu já te vi, June. Os morros têm olhos...

– O que você quer dizer?

Ela pareceu tão cheia de poder naquele momento que comecei a me preocupar com o que poderia dizer. Mas eu precisava saber.

– Conte – falei.

– Eu te segui. Eu te vi indo para o bosque depois da aula, no começo do ano escolar, e te segui. Fiquei ali a tarde toda, vendo sua brincadeira estranha. Falando sozinha. Usando aquele vestido velho idiota. Aquelas suas botas *especiais*.

– Você me espionou?

– Muitas vezes.

Fiquei parada encarando Greta. Eu deveria ter ficado envergonhada, mas tudo o que senti foi raiva. Virei-me e saí andando sem dizer outra palavra. Ainda estava tremendo e cerrei os punhos para parar. Apertei o dado azul com força e pensei em Ben de novo. Depois, joguei-o com força pelo gramado dos Ingrams. Em alguns meses, ele acabaria sendo despedaçado pelo cortador de grama. Ótimo. Andei até a mesa de piquenique e sentei-me com os adultos. Fingi que queria jogar Trivial Pursuit até a hora de ir para casa.

Quarenta e três

A quarta-feira seguinte foi 1º de abril. O presidente Regan apareceu na TV fazendo um grande discurso sobre AIDS pela primeiríssima vez. Aparentemente, ele sabia tudo a respeito disso havia algum tempo, mas decidira não falar no assunto. O que disse foi que todo mundo – em especial os adolescentes – deveria parar de fazer sexo. Ele não falou exatamente com essas palavras, mas era o seu principal argumento. Não parecia uma ideia tão ruim para mim. Digo, o que o sexo tinha para ser tão importante? Por que as pessoas não podiam viver juntas, passar a vida inteira juntas, apenas porque gostavam da companhia uma da outra? Apenas porque gostavam uma da outra mais do que gostavam de qualquer outra pessoa no mundo todo?

Se você encontrasse uma pessoa assim, não teria de fazer sexo. Poderia apenas abraçá-la, não poderia? Poderia sentar perto dela, aconchegar-se nela para poder ouvir o coração dela batendo. Poderia apertar a orelha contra as costas dessa pessoa e ouvir o ritmo dela, sabendo que vocês dois são feitos exatamente da mesma coisa. Poderia fazer coisas assim.

Às vezes, se você está perto o suficiente de outra pessoa, até nem consegue saber de quem é o estômago que está roncando. Vocês olham um para o outro e os dois pedem desculpas e dizem "fui eu" e, depois, dão risada. Você não precisa de sexo para que esse tipo de coisa aconteça. Para o seu corpo esquecer como saber se está com fome ou não. Para você confundir a fome de alguém com a sua.

Certa vez, logo depois de eu completar 13 anos, isso aconteceu no apartamento de Finn. Ele e eu estávamos inclinados para fora de uma das grandes janelas, esperando ver minha mãe voltar. Ela tinha saído para fazer compras na Bloomingdale's naquele dia, algum tipo de presente de casamento para alguém que meus pais conheciam do trabalho, e nós esperávamos vê-la toda agasalhada, correndo com passinhos curtos para cruzar a rua com seu longo casaco fofo e uma grande sacola da Bloomingdale's. Nós dois gostávamos disso. Ver alguém de cima sem a pessoa saber que você conseguia vê-la. Ambos entendíamos que, às vezes, você podia ter um vislumbre de quem a pessoa realmente era quando a via assim. Por isso, embora estivesse frio, nós nos inclinamos para fora da janela, os ombros quase se tocando, Finn esfregando minhas costas para aquecê-las de vez em quando. Ele estava com um gorro azul de lã quase da mesma cor dos seus olhos e enrolara seu cachecol vermelho de tricô em volta do meu pescoço.

– Ei, Crocodilo – disse.

– O que foi?

– Sua mãe, ela disse que falou com você. Sobre mim. Sobre o que está acontecendo comigo.

Alguns meses haviam se passado desde aquele dia no Mount Kisco Diner, mas eu nunca dissera uma palavra a Finn sobre aquilo. Nunca agi como se soubesse de alguma coisa. Não conseguia. Tinha certeza de que estragaria todo o tempo que ainda tínhamos. Peguei o cachecol e o enrolei mais uma vez em volta do pescoço.

– Podemos não falar sobre isso?

Senti a mão de Finn pousar nas minhas costas. Ele fez que sim com a cabeça.

– Apenas, sabe, se quiser me perguntar qualquer coisa...

– Certo – falei depressa, interrompendo-o.

Pude perceber que ele estava prestes a se alongar demais. Que, se eu deixasse, ele começaria a falar de um jeito estranho, contando tudo sobre estar doente, e eu não queria ouvir. Apontei para fora da janela.

– É a Barbara Walters?

Finn inclinou-se ainda mais e tombou a cabeça. Depois sorriu e bateu o ombro contra o meu.

– Parece mais a avó da Dolly Parton.

Eu ri. Principalmente porque estava feliz de ter encontrado uma maneira de mudar de assunto. Foi quando aconteceu: um dos nossos estômagos soltou um alto ronco borbulhante. Olhei para Finn, toda envergonhada porque tinha certeza de que fora eu. Mas, depois, ele disse que tinha certeza de que fora ele porque tudo o que almoçara havia sido uma xícara de café. Depois de irmos e voltarmos nesse assunto, Finn me puxou para a cozinha e disse que não importava.

– Meu estômago é o seu estômago, Crocodilo – falou.

Abriu um armário e tirou uma caixa de Wheat Thins e, depois, tirou da geladeira seu queijo chique com uma camada grossa de cera marrom em volta e nos apoiamos no balcão até minha mãe tocar a campainha do lobby.

Eu precisava ter cuidado no Dia da Mentira porque Greta geralmente tinha algum tipo de brincadeira esperando por mim. Nem sempre fora assim. Até uns anos antes, éramos Greta e eu fazendo brincadeiras com os nossos pais. Não costumavam ser as melhores brincadeiras – sal no vidro do açúcar, ketchup como sangue falso em um dedo, esse tipo de coisa –, mas estávamos juntas. Depois, alguns anos atrás, mudou para Greta contra mim. Às vezes, era o tipo de brincadeira em que ela dizia que algo muito bom aconteceria, como termos o dia de folga na escola para ir ao Great Adventure ou algo assim e, depois, logo que eu começava a ficar animada, ela ria e falava "1º de abril". Em outros anos, fazia o contrário. Fingia que algo muito ruim havia acontecido – como o hamster que eu tinha ter fugido – e me deixava chorar por isso antes de me mostrar que ela escondera o hamster em uma caixa de sapato embaixo da cama.

No ano passado, ela entrou no meu quarto de manhã cedo com a expressão mais triste no rosto e disse que Finn havia morrido. Ela me esperou acordar completamente. Esperou até a notícia chegar ao centro dos meus ossos. Parecia estar esperando a minha reação, esperando que eu desmoronasse ou a corresse para ela em busca de apoio. Mas fiquei entorpecida. Sentei-me na cama, paralisada. Ela ficou ali mais um tempo e, depois, finalmente desistiu.

– Primeiro de abril – disse, parecendo decepcionada.

Geralmente, eu não fazia ideia de que era dia da mentira, mas, neste ano, lembrei e, assim, só estava esperando Greta atacar.

Mas ela não atacou. O café da manhã foi normal. Estávamos apenas nós duas porque nossos pais haviam saído cedo para o trabalho. Fiquei olhando as costas de Greta enquanto ela se inclinava sobre o balcão passando geleia de uva na torrada. Quando ela se virou, viu que eu olhava para ela e me lançou um olhar do tipo "qual é o seu problema?" antes de pegar sua xícara de café. Desviei os olhos e comi uma colher cheia de Cookie Crisp. Os pequenos discos que deviam ter sabor de biscoito com pedacinhos de chocolate tinham ficado viscosos no leite, mas não me importei.

– Quer este outro pedaço? – Greta disse, segurando o segundo pedaço de torrada com geleia.

– Tudo bem.

Ela o jogou na mesa ao lado da minha tigela e, depois, saiu para se arrumar para a escola. Olhei bem para ele e, depois, cheirei-o, pensando que poderia ser a brincadeira deste ano. Devia haver pimenta-branca ou flocos de pimenta ou alguma coisa nele. Fiquei aliviada por ter acabado com aquilo. De ter percebido a brincadeira dela com tanta facilidade. Levantei a torrada até a boca e deixei minha língua tocar na superfície, esperando a ardência começar. Mas não houve nada. Dei uma mordida inteira e esperei de novo. Mas, não. Nenhuma brincadeira.

Decidi ir andando até a escola naquela manhã porque não queria que Greta tivesse uma segunda chance enquanto esperávamos o ônibus. Estava cedo, era uma manhã clara e quente e, assim, andei pelo bosque.

As folhas descongeladas faziam o lugar todo ter um aroma doce de xarope. Tínhamos apenas alguns dias de primavera em Westchester. Geralmente, o ano ia do inverno direto para o verão quente e úmido como um interruptor virado. Podia ainda nevar em abril, mas, depois, chegava maio e tudo ficava quente. E era o final na minha temporada no bosque. Não se pode fingir estar na Idade Média quando está fazendo 32°C do lado de fora. Na minha versão da Idade Média, sempre é outono ou inverno. O tempo sempre está frio e úmido. Casacos precisam ser usados. E botas. Sempre botas.

Porém, aquele dia estava bom. Não me apressei no caminho para a escola naquela manhã. Eu sabia que tinha o bosque para mim. Cantarolei a melodia do *Requiem* e fingi ser uma menina marcada no peito por ter mendigado.

Na escola, abri meu armário devagar, achando que a brincadeira poderia estar ali, mas nada. Procurei Greta o dia todo. Em cada canto que eu virava nos corredores. Na fila do refeitório. Nas cabines do banheiro. Mas, novamente, nenhum sinal de nada.

O Dia da Mentira de 1987 passou sem nem uma brincadeira maldosa de Greta. Quando cheguei em casa, havia um pequeno envelope acolchoado na caixa do correio endereçado para mim. Era da Associação para a Preservação dos Discos sem Capa. Por apenas um segundo, pensei que talvez fosse a brincadeira de Greta, mas é claro que era de Toby. Ele mandara a fita da sua música no violão. *Vou lhe ensinar isso* estava escrito no encarte.

Na hora do jantar, Greta e eu comemos o ensopado de carne e legumes que minha mãe deixara para nós e, depois, assistimos a *Uma Janela para o Amor* antes de subirmos para dormir.

Deitei-me na cama naquela noite tentando entender por que Greta tiraria um ano inteiro de folga. Pensei que talvez ainda não fosse tarde demais, talvez ela fosse tentar alguma coisa alguns minutos antes da meia-noite, mas espiei no quarto dela um pouco depois das 23h e ela estava completamente adormecida. Eu, não. Fiquei deitada na cama, acordada, pensando, e, quanto mais pensava, mais entendia que Greta não tirara o ano de folga, nem um pouco. Talvez ela achasse que o trabalho fora feito em todos aqueles outros Dias da Mentira. Não precisava fazer mais nada. Eu arruinara meu próprio dia *procurando* pela brincadeira. Tudo o que Greta precisara fazer era sentar e observar.

Ou talvez ela simplesmente não se importasse mais. Talvez não compensasse o trabalho. Fui dormir com aquele pensamento triste na cabeça e, quando acordei, de manhã, ele ainda estava lá, como um buraco negro frio bem no meio de tudo.

Quarenta e quatro

Eu gosto da palavra *clandestina*. Parece medieval. Às vezes, penso nas palavras ganhando vida. Se *clandestina* estivesse viva, seria uma garota pequena e pálida com o cabelo da cor das folhas no outono e um vestido branco como a lua. Clandestina era o tipo de relação que Toby e eu tínhamos.

Na vez seguinte em que eu o vi, que foi dois dias depois, após as aulas, levei um bonsai para ele. Mas não era um bonsai de verdade, apenas um ramo de um bordo japonês do nosso quintal que eu enfiei em um pouco de terra.

– Para você, Toby-san – eu disse, fazendo uma reverência.

Estava com medo de ele não se lembrar da piada. Sempre me lembro de piadas, mas algumas pessoas esquecem na hora e, depois, eu fico parecendo uma esquisitona por me lembrar de algo tão pequeno.

– É inteligente o aluno que aprende com o mestre – Toby disse, com uma reverência e sem hesitação nenhuma.

Depois, ele começou uma imitação boba do estilo da garça, que, com seu corpo longo e magrelo, fazia-o parecer não exatamente uma garça, mas alguma espécie estranha de ave que ainda não fora descoberta.

Eu ri e dei um empurrão nele, mas ele era mais forte do que parecia e não saiu do lugar.

Eu pegara o trem, como de costume, e Toby fez chá, como sempre fazia. Parecia que ele estivera tentando manter o apartamento arrumado, mas ainda havia um toque maltrapilho no lugar. Toby trouxe uma caixa de Oreos e eu peguei um. Separei-o e raspei o creme branco com os dentes. Depois, mergulhei as duas metades de biscoito no chá. Toby não comeu nada.

– Estive pensando – falei. – Sobre o que você estava dizendo. Sobre a gente poder fazer qualquer coisa.

– Sim?

– Bem, ainda estou trabalhando a ideia. Ainda não pensei em tudo.

– O suspense, June. O suspense. – Toby arregalou os olhos e sorriu. – Eu gostaria de dizer para você não se apressar, mas...

– Rá-rá – respondi, embora soubesse que não era bem uma piada na verdade. – E...

– Sim?

– Bem, eu também estava pensando que, talvez, se você quiser, podemos olhar todas aquelas pinturas. As que estão no porão.

– Tem certeza? Você acha que está pronta?

A verdade era que eu não sabia se um dia estaria pronta, mas fiz que sim de qualquer forma.

Fui na frente desta vez, direto até a gaiola, sem nenhuma hesitação. Esperei enquanto Toby abria o cadeado grudento e, depois, entrei primeiro.

Havia duas pilhas de telas pintadas sobre o palete de madeira. Talvez 30 ou 40 pinturas no total. Virei-me para olhar para Toby.

– São todas do Finn.

Ele assentiu.

– Mas aquele artigo. Você viu aquele artigo no *Times*?

Fez que não.

– Não compro jornais.

– Houve um artigo e ele tinha uma imagem do nosso retrato...

Parei, esperando para ver se ele confessaria tê-la mandado.

– Sim? – falou, sem nenhuma indicação de que sabia a respeito daquilo.

Tentei perceber se ele estava escondendo alguma coisa, mas só parecia um pouco confuso.

– Bem, dizia que o Finn tinha parado de pintar. Tipo dez anos atrás ou algo assim.

Toby balançou a cabeça, negando.

– Não, não. Ele apenas parou de mostrar seu trabalho, só isso. Você conseguiria imaginar o Finn sem fazer algum tipo de arte?

De novo, eu me senti idiota. Como se não conhecesse Finn nem de longe tão bem quanto Toby.

– Não, acho que não – respondi. – Mas por que ele pararia de mostrar?

– Ele dizia que todo aquele circo o incomodava. Assim, ele vendia uma pintura aqui e ali quando precisava do dinheiro, mas era isso. "Não preciso provar mais nada." Era o que ele dizia.

Aquilo tudo fazia sentido para mim, mas eu sabia que minha mãe acharia ridículo. Que Finn fora um tolo por deixar toda aquela oportunidade ir embora nadando.

Toby apontou para as pinturas.

– Posso sair se você quiser. Dar um tempo para você ficar com elas sozinha. Tranque e volte quando tiver terminado.

Ele estendeu a chave para mim.

Eu não disse nada e Toby virou-se para sair. Atrás das minhas costas, ouvi-o fechar a porta da gaiola. Eu queria olhar as pinturas sozinha. Não queria ter medo, mas minha mãe tinha razão. O lugar parecia saído de um filme de terror.

– Toby?

– Sim?

– Você pode ficar... Sabe, se quiser.

Ele sorriu e, antes de eu perceber, estava de volta à gaiola, esticado na *chaise longue*, servindo-se da bebida de uma daquelas garrafas de cristal chiques.

– Não vou ficar olhando para você – disse. – Finja que nem estou aqui.

Sentei-me de pernas cruzadas no chão e olhei as pinturas uma a uma. A maioria das telas era pequena para os padrões artísticos. Talvez do tamanho da porta de um micro-ondas. As primeiras eram abstratas. Formas e cores. Eu não queria achá-las chatas, mas achei. Sabia que, se fosse mais inteligente, elas provavelmente pareceriam as melhores pinturas do mundo, mas sou quem sou e quero dizer a verdade, e a verdade é que eu as achei bem chatas. Ainda assim, demorei para olhar cada uma, caso Toby estivesse me observando. Eu não queria parecer que não gostava do trabalho de Finn. Mas, depois de passar por aquelas abstratas, isso não foi mais um problema. Depois de cerca de dez dessas pinturas abstratas, havia um papel branco com a velha caligrafia de Finn. Não a letra ilegível que ele tinha quando estava doente, mas a caligrafia clara e firme que costumava ter. *QUERENDO VOCÊ AQUI (23)*. Era o que dizia.

Depois disso, fiquei 100% interessada.

As pinturas da série Querendo Você Aqui pareciam cartões postais antigos ampliados de lugares de toda a América. Cada uma tinha selos e carimbos de correio de pintura detalhada e imagens coloridas que não eram bem reais. A água era mais turquesa, os céus eram tão azuis que era quase difícil olhar para eles. Taos, Fairbanks, Hollywood. Mas a coisa mais estranha naquelas pinturas era que em cada uma delas havia algum tipo de imagem de Toby. Não como o Toby real exatamente, mas como se ele fosse transformado em outra coisa. Havia uma no Monte Rushmore, na qual o rosto de Toby estava entalhado na montanha junto com os presidentes. Uma no Alasca, em que havia um urso-cinzento com o rosto de Toby. Outra em Everglades, na qual levei um tempão para encontrá-lo, porque Finn o pintara como uma velha árvore de pântano cheia de nós.

Olhei para Toby. Ele pegara no sono na *chaise longue*, um guia de campo sobre conchas do mar aberto em cima do peito. Peguei a folha branca que cobria a pilha de pinturas, levantei-me e coloquei-a sobre ele, dobrando-a sob o queixo dele. Fiquei parada por um minuto, vendo a folha se mexer para cima e para baixo devagar com a respiração dele. Eu sorri, porque era a primeira coisa que eu fizera até então que talvez pudesse contar como cuidar dele, e a sensação de fazê-lo foi boa. Como se talvez eu estivesse no caminho certo.

Depois de um tempo, voltei para as pinturas. Algumas eram tão ridículas que não pude deixar de rir alto. Acho que a minha favorita foi a do Arizona, na qual Toby era um enorme cacto saguaro com uma coruja morando bem no meio dele. Comecei a rir porque a coisa toda era muito, bem... boba. Era a única palavra para aquilo. Devo ter acordado Toby, porque no segundo seguinte ele estava ali, ajoelhado no chão atrás de mim, olhando por cima do meu ombro, dizendo "não entendo o que é tão engraçado" antes de explodir em risadas.

– Não acredito que eu a deixei ver isso, June Elbus.

– Também não acredito – falei.

E, depois, uma porta foi batida em algum lugar do porão e nós dois congelamos.

– Psiu – Toby disse.

Consegui ouvir alguém pegando a roupa lavada. Uma porta de secadora sendo aberta e Toby dizendo "psiu" de novo. Mudei para a pintura seguinte. Lá estava o rosto de Toby em um salmão inuíte estilizado pulando corrente acima. Dizia *Colúmbia Britânica* e o peixe Toby estava pulando pelo "c" de "Colúmbia". Soltei uma risada alta e Toby olhou para baixo, vendo exatamente a mesma coisa e, depois, rindo também.

Nós dois nos esforçamos muito para não rir, mas não conseguimos. Eu não consegui.

– Ei, quem está aí? – a voz de um velho chamou da lavanderia.

Toby me puxou para ele, dizendo "psiu, psiu" de novo e de novo. Colocou os braços em volta de mim e a palma ampla sobre minha boca, tentando me fazer parar de rir. Os braços dele pareciam mais fortes do que eu teria imaginado. Muito mais fortes. Fiquei ali quieta e pensei: *Esta é a sensação de ser o Finn. Esta é a sensação de ser abraçado por quem você ama.* Passei para a pintura seguinte, esperando outro cartão postal, mas, em vez disso, era Finn. Um autorretrato olhando bem para nós. Não havia nada demais nele. Era Finn com seu chapéu azul, os olhos azuis parecendo tentar dizer alguma coisa sem palavras. O velho continuava berrando, e a mão de Toby ainda estava sobre a minha boca. Pude sentir os dedos dele contra meus lábios e nós não estávamos mais rindo. Ambos estávamos encarando Finn.

– Apareça, que droga – disse o velho.

E a umidade terrosa do porão e os dedos de Toby que pareciam lábios contra os meus. E os olhos de Finn, dizendo *eu te amo, June*. E, sem pensar, minha boca se abriu e eu me senti beijando os dedos de Toby. Delicado e suave, olhos fechados, imaginando tudo e nada, e pude sentir os braços dele cada vez mais fortes, sua respiração no meu cabelo. E, depois, senti um beijo. Um único beijo suave na minha nuca.

Nos dias seguintes, fui ver Toby sempre que conseguia. Às vezes eu pegava o trem logo depois da aula. Em outras vezes, saía mais cedo. Cabulava a aula de educação física ou de economia doméstica ou, às vezes, até a de espanhol, se estivesse me sentindo ousada.

Acho que Nova York era o lugar perfeito para Toby morar porque era, talvez, o único lugar onde ele nunca ficaria sem restaurantes novos.

Com Finn, a gente tinha lugares. Horn & Hardart. O Cloisters. Lugares para onde voltamos tantas vezes que começaram a parecer um lar. Toby era solto. Não se prendia a nada. Exceto, talvez, a Finn. Foi o que comecei a perceber. Sem Finn, Toby era como uma pipa sem ninguém segurando o fio.

Certa tarde, Toby tentou me ensinar a fazer a bicicleta no circo de pulgas. Depois de 15 minutos tentando fazer parecer que a pulga estava andando naquela bicicleta, descobri o quanto Toby era bom. Às vezes parecia, para mim, que havia mesmo alguma coisa andando naquela bicicleta. Mesmo parada bem ao lado de Toby, eu tinha aquela sensação. Minhas mãos se mexiam como se fosse feitas de argila grossa. E sei que meu rosto entregava tudo. Todo mundo podia ver que eu estava mexendo uma mão debaixo do palco.

Porém, Toby não desistia. Ele me fez tentar de novo e de novo, até que, na hora em que eu tinha de ir para casa, conseguira fazer a bicicleta se mexer devagar pelo picadeiro. Sei que foi vergonhoso e lento e horrível, mas Toby foi paciente e não pareceu se importar. Algo de que eu estava começando a gostar nele era que nunca mentia para mim. Ele nunca tentava me bajular fingindo que eu era um gênio do circo de pulgas em desenvolvimento. Nunca dizia "bom trabalho" ou "maravilhoso" ou qualquer outro comentário idiota e sem sentido do tipo. Nunca parecia estar falando com uma criança. Quando ele dizia alguma coisa, eu podia acreditar nele.

No final daquele dia, disse:

– Continue tentando. Prometo que você vai melhorar.

Foi tudo o que disse, mas fiquei feliz porque sabia exatamente o que queria dizer.

Em outra vez, andamos pelo Central Park e, depois, para o centro até Chinatown. Toby falou de tocar violão, seus dedos impossivelmente longos dedilhando no ar. Eu contei a ele sobre o bosque, e os lobos, e pular corda para trás e ele não riu nem um pouco de mim. Acabamos em um lugar chamado Cheng Fat Lucky Fortune, onde pedimos legumes mu shu com panquecas extras. Toby pediu uma Tigela Vulcão, que se revelou uma bebida grande e louca que pegava fogo.

Ela veio em uma enorme tigela de cerâmica com imagens de dançarinas de hula-hula e palmeiras do lado de fora, e havia guarda-chuvas de papel e pedaços de abacaxi e cerejas ao marrasquino e canudos longos. Era doce como coco e ponche havaiano misturados e quase nem tinha gosto de álcool. Bebemos e conversamos e comemos, embora eu tenha reparado que fui eu quem mais comeu. Toby apenas empurrou a comida pelo prato. Aquele dia foi a primeira vez que fiquei bêbada; fiquei feliz por saber que foi uma Tigela Vulcão que fez isso. E, de repente, entendi que ficar bêbada era apenas mais um jeito de deixar este lugar, esta época. Saímos cambaleando do Cheng Fat Lucky Fortune e, conforme minha cabeça girava, eu me perguntava aonde Greta fora. No meio do bosque, enterrada em folhas, totalmente bêbada... Quão longe ela fora?

Toby colocou o braço em volta de mim para me dar equilíbrio na calçada do lado de fora do restaurante. Olhei para ele através de olhos embaçados.

– Estamos apenas nós agora, não é? – perguntei.

Mas, mesmo enquanto as palavras saíam, eu sabia que não era bem verdade. Finn sempre estaria ali.

E, então, pensei em algo terrível. Pensei que, se Finn ainda estivesse vivo, Toby e eu nunca seríamos amigos. Se Finn não tivesse pegado AIDS, eu nunca teria conhecido Toby. Aquele pensamento estranho e horrível ficou girando na minha cabeça confusa. Depois, pensei em outra coisa. E se tivesse sido a AIDS que fizera Finn finalmente se estabelecer num lugar? E se, mesmo antes de ele saber que tinha a doença, a AIDS o estivesse deixando mais devagar, puxando-o de volta para a família, fazendo-o escolher ser meu padrinho? Era possível que, sem a AIDS, eu nunca tivesse conhecido Finn ou Toby. Haveria um grande buraco cheio de nada no lugar de todas aquelas horas e todos aqueles dias passados com eles. Se eu pudesse viajar no tempo, seria altruísta o bastante para evitar que Finn pegasse AIDS? Mesmo se isso significasse que eu nunca o teria como amigo? Eu não sabia. Não fazia ideia de quão ganancioso meu coração era.

Fiquei parada olhando para o céu sobre a Canal Street enquanto ele passava de laranja para um rosa empoeirado. Uma senhora idosa arrastava um carrinho de compras cheio de sacolas pela rua, fazendo *clique clique clique* sobre a calçada. O sol continuava escorregando para longe, e imaginei quantas coisas pequenas e boas do mundo poderiam estar se apoiando nos ombros de algo terrível.

Olhei para Toby. Seus olhos estavam fechados e ele estava sorrindo como se estivesse se lembrando do melhor momento da sua vida e, de repente, entendi que isso não duraria para sempre. Não podia. Não era apenas porque eu sabia que, cedo ou tarde, seria pega por cabular aulas. Não era nem porque a época de impostos estava quase acabando e os meus pais voltariam a vigiar tudo o que eu fazia. Não era porque eu sabia que Toby morreria. Não sei como falar isso sem dizer que tudo aquilo parecia frágil. Sentia como se fosse feito de algodão-doce.

Mas eu não queria pensar nisso. Tinha encontrado um amigo. E comecei a acreditar que Toby queria me ver por minha causa. Não apenas por causa do que eu sabia sobre Finn. Sei que já tinha cometido esse erro antes, não entender quem eu era para as pessoas. Para Beans. Para Ben. Para Finn. Talvez até para Greta. Mas Toby não tinha ninguém. Não parecia haver nenhuma maneira de eu poder estar caindo na mesma armadilha de novo.

Quarenta e cinco

Minha mãe procurou dentro da bolsa. Era quinta-feira de manhã, antes da aula. Estava nublado lá fora, e os galhos mais altos do bordo estavam balançando ao vento. Meu pai fora antes para o escritório, mas o primeiro compromisso da minha mãe era mais tarde, e, assim, ela decidiu encontrá-lo lá. Ela já estava com a roupa de trabalho: um dos seus ternos azuis-escuros com grandes ombreiras. Andava pela cozinha como se estivesse em outro planeta quando estava com roupa de trabalho, sempre ficando afastada do balcão, com cuidado para não raspar em nada gorduroso ou molhado.

– Você vai comprar o almoço hoje, não é, June?

Eu geralmente comprava o almoço. Pizza. Bolinhos de batata fritos. Refrigerante. Tudo muito melhor do que um sanduíche molenga e molhado de mortadela bolonha em um saco marrom molenga e molhado. Eu comecei a dizer sim, mas me contive.

– Não sei. Pensei em talvez levar o almoço hoje. Um sanduíche de manteiga de amendoim com geleia ou algo assim?

Foi a ideia da mão da minha mãe feita na manicure segurando o pão, espalhando a manteiga de amendoim em uma camada fina e regular, colocando uma colher com a quantidade certa de geleia. A ideia de ela cortar meu sanduíche na diagonal e, depois, embalá-lo com capricho em um papel parafinado. Foi a ideia de ela fazer isso para mim, cuidar de mim assim, que me fez pedir.

Minha mãe fechou a bolsa com um clique e levantou os olhos para mim.

– Tem certeza?

Fiz que sim com força.

– Sim.

Ela colocou a bolsa no balcão e começou a enrolar as mangas do terno. Estendeu a mão para o armário e tirou os vidros. Depois, parou e virou-se para mim.

– Sabe, Junie, você tem 14 anos agora. Acho que com certeza consegue fazer um sanduíche. Tome.

Empurrou o vidro de manteiga de amendoim pelo balcão e desenrolou a mangas. Mesmo sem ter uma única migalha nela, passou as mãos pela frente do terno. Fiquei olhando para o vidro por alguns segundos.

A questão é que, se minha mãe fizesse ideia do que eu tinha na mochila, ela teria feito o sanduíche para mim. Se soubesse que eu procurara bastante pela casa até finalmente encontrar a pequena chave para a caixa à prova de fogo que ficava no fundo da gaveta de lingerie dela, se soubesse que eu destrancara a caixa e tirara meu passaporte, que eu estava com ele naquele exato segundo dentro de um saco Ziploc no fundo da mochila, se soubesse por que eu estava com ele, se soubesse pelo menos um pouco de tudo isso, talvez tivesse feito aquele sanduíche de manteiga de amendoim e geleia para mim. Ela não teria dito "você tem 14 anos agora" como se pensasse que eu era uma adulta responsável. Não. Se soubesse meu plano, teria dito "você *só* tem 14 anos". Depois, teria me dito que era loucura pensar em ir para a Inglaterra tendo *só* 14 anos. Loucura até mesmo planejar isso. E isso seria antes de ela saber que eu iria com Toby.

Mas ela não sabia nada disso. E, naquele instante, não queria sujar o terno de trabalho com geleia de uva grudenta. Assim, em vez de fazer um sanduíche para mim, ela sugeriu que 14 anos era algum tipo de momento de reviravolta na minha grande jornada para virar uma mulher adulta.

– Não precisa – eu disse depois de alguns segundos. – Tanto faz. Vou só pegar o dinheiro.

Minha mãe me lançou um olhar decepcionado. Depois, eu lhe devolvi um. O meu foi por tudo, não apenas pelo sanduíche.

Quarenta e seis

– Toby?

– June?

– Bem, hum... Eu só estava pensando se você gostaria de ir assistir a *O Nome da Rosa* comigo. Algum dia. Qualquer hora. Sabe, se quiser.

Era a primeira vez que era eu quem convidava Toby para alguma coisa. Até então, sempre fora ele. Eu tinha largado a mochila no chão da cozinha e ligado para ele assim que chegara em casa. Em geral, eu tinha pelo menos uma hora com a casa vazia e arrastara o telefone até a estreita despensa ao lado da cozinha, onde havia um banco para eu me sentar.

Escolhi *O Nome da Rosa* porque é sobre monges medievais em um monastério remoto na Itália. É um mistério de assassinato e diziam que era muito bom, e, assim, pensei que Toby fosse concordar na hora, mas não concordou. Ele não disse nada por tanto tempo que pensei que algo lhe acontecera.

– Toby?

– Eu não sou o Finn, sabe?

Foi a minha vez de ficar quieta. Depois de um tempo, eu disse "sim, e daí?" com um tom meio *dã*, porque não entendi o argumento dele.

– Bem, não sei, talvez eu não goste.

Pensei naquilo por um segundo.

– Bem – respondi com paciência. – Eu também não sou o Finn.

– É só que, sabe, não vou ajudar em nada. Será como ir ao cinema com qualquer velho idiota.

– *Disso* eu já sabia – falei.

Ele riu, mas apenas um pouco.

– Então, vamos. Diga sim.

Ele riu de novo, mas desta vez foi uma risada maior. Mais real.

– Sim. Sim, tudo bem. Estou sendo bobo.

Eu disse a ele que me policiaria para não ter nenhum pensamento realmente inteligente enquanto assistíssemos ao filme e, depois, ele brincou mais sobre ser idiota e, antes de eu perceber, nós dois estávamos gargalhando ao telefone.

Eu disse que ligaria para ele em breve, quando descobrisse onde o filme estava passando. Foi assim que a situação ficou. Saí da despensa para a cozinha, segurando o telefone, o rosto todo quente por causa de toda a risada, pensando que eu estava fazendo um bom trabalho cuidado de Toby.

É quase em câmera lenta a maneira como me lembro. Meu braço estendendo-se para desligar o telefone. O som de alguém limpando a garganta atrás de mim e eu me virando para olhar. Posso ver quadro a quadro. Meu sorriso sumindo quando a vi, enquanto entendia a cena toda. Greta. Sentada à mesa da cozinha com seus pijamas sedosos da Victoria's Secret. Em frente a ela, cada coisa do fundo do meu guarda-roupa. O papel de embrulho azul de borboletas. O saco de papel com as fitas do *Requiem*. As próprias fitas espalhadas pela mesa. A foto elisabetana de Toby comigo, olhando para fora com aqueles rufos grandes e idiotas. O bule de chá com o fio de um saquinho de chá pendurado para fora. E, o pior de tudo, os bilhetes de Toby, desdobrados e obviamente lidos por Greta.

Ela ficou sentada sem expressão.

– Você está em casa – eu disse, tentando, por algum motivo louco, parecer inocente e casual.

Percebi que ela devia ter esperado até me ouvir entrar. Devia estar à espreita em algum lugar, esperando o momento de eu chegar em casa.

– Doente – falou. – Gripe estomacal. – Ela balançou a cabeça para a frente e para trás, soltando a coisa toda da forma mais dolorosa que conseguiu. – Você pelo menos sabe em quanta encrenca se meteu?

Não me mexi.

– Você faz ideia de quantos problemas o Toby vai ter quando a mamãe e o papai descobrirem que ele a atraiu para ir se encontrar com ele?

– É assunto meu, Greta – declarei, mas ela simplesmente continuou.

– Ninguém vai se importar que ele é gay. Ele é adulto. Isso é tudo. Ele é adulto e você é criança e isso é tudo que todo mundo vai ver. Ele vai ser preso por ser um pervertido e, depois, vão descobrir que ele passou AIDS para o Finn e ele vai para a prisão. Ele. Passou. AIDS. Para. O. Tio. Finn. Você nem se importa com isso? Qual é o seu problema?

Qual é o meu problema? Qual é o meu problema?

– Ele não estava me atraindo...

– Então foi tudo ideia sua? Esse é o seu *namorado*? – Greta riu.

– Não. Não foi isso que eu quis dizer. Eu quis dizer...

– Eu sabia que você estava mentindo. Eu sabia – ela disse, sorrindo. – Como se você tivesse de verdade um namorado. No que eu estava pensando? Você é a maior perdedora, June.

A voz dela estava aguda e assustadora.

– Eu... Ele...

– Ele o quê? Ele é o seu novo melhor amigo? Eu a ouvi no telefone. Rindo sem parar. Babando por ele. *Como se fosse possível*, June. Como se ele quisesse passar o tempo ao telefone com você.

– Você não sabe nada sobre isso. Você é tão idiota. Você é uma idiota completa.

Eu queria vomitar tudo o que sabia. Queria contar a ela sobre o bilhete de Finn e que nenhum deles sabia nada sobre AIDS. Que não era culpa de Toby. Mas sabia que Toby não me deixaria fazer isso. E talvez estivesse com medo de Greta me contar coisas que eu não queria ouvir. Que ela invertesse a história até eu não saber mais o que era verdade.

Greta não disse nada por alguns segundos. Ela me olhou de cima, aquele sorriso ainda preso nos lábios.

– É tão óbvio, June.

E, antes de eu poder me conter, caí bem na armadilha dela.

– O que é tão óbvio? O quê?

– Você é apenas uma maneira de ele se sentir menos culpado. O Toby disse que não foi ele, certo? Foi o que ele disse? Mas ele sabe que passou AIDS para o Finn e agora quer uma passagem para sair da culpa. Por qual outro motivo ele gastaria seus últimos dias no planeta com *você*?

Às vezes, o que Greta falava era tão afiado que eu podia mesmo sentir suas palavras cortando meu interior, abrindo caminho até meu estômago e meu coração. Eu sabia que ela estivera olhando para mim, lendo meu rosto, e, assim, tentei endurecer o mais rápido que pude. Mas, ainda assim, ela já vira minha reação.

– Você sabe que é verdade – disse.

– Você não sabe nada sobre nós – avisei, mas minha voz estava trêmula, incerta.

Ela tombou a cabeça para o lado e olhou para mim.

– Então é "nós" agora, hein?

Eu sabia que, quando Greta ficava assim, ela conseguia transformar imediatamente qualquer coisa que eu dissesse. Era como se ela fosse mestra em escultura e minhas palavras fosse a bola de argila na sua palma quente. Um milhão de possibilidades esperando para serem formadas. Eu podia dizer qualquer coisa e Greta a tornaria idiota e ingênua. Mas talvez ela estivesse certa. Talvez não fosse ela que pudesse mudar minhas palavras; talvez conseguisse descascar todas as minhas camadas até restar apenas a verdade. Feia e sem pele e crua.

Meus ombros caíram e pensei que talvez fosse chorar na frente de Greta pela primeira vez em anos. Lá estavam todos os meus segredos, espalhados para todos verem. Olhe, aqui estão as esperanças idiotas dela! Olhe, aqui está o tolo coração mole dela!

Mas então observei Greta pegar o bule e colocar chá na sua caneca. Ela serviu com precisão e limpeza, nem uma única gota se derramou. Apoiou o bule de novo na mesa, passando um dedo ao redor da tampa antes de pegar a caneca.

As mãos dela estavam no *meu* bule de chá, meu bule de chá de Finn e, naquele momento, todo o resto desapareceu. Encarei o dedo dela descansando sobre o bico e a raiva inchou tanto no meu peito que eu realmente achei que poderia matar Greta bem ali, naquele instante. Ela soprou pela parte de cima da caneca e, depois, deu um golinho de dama, e eu pensei que poderia dar socos nela de novo e de novo. Andei na direção dela e, então, parei no meio da cozinha. Depois, gritei o mais alto que consegui. Cada coisa maldosa que Greta já fizera estava envolvida naquele grito. Cada observação arrogante. Cada sarcasmo. Cada ameaça o deixou mais e mais alto, até eu poder ver que enfim eu a assustara.

– Tire as mãos das minhas coisas! – gritei em uma voz que veio de algum lugar que eu não conhecia.

Greta baixou a caneca devagar para a mesa e me encarou, estupefata, mas apenas por um segundo. Passou uma mão pelo cabelo e, depois, alcançou atrás da cabeça para apertar o rabo de cavalo.

– Muita, muita encrenca – disse, balançando a cabeça de um lado para o outro.

– Eu te odeio – gritei.

Depois, eu me joguei nela. Não me importava com mais nada. Agarrei o seu cabelo e ela me chutou com força no joelho. Pulei para trás, ainda segurando o cabelo dela com uma mão. Ela deu um gritinho e, depois, segurou o próprio cabelo e arrancou-o de mim.

– Pare – Greta falou, levantando uma mão. – Psiu. A mamãe.

Nós duas congelamos.

Ouvi a porta do carro ser batida e percebi que Greta ganhara de novo. Ela adoraria cada minuto da cena de minha mãe entrando e achando todas aquelas coisas. Eu não sabia o que fazer. Virei-me, esperando ver Greta aperfeiçoar sua cara de inocência para a minha mãe, mas, em vez disso, vi que ela estava tão em pânico quanto eu.

– Rápido – disse.

Ela correu para o armário sob a pia e puxou um saco preto de lixo. Sacudiu-o para abrir e, com uma passada do braço, tirou a maioria das coisas da mesa. Eu peguei o bule, derramando chá do bico no processo. Escondi-me no banheiro do andar de baixo e fechei a porta. Baixei com força a tampa do assento e me sentei ali, curvada sobre o bule.

Pude ouvir as palavras abafadas da minha mãe e de Greta na cozinha, Depois, apertei a orelha contra a porta e pude escutar tudo com clareza. Aquele era o banheiro da espionagem e, pela primeira vez, eu seria a espiã.

– ... me sentindo muito melhor mesmo... dando uma boa arrumada no meu quarto – ouvi Greta falar, imaginei-a segurando o saco de lixo.

– Aah – minha mãe disse. – Que ótimo. Preciso ver isso.

– Quando estiver pronto – Greta declarou, sem hesitar nem um segundo.

Depois, ouvi a porta abrir e fechar.

Derramei o chá na pia e olhei ao redor naquele pequenino banheiro à procura de um lugar para esconder o bule. Não havia nenhum. Abri a porta apenas um pouco e espiei. Terreno livre.

Subi a escada correndo até meu quarto com o bule debaixo do braço, fechei a porta depois de entrar, com cuidado para não batê-la, e deslizei o bule para debaixo da cama. Inspirei longa e demoradamente algumas vezes, acalmando-me.

Pelo menos o *Book of Days* estava na minha mochila, mas, assim que pensei nisso, percebi que deixara a mochila bem no meio do chão da cozinha. Desci os degraus três por vez.

Minha mãe empilhara sua pasta e seu casaco na mesa e estava olhando o rastro de chá que saía da sala e ia para o corredor. Minha mochila estava onde eu havia deixado, e eu rapidamente a peguei com uma das mãos.

– Ah, Junie, eu não sabia que você já estava em casa. Consegui sair cedo para ver a Greta. Ela estava muito mal hoje de manhã. Você sabe alguma coisa...? – Ela apontou para a bagunça de chá.

– Ah, é – falei. – Fui eu.

Arranquei um punhado de toalhas de papel do rolo e comecei a limpar, seguindo a trilha até o banheiro.

Na porta do banheiro, virei-me. Minha mãe me observava. Ela fez que não com a cabeça e voltou para a cozinha.

Greta me fez limpar o quarto dela todo para não ser pega na mentira. Separei todas as roupas empilhadas no chão e sobre a cadeira enquanto ela mexia em papéis na escrivaninha. Eu teria adorado perguntar por que ela tinha me salvado, por que ter todo aquele esforço de me mostrar o que sabia apenas para me livrar no final, mas não me dei ao trabalho. Sabia que ela não me diria nada. Além disso, ela estava com o walkman. Eu podia ouvir um eco baixinho de Bon Jovi gritando *Livin' on a Prayer*, a plenos e estúpidos pulmões.

Mais tarde, quando meus pais estavam vendo o noticiário, Greta bateu na minha porta e, depois, abriu-a antes de eu responder. Ela entrou e ficou com as costas pressionadas contra a porta. Ficou me olhando e, depois, deixou os olhos irem rapidamente de uma coisa para outra do meu quarto.

– O que foi? – perguntei.

– Eu só queria avisar que você está passando seu tempo com um ex-presidiário.

Eu estava deitada na cama e coloquei a mão embaixo do travesseiro à procura de Célia, minha antiga foca de pelúcia. Ela era o único animal de pelúcia que eu ainda mantinha na cama. Coloquei os dedos no lugar do pescoço dela em que todo o enchimento tinha afinado, fazendo a cabeça dela cair para um dos lados.

– Do que você está falando?

Percebi o brilho levíssimo de um sorriso nos lábios de Greta. Ela apostara e vencera. Não se apressou, olhando pelo quarto, deixando seus olhos pararem por um momento na porta do guarda-roupa.

– Toby. Seu *amigo especial.* Ele esteve na prisão. É um ex-condenado.

O rosto dela parecia quase igual a como estava no retrato de Finn. Cheio do prazer de soltar um segredo.

– Eu...

Meu rosto estava quente. Esfreguei o polegar para a frente e para trás contra o pelo da foca. Meu pai dissera que Toby havia tido problemas, mas não pensei que fosse *esse* tipo de problema.

– Não há nada a dizer, June. É a verdade. Ele conheceu o Finn na prisão.

– O Finn não foi preso. Não tem jeito...

– Não, dã. O Finn estava dando um workshop de arte. O Toby estava participando. Foi assim que eles se conheceram.

Greta tirou um livro da minha prateleira e o folheou, como se estivesse planejando ficar ali a noite toda, como se simplesmente tivesse aparecido para fazer uma leitura leve.

– Como você sabe?

Ela não respondeu. Baixou o livro, colocou-o na escrivaninha e levantou as sobrancelhas. Ficou parada balançando a cabeça e fazendo *tsc, tsc, tsc* para mim.

– Eu sei que é difícil encontrar amigos, June, mas um ex-presidiário cheio de AIDS é ir muito ao fundo do poço. Principalmente um que matou seu tio.

– Você é tão mentirosa – falei, mas sabia que ela não estava mentindo.

Greta era pequena, mas parecia enorme quando tinha informações. Ela estava enorme naquele momento. Pelo menos uma vez e meia o seu tamanho. Até mesmo a maneira como estava – ereta, as costas pressionadas contra a porta de novo, os braços cruzados na frente do peito – era cheia de verdade.

– Que seja – declarei.

Achei que ela iria embora então, mas não foi. Olhou para o tapete como se estivesse pensando em alguma coisa. Depois, com uma voz que parecia menos segura, disse:

– Sabe... Sabe, June, por que não promete simplesmente que não vai vê-lo de novo e eu te deixo em paz?

Puxei Célia de debaixo das cobertas. Ouvi a TV ser desligada no andar de baixo e, depois, o som dos meus pais conversando e pratos batendo na pia.

Greta ficou parada e, por um segundo, pensei que ela poderia chorar. Os olhos dela estavam inchados, mas ela não desviou o olhar. Continuou olhando diretamente para mim, como se quisesse que eu visse que estava à beira das lágrimas. Como se esperasse pela minha resposta. Eu não disse nada. Não fiz nenhuma promessa para ela de não ver Toby, porque eu sabia que seriam promessas que não poderia cumprir. Depois de um tempo, o corpo todo de Greta pareceu afundar um pouco, como se tudo aquilo, todo aquele plano cruel, tivesse de alguma maneira saído pela culatra. Como se ela não tivesse mais cartas para jogar. Depois, ela se ergueu de novo. Levantou a cabeça e me encarou.

– Sabe... Eu pensei que, depois que o Finn se fosse... Eu pensei que você e eu...

– Você pensou o quê? Que poderia me atormentar em tempo integral?

– Não, eu...

Depois, ela começou a chorar e, em uma voz cheia de decepção trêmula e molhada, falou:

– Prisão, June. Cadeia. – E saiu pela porta.

– Eu não me importo – respondi para suas costas enquanto ela saía do quarto.

Tarde naquela noite, saí escondida até as latas de lixo. Estava esperando que Greta tivesse deixado o saco com as minhas coisas por cima, mas ela não tinha. Ela o abrira e tirara todas as coisas. Parecia que devia ter colocado o braço até muito para baixo e escondido tudo debaixo da sujeira de uma semana de jantares. Devia ter ficado imunda fazendo isso. Também fizera um bom trabalho. A única coisa que eu consegui resgatar foi a foto do Playland. E mesmo ela estava estragada. Molho de espaguete manchara todo o lado de Toby da foto. Lá estava eu, sentada, toda bem-vestida e antiquada ao lado de um borrão nojento de vermelho. Embora eu tivesse dito que nunca faria nada assim, no final teria de cortar e tirar Toby da foto.

Eu subi e verifiquei o fundo do meu armário. Tudo tinha sumido. Cada coisinha especial. Mexi em algumas coisas para ver se ela acidentalmente deixara algo para trás. Mas não, nada.

Exceto as pulseiras pretas. As que ela trouxera da cidade naquele domingo. As que dissera ter comprado para mim. Essas ela pendurara com cuidado em um dos ganchos de metal na parede do fundo.

Tudo o que restara eram o *Book of Days* na minha mochila e o bule. E o dinheiro que Toby me dera, que estava em minha gaveta de lingerie enrolado em uma camisetinha branca meio infantil que eu nunca havia usado. Tirei o bule de debaixo da cama e o envolvi com as palmas das mãos. Pelo menos eu ainda tinha isso. Ainda tinha o melhor bule de chá do mundo. Tracei os ursos dançantes com o dedo. Cada um cambaleando sobre apenas duas pernas, patas descontroladas, agarrando o ar. Olhei para eles e, de repente, vi que na verdade não estavam dançando, apenas pisando em falso por aí. Como grandes criaturas desajeitadas prestes a perder o equilíbrio.

Quarenta e sete

– Não posso ir hoje.

– Por quê?

– Diário. Anotações no diário durante um trimestre e meio para a aula de inglês.

– Você entrega seu diário para ser lido pela professora?

– É, e eu não fiz uma única anotação ainda.

– Isso é ridículo. A ideia toda de um diário é...

– É. Eu sei. Mas é assim que é. Não é como se todo mundo escrevesse seus segredos mais profundos. Não é como se eu fosse escrever alguma coisa sobre você.

Eu estava sentada no chão da despensa, apoiada na parede, mas me colocara de um jeito que poderia ver se alguém entrasse na cozinha.

– Então, faça depois – Toby disse.

Achei que sua voz parecia mais rouca do que o normal, irregular.

– São quatro meses de anotações. São, tipo... Não sei, 50. Talvez mais. Acho que vou ter que vê-lo na próxima semana ou algo assim.

Eu não queria falar o resto. Não conseguia me fazer contar tudo o que acontecera com Greta. E era verdade. Eu tinha mesmo de escrever o diário. Era 25% da nossa nota em inglês, e eu não podia me dar ao luxo de estragá-lo.

Toby ficou em silêncio. Depois de um tempo, disse:

– Eu poderia ajudar. Se acha que pode dar certo. Fazer companhia.

– Não sei.

– Ah, vamos. Prometo que será melhor do que ficar sentada em casa sozinha.

Eu não esperava que Toby oferecesse ajuda.

– Você não precisa fazer isso. Está tudo bem.

Ele suspirou.

– Eu quero que você venha.

Fiz uma pausa. Por que eu estava deixando Greta entrar na minha cabeça? Pude ouvir a maneira como eu estava falando com Toby e não queria ser daquele jeito. Parecia que eu o estava testando. Vendo quão fácil seria fazê-lo desistir.

– Bem... Ajudar fazendo xícaras de chá e encontrando algumas fitas boas para tocar ou ajudar me atraindo para ir beber Tigelas Vulcão?

– A primeira opção, é claro, June. O que você pensa de mim?

Fiz uma pausa. Pensei em contar que eu sabia que ele estivera na prisão, mas não consegui.

– Certo. Mas você tem que prometer de verdade que não vai ser uma distração, combinado?

– Combinadíssimo – ele falou, em uma tentativa bizarra de fazer sotaque americano.

Quando cheguei ao apartamento, Toby estava ouvindo um jazz meloso e estava sentado em uma cadeira, fingindo ler um livro. Era fácil perceber quando alguém fingia ler, porque os olhos se mexiam demais. Para cima e para baixo e por toda a página. De alguma maneira, o fato de ele estar fingindo ler não parecia um bom sinal. Fiquei feliz por ter começado meu trabalho no trem.

– Eu trouxe uma coisa para você – falei.

– Sério?

Entreguei para ele uma pequena caixa, desajeitadamente embrulhada em papel vermelho estampado com as palavras "novo bebê", que foi o único tipo que consegui encontrar em casa. Ele baixou o livro, que eu vi ser uma cópia velha e batida de *Os Contos de Cantuária*, e pegou a caixa.

– É bobo – eu disse.

– Tudo bem. Adoro coisas bobas.

Toby chacoalhou um pouco a caixa perto da orelha.

– Abra mais tarde, combinado?

Ele fez que sim e colocou a caixa sobre a lareira.

Empurrei a mesa de centro para o lado, joguei meu diário no chão e me espalhei pelo tapete, deitada de barriga para baixo.

– Vá em frente, então – Toby disse.

– O quê?

– Leia para nós. Vamos ver o que você tem até agora.

– Não. Sem chance.

– Pensei que você quisesse a minha ajuda. Não posso ajudar se não souber o que você já tem.

Pensei nos bilhetes que Toby escrevera para mim. Escrever não parecia ser uma das grandes habilidades dele.

– Não preciso desse tipo de ajuda. Só, não sei, talvez um lanchinho ou algo assim.

– Por favor.

– Não. É pessoal.

Ele me deu um olhar do tipo "até parece".

Depois de um tempo, eu não aguentava mais ouvir Toby implorar e cedi. Li para ele uma das minhas anotações, que ele acusou de ser dolorosamente entediante e, depois, inventou algo ridículo que eu devia usar no lugar dela. Continuamos fazendo isso, discutindo bastante até enfim conseguirmos um bom ritmo e estabelecermos que nos revezaríamos para ter ideias. Eu inventei anotações sobre dança do ventre, escolher meu próprio falcão e ser escolhida como a jovem cravista do ano. As ideias de Toby eram mais sombrias. Ele pensou em algo sobre cegueira temporária e outra coisa sobre um fantasma que assombrava a máquina de lavar, mas apenas quando lavava no ciclo delicado. Sempre cuidávamos para que as ideias loucas estivessem enfiadas em uma anotação que parecesse normal. Ficamos sentados fumando e rindo e bebendo chá com conhaque, e eu fiquei feliz por ter decidido ir. Estava um pouquinho preocupada com o que aconteceria se a Sra. Link realmente lesse o diário, mas não me importava de verdade. Era assim que Toby fazia a gente se sentir. Decidi que Greta estava errada sobre tudo.

Depois, chegamos a 5 de fevereiro. O dia em que Finn morreu.

Nenhum de nós disse nada no começo. Depois, Toby deslizou o caderno na minha direção. Ele ficou ali no tapete, no meio do caminho entre nós dois. Até então, tínhamos encontrado maneiras de evitar colocar Finn no diário. Não exatamente de propósito. Era mais como se nós dois soubéssemos que não deveríamos mencioná-lo. Mas era impossível não pensar nele naquele instante. Aquela página vazia implorando algumas palavras.

Eu poderia ter pulado o 5 de fevereiro. Poderia ter deixado a página em branco ou poderia ter escrito alguma coisa entediante lá. Mas parecia errado. Talvez fosse bobagem, mas parecia desrespeito com Finn fazer isso.

Deslizei o caderno para Toby.

– Você primeiro – eu disse.

– June, olhe, eu não consigo. Eu realmente, realmente não consigo. Você não estava lá. Você não sabe...

Não era primeira vez que ele falava algo assim, e as palavras ficaram no ar.

Você não estava lá.

Você não sabe.

Eu não disse nada no início. Deixei aquelas palavras se infiltrarem na minha cabeça. Deixei-as serpentearem até entrarem no meu coração. Fiz que sim com a cabeça devagar e, depois, fechei o caderno com um dedo. Levantei-me e fingi olhar para o relógio.

– Ah, June. Não vá. Eu... Você não sabe como foi. Você não...

– Meu Deus – eu gritei. – Só cale a boca. Cale. A. Boca. Pare de dizer isso.

Senti-me cheia de um tipo de raiva que eu não sabia que tinha. Como se quisesse pular em Toby e surrar os braços magrelos dele com meus punhos. Não sou uma pessoa violenta. Não achei que fosse uma pessoa violenta, mas, naquele momento, algo perigoso parecia estar acordando. Alguma coisa dura, sombria e adormecida do fundo da minha barriga acabara de abrir os olhos.

E assim foi. Simplesmente assim. Parecia que uma bexiga havia estourado dentro do meu peito, deixando toda a raiva vazar. Fiquei parada ali, esgotada. Olhei para o caderno apertado na minha mão, minhas unhas afundando-se no papelão azul-celeste.

A boca de Toby estava aberta, como se ele procurasse algo para dizer.

– Desculpe – eu disse.

– Tudo bem. É culpa minha.

Ele escorregou para o lado no sofá e eu me sentei ao lado dele. Apoiei a cabeça no mesmo braço magrelo que apenas um minuto antes eu quisera esmurrar e Toby enrolou os dedos longos no meu cabelo. Senti-o desfazer uma das minhas tranças e, depois, trançá-la de novo. De novo e de novo ele fez isso enquanto dizia "tudo bem. É culpa minha" até parecer que nem estava mais falando comigo.

Naquela noite, dormi em chochilinhos espasmódicos. Sonhei com lobos de origami desdobrando-se das páginas do *Book of Days*. Eu os vi chacoalhando-se para tirar as dobras até estarem inteiros e musculosos. Peludos e correndo. Pulando direto da minha escrivaninha, no ar, pairando sobre minha cama. Dentes encharcados de baba. Sonhei que tentava dobrá-los de novo várias vezes, mas não conseguia. Eles sabiam onde eu morava.

– É só uma coisa de habilidade manual – um lobo de olhos verdes disse.

– Exatamente o tipo de coisa que uma pessoa poderia amar – outro respondeu e, quando acordei, foi como se não tivesse dormido nem um pouco.

Quarenta e oito

Havia duas coisas na caixa que dei a Toby. Uma era a tampa do bule de chá russo de Finn. Pensei que seria mais ou menos como um daqueles colares de coração partido que as pessoas têm às vezes. Quando Greta tinha 12 anos, ela tinha um com Katie Tucker que dizia *BEST FRIENDS*. Cada uma usava metade do coração partido cheio de pontas em uma corrente de ouro falsa, até o dia em que Katie mentiu para Greta sobre uma festa do pijama que ela daria e elas não foram mais melhores amigas. Greta tinha a segunda metade, que dizia *ST* e, embaixo, *ENDS*, como a abreviação de Saint Ends.

Eu não sabia se Toby veria a tampa como eu queria. Queria que ele entendesse que eu achava que ele era uma das melhores pessoas. Que *eu* achava isso. Com Finn ou sem Finn.

A outra coisa na caixa era meu passaporte, com um bilhetinho que dizia *Poderíamos ir para a Inglaterra* preso por cima da minha foto idiota.

Tentei pensar em um jeito de ir sem ser pega, sem que ninguém jamais percebesse, mas percebi que era impossível. Assim, meu plano era fazer a segunda melhor opção: eu deixaria um bilhete e ligaria quando chegasse lá. Todos saberiam que eu estava bem, que eu voltaria. É claro que eu me meteria na maior encrenca da minha vida no final de tudo, mas não me importava mais com coisas assim.

Provavelmente iríamos por apenas alguns dias, mas, na minha cabeça, seria igual a *Uma Janela para o Amor* e *Lady Jane*. Eu cuidaria de Toby. Seria romântico. Não romântico para pombinhos apaixonados, mas do outro tipo. Seria o melhor que eu poderia fazer. Sou mediana em inglês e mediana em matemática, mas não seria mediana em cuidar de Toby. Desta vez, eu faria certinho.

Quarenta e nove

Eu estava no chão da sala de estar, montando um quebra-cabeça de 750 peças de uma das janelas com vitrais da Catedral de Chartres, que Finn trouxe para mim de quando foi certa vez à França. Eram apenas 17h, muito cedo em um dia de semana para alguém estar em casa, mas meu pai entrou, parecendo estar a meio caminho da morte.

– Gripe estomacal – ele disse, afundando no sofá. – Fechou os olhos e colocou uma mão sobre a barriga. Cheirou o ar e pareceu ficar um tom mais verde. – Eca, a maldita panela elétrica.

– Eu posso pegar um *ginger ale* para você e... Não sei... Uma garrafa de água quente ou algo assim. Se você quiser.

Os olhos dele ainda estavam fechados e um sorriso se abriu em seu rosto.

– O que foi? – perguntei.

– Ah, nada.

– O que foi? – repeti. – Vamos.

– Nada. Só é bacana, só isso. Você se oferecendo para cuidar do seu pai velho e doente.

O alarme da panela elétrica tocou enquanto eu entrava na cozinha. Tirei a tampa e mexi a comida. Servi dois copos de refrigerante *ginger ale* para nós e os levei para a sala. Quando cheguei, meu pai estava deitado de lado no chão, examinando as peças do quebra-cabeça.

– Tudo bem se eu ajudar? – ele disse.

– É claro.

Era um quebra-cabeça difícil. As cores eram os tons primários mais fortes, vermelhos e azuis vivos, e, mesmo depois de separar as peças em pilhas, levou muito tempo. Peguei a pilha vermelha e comecei a tentar formar algumas seções. Meu pai mexeu nas azuis.

– Tudo vai acabar logo, não é, Junie?

– O quê?

Encaixei uma peça no canto superior direito.

– A época dos impostos. Terminada por mais um ano. Graças a Deus.

– Não é tão ruim, é?

Meu pai me lançou um olhar do tipo "você está brincando?".

– Bem, então por que você faz isso?

Eu falei sério. Realmente me perguntava por que as pessoas sempre estavam fazendo alguma coisa de que não gostavam. Parecia que a vida era um tipo de túnel cada vez mais estreito. Logo que você nascia, o túnel era enorme. Você poderia ser qualquer coisa. Depois, mais ou menos no exato segundo depois de você nascer, o túnel reduzia para cerca da metade daquele tamanho. Você era menino e já estava certo que você não seria mãe e provavelmente não se tornaria manicure nem professora do jardim da infância. Depois, você começava a crescer e tudo o que fazia fechava o túnel mais um pouco. Você quebrava o braço subindo em uma árvore e descartava ser arremessador de beisebol. Era reprovado em todas as provas de matemática que fazia e cancelava qualquer esperança de ser cientista. Assim. De novo e de novo, ao longo dos anos, até você ficar preso. Você se tornaria banqueiro ou bibliotecário ou barman. Ou contador. E aí estava. Eu pensava que, no dia da sua morte, o túnel estaria tão estreito, você teria se apertado com tantas escolhas, que simplesmente seria esmagado.

– Por que eu faço isso? – meu pai disse. – Não é difícil saber. Por você. Por você e pela Greta e pela sua mãe.

– Ah – falei, de repente me sentindo imensamente triste por alguém jogar a vida toda fora apenas para garantir que outras pessoas estivessem felizes. – Bem, obrigada.

Meu pai deu um sorriso enorme e eu consegui ver o pequeno espaço entre seus dentes da frente.

– Não tem de quê.

Depois, de repente, jogou a mão sobre a boca.

– Ah, não – disse, levantando-se depressa e correndo para o banheiro.

Fiquei sentada olhando para as minhas peças. Para todos os tons diferentes de vermelho. Pensei em Finn. Que ele fazia o que preferisse. Assim como minha mãe dizia. Ele nunca deixou o túnel esmagá-lo. Mas, ainda assim. Lá estava ele. No final, ainda foi esmagado até a morte por suas próprias escolhas. Talvez o que Toby dissera estivesse certo. Talvez você precisasse estar morrendo para enfim chegar ao que queria.

Brinquei com as peças do quebra-cabeça por mais um tempo, mas não tive sorte. Nada parecia se encaixar sem muitíssimo trabalho.

Então, pensei isto: e se fosse suficiente perceber que você morreria algum dia, que nada disso duraria para sempre? Seria suficiente?

Depois, pensei em outra coisa. Algo que meu pai dissera. *Tudo vai acabar logo.* Andei até o calendário da cozinha. Era o que os meus pais haviam mandado fazer para dar a todos os clientes. Dizia *Elbus e Elbus Contabilidade* e tinha apenas uma imagem, uma cena boba de um lago bem azul em frente a algumas montanhas com gelo no cume. Treze de abril. Mais dois dias até o final da época dos impostos. Se eu acrescentasse a semana que meus pais demoravam para dar entrada nas prorrogações e colocar tudo em ordem de novo, isso me dava quase uma semana e meia como órfã. Esse foi o primeiro ano em que desejei que a época de impostos durasse mais. O primeiro ano em que precisei ser órfã.

Cinquenta

Eu não vira Greta olhar para mim nem uma vez desde o dia em que ela invadira meu guarda-roupa. Se eu estivesse na cozinha, ela pulava o café e ia direto para fora esperar o ônibus. Se eu estivesse fazendo lição de casa na mesa, ela subia para o quarto. Na escola, virava para o outro lado se me visse vindo pelo corredor. Era como se ela quisesse que eu não existisse.

E eu não me importava mais. Era o que dizia para mim mesma. Não me importava que os olhos dela estivessem sempre cansados e vermelhos. Não me importava com nunca mais vê-la com os amigos. Por ela nem se sentar com seus fãs no almoço. Por ela sempre parecer sozinha. Não me importei que, no final do ano, Greta talvez se mudasse de casa. Havia um dormitório supervisionado para os adolescentes de *Annie* ficarem e, se ela conseguisse o papel, era para lá que iria. Depois disso, iria para Dartmouth. E seria o fim. Eu não teria mais irmã. Em alguns dias, parecia um sonho realizado. Era o que dizia a mim mesma.

Porém, ainda assim, eu às vezes aparecia nos ensaios. Pensava que, se Greta me visse lá, poderia achar que eu não estava mais vendo Toby. Era um esforço idiota, e eu não achava de verdade que ela se importava, mas fazia isso de qualquer forma.

Eu ficava em pé perto da frente do auditório, encostada na parede, bem perto da porta, para poder ir embora quando ficasse entediante demais. Certa tarde, eu estava ali, superentediada, vendo o Sr. Nebowitz organizar o coro e os figurantes quando vi Ben Dellahunt inclinar-se na borda do camarote, acenando para mim. Ele continuou acenando até eu entender que estava tentando fazer que eu subisse até a cabine de iluminação. Levantei a cabeça e olhei ao redor. Ele fez que sim com a cabeça e acenou de novo. Eu não queria subir. Olhar para Ben me lembrou de que ele era um idiota.

– Vem, Elbus – chamou.

E, então, eu não tive como não subir.

Ben sorriu, segurando a porta da pequena cabine aberta enquanto eu andava pelo camarote. Pete Loring e John Untemeyer também estavam ali e eu me sentei em uma cadeira dobrável atrás dos três.

– Não consegue se afastar, hein? – Ben disse.

– Algo do tipo.

– Não, é sério, você parecia completamente entediada. Por que continua vindo para os ensaios?

Por um segundo, pensei em contar a ele. Por um estranho segundo, pensei em despejar cada segredo que eu tinha para Ben Dellahunt ali mesmo naquela cabine escura. Então eu saberia quem ele era de verdade. Então ele saberia que Tina Yarwood nem se comparava a mim. Mas é claro que não contei.

– Eu disse à Greta que ajudaria – falei, em vez disso.

– Por que ela se importaria com sua ajuda? De qualquer forma, não é como se você estivesse ajudando de verdade.

Cruzei os braços em frente ao peito.

– Olhe, foi você quem me pediu para subir. Eu não estava sendo um incômodo para você. Posso ir embora.

– Não. Desculpe. Vou calar a boca.

Os outros dois meninos não falaram nada. Eles se concentravam em deslizar interruptores e virar botões na mesa. Jonh Untemeyer deu uma olhada em mim, mas Pete manteve a cabeça baixa como se estivesse constrangido por ter uma menina, mesmo uma menina como eu, na cabine. Antonia entrou para cantar a reprise de *Dites-Moi.*

– Ei, você faz aula de francês, não é? – eu disse para Ben.

– É.

– Então, o que *dites-moi* quer dizer, afinal?

Ben pensou por alguns segundos. Ele bateu o dedo indicador no ar como se estivesse traçando a letra da música consigo si mesmo.

– *Diga-me por quê.* É isso que significa. Diga-me por quê. Depois, alguma coisa sobre a vida ser muito bonita. Diga-me por que a vida é tão bonita. Diga-me por que a vida é tão... gay[2]. – Ele pareceu constrangido e, depois, acrescentou depressa: – Sabe, gay no sentido de feliz.

– Sei. Gay feliz. Eu sei.

Greta entrou para fazer a cena em que o Tenente Cable diz que não pode se casar com a filha de Bloody Mary porque ela não é branca. Bloody Mary deve ficar furiosa naquela cena e Greta a fez quase psicótica. Ela cutucou Craig Horvell, que fazia o Tenente Cable, de novo e de novo no peito. Ela o estava cutucando com tanta força que parecia que o tinha empurrado para fora do personagem. Ele parecia assustado e, em alguns momentos, eu o vi olhar para o Sr. Nebowitz como se esperasse um resgate. Eu nunca tinha visto Greta tão brava, batendo os pés pelo palco como se tivesse contas a acertar. Como se Craig Horvell tivesse arruinado a vida dela e ela estivesse prestes a fazê-lo pagar por isso. Porém, quanto mais eu assistia, mais parecia que não era tanto raiva, mas tristeza. Desespero. Ela estava andando de um lado para o outro, agitada, lá em cima e parecia estar desesperada para alguém reparar que ela perdera a sanidade. Mas ninguém pareceu reparar. Apenas eu. Eu, sentada no camarote, vendo minha irmã se autodestruir.

Quando ela saiu do palco, Ben virou-se para mim e disse:

– Ela é muito boa, sabia?

---

[2] Em inglês, a palavra *gay* também significa "alegre". (N.T.)

Fiz que sim.

– É claro que sei.

Ficamos sentados em silêncio por um tempo.

– Sabe, na outra noite, no bosque, eu...

– Não se preocupe. Eu nem me lembro de nada.

– Bem, eu te beijei, lembra?

Não consegui conter a risada. A maioria das pessoas simplesmente teria ido em frente com a história de perda da memória, mas não Ben.

– Não se preocupe – falei. – Não vou contar para a Tina.

Depois, eu me levantei e saí.

Após o ensaio, esperei Greta do lado de fora da escola. Não sei o que eu queria dizer para ela, mas vê-la naquele palco, tão pequena e acabada, fez com que eu quisesse fazer alguma coisa. Talvez fosse dizer a ela que a perdoava por ter colocado todas as minhas melhores coisas no lixo (embora não perdoasse). Ou talvez pedisse ajuda com maquiagem para ela me contar o que estava acontecendo com ela. A verdade inteira e não bêbada. O sol tinha transformado o céu em um bonito rosa alaranjado. Como o lado de dentro de uma concha. Olhei pela pista da escola, onde alguns meninos estavam correndo. Eu os observei dar três voltas e, como Greta ainda não saíra, virei-me para ir embora. Não me dei ao trabalho de ir ao bosque. Andei na calçada, atravessando a cidade, porque era o caminho mais longo. Às vezes é bom pegar o caminho mais longo para casa.

Cinquenta e um

Fiquei parada na cozinha de Finn, apoiando-me no balcão. O lugar todo tinha cheiro de queimado, porque Toby estava fazendo torradas, que sempre queimavam, embora ele estivesse bem ali. Foi quase uma semana depois do evento do diário. Ele ligou e disse que se sentia mal pelo jeito como as coisas tinham acontecido na vez anterior. Disse que queria corrigir a situação. Eu peguei o trem logo depois da aula e, depois, o metrô até o apartamento. Não me importava mais de pegar o metrô sozinha e era muito mais barato do que pegar um táxi.

– Bem... O que você acha?

Eu tinha certeza de que Toby adoraria o plano da Inglaterra. Ele adoraria porque era perfeito.

– O que eu acho do quê?

– Você sabe... Do passaporte. Da viagem?

E ali estava eu, sorrindo feito uma idiota, e, imediatamente, pude perceber que Toby na verdade não parecia nem um pouco feliz.

– Ah. Isso.

– Você disse que poderíamos fazer qualquer coisa, e, assim, eu estava pensando na Inglaterra. Você poderia me mostrar tudo lá. Castelos e... Não sei... Tudo. Sua cidade... Eu procurei. Você poderia me mostrar os brejos. Sabe, *O Morro dos Ventos Uivantes*? Poderíamos ir no verão. Ainda estou trabalhando nos detalhes, mas talvez eu consiga fazer minha mãe me mandar para um acampamento e, aí...

A torrada pulou. Toby tirou-a, examinou-a e, depois, raspou-a até ela mal se manter inteira. Depois, jogou-a em um prato.

– June, sinto muito. Muito mesmo, mas isso é impossível.

Ele abriu uma gaveta na cozinha, tirou meu passaporte e entregou-o para mim. Eu o peguei e andamos até a sala de estar. Toby puxou um maço de cigarros do bolso traseiro e deslizou um para fora sem nem me oferecer.

Joguei meu passaporte na mesa de centro entre nós. Estava começando a me sentir um pouco mal, porque passara muito tempo pensando naquele plano. Eu havia procurado por toda a casa para encontrar o lugar onde nossos passaportes eram guardados, e demorara muito para achar a chave.

– Nada é impossível. Você disse...

– Castelos, June? *O Morro dos Ventos Uivantes*? Por Cristo. Sou dos arredores de Leeds.

– Bem, tudo bem, não sei, que seja. O que você quiser me mostrar. Sua Inglaterra.

– Seria ridículo.

– Não me importo.

– June, não posso simplesmente tirá-la do país. O Finn nunca... Você tem só o quê? Quatorze? Quinze anos? – Toby achava que eu podia ter 15 anos. Eu quase sorri, mas segurei. – Além disso...

– Além disso o quê?

– Além disso, não me deixariam voltar para cá se eu saísse, tudo bem? Não posso ir. – Olhou para baixo, como se estivesse decepcionado consigo mesmo, e, depois, disse: – Desculpe, June. Eu sei que prometi qualquer coisa, mas...

– E daí? Seria tão ruim ficar lá?

Toby balançou a cabeça, pensando.

– Para mim? Sim. Seria. Seria terrível. E o verão... Bem, está muito longe.

Já estávamos na metade de abril. O verão estava a apenas dois meses de distância e eu estava prestes a discutir com Toby, mas olhei bem para ele. Os olhos dele tinham círculos cinza. Suas bochechas murchavam enquanto ele tragava o cigarro. De repente, entendi o que estava tentando dizer.

– Mas o Finn queria...

– Você não sabe o que o Finn queria – ele falou.

E, por um momento, foi como se Greta estivesse bem ali, falando pela boca de Toby. Eu levei minha mochila para os ombros e comecei a sair. Depois, virei-me de volta.

– Eu sei. Sei, sim. Ele queria que eu cuidasse de você.

Toby apagou o cigarro e, pela primeira vez no dia, sorriu. Primeiro, um pouquinho e, depois, mais, até estar rindo. De mim. Ele estava rindo de mim. Depois, caiu na poltrona azul de Finn, porque algo era tão engraçado que ele não conseguia nem ficar em pé mais. Eu corei e me virei para sair. Antes de chegar à porta, abri o zíper da mochila e peguei o *Book of Days*. Abri o livro e folheei para achar a página.

– Você pode rir o quanto quiser, mas ele escreveu isso. Aqui. Superclaro. Ele disse *cuide de Toby*. É prova suficiente para você?

– June, não estou rindo de você.

E, de repente, tive uma explosão de maldade que saiu direto do meu coração para os meus lábios.

– Ele disse que você não tem ninguém. Ninguém mesmo.

Toby não desviou o olhar. Sua risada transformou-se em um sorriso suave e cheio de entendimento.

– É isso mesmo – disse.

Depois, levantou-se e andou até o parapeito da janela. Colocou a mão dentro de um grande vaso azul-elétrico e tirou um pedaço de papel dobrado. Desdobrou-o devagar e passou-o para mim.

Estava todo marcado e fino, como se tivesse sido lido centenas de vezes.

Meu grande amor,

Eu já disse tudo o que precisava, exceto isto. Esta última coisa. Por favor, cuide de June. Por favor, prometa cuidar muitíssimo bem da minha única garota.

Com tanto amor que meu coração pode se dividir em dois...

Finn

Eu li duas vezes, olhando bem cada palavra, imaginando a mão trêmula de Finn formando cada letra malfeita. Olhei ao redor pelo apartamento. Lá estavam aquelas duas fotos que eu pensava serem as mãos do meu avô, até descobrir que eram as mãos do avô de Toby. Lá estava o velho baú entalhado onde Finn guardava os cobertores. Lá estava a porta do quarto de Finn, que estava fechada de novo. Privado. Reli o bilhete, sentindo-me idiota e confusa.

– Venha aqui – Toby disse.

Fiz que não com a cabeça, com força. Ali estava. Durante todo o tempo eu estivera esperando Finn brilhar através de Toby e ali estava ele o tempo todo. Cada coisinha que Toby fizera por mim viera de Finn. Senti um calor se espalhar pelo meu corpo dos dedos dos pés até o topo da cabeça. Lembrei-me daquele primeiro dia em que eu o vira no funeral. Toby tentando cruzar o olhar com o meu, tentando, do seu jeito desastrado, agir da maneira certa com Finn. Assim como eu estava tentando fazer.

– Tudo bem. Tudo vai ficar bem.

Eu sabia que não ficaria. Era óbvio. Mas Toby abriu os braços e eu entrei neles. Entrei direto, como se ele fosse um enorme guarda-roupa que poderia me levar para onde eu quisesse.

– Psiu – ele disse. – Psiu. Está tudo bem.

E nós balançamos lentamente nossos corpos. Chorei bem no peito de Toby. Bem no coração de Toby.

– Psiu – ele ficou repetindo, até parecer que nem éramos mais duas pessoas separadas. – Viu? – disse. – Viu o quanto ele a amava?

Eu me agarrei a Toby, as costelas dele apertadas contra as minhas, como trilhos de trem seguindo para muito, muito longe. Eu me agarrei a ele como se tivesse o poder de mantê-lo ali. Eu o abracei da maneira como achei que Finn o teria abraçado. Com tudo o que eu tinha. Com todo o amor que eu tinha.

Depois, meu choro virou risada, e eu me afastei e olhei para Toby.

– O que foi? – ele perguntou.

– Olhe para nós. Devemos ser os piores cuidadores de todo o mundo.

Toby então riu também.

– Não sei – ele disse. – Achei que eu estivesse indo bem.

Levantei as sobrancelhas.

– Nós ficamos bêbados com Tigelas Vulcão na semana passada. Não tenho certeza de que era isso que o Finn tinha em mente.

Toby deu um sorriso envergonhado. Depois, fez uma cara séria falsa e limpou a garganta.

– Conforme você entrar na vida adulta, June, poderá ocasionalmente encontrar bebidas exóticas de tamanho exagerado e natureza alcoólica. Eu achei que era meu dever fazê-la conhecer essas bebidas potencialmente perigosas.

Eu ri e dei um empurrão no braço dele.

O rosto sério dele se desfez.

– Além do mais – disse –, foi divertido, não foi?

Eu assenti.

E pensei que talvez Toby tivesse adivinhado. Talvez isso fosse tudo o que Finn queria que fizéssemos. Que um fizesse o outro rir. Talvez Finn quisesse apenas pensar que suas duas pessoas favoritas poderiam rir e cantar e vagar pela cidade como se estivessem se divertindo como nunca.

Consegui manter o sentimento bom comigo pela maior parte da viagem de trem até em casa, mas, quando cheguei a Hawthorne, outra coisa começou a me invadir. O bilhete significava duas coisas. A primeira, a boa, era que Finn se importava. Que ele me amava o suficiente para garantir que Toby cuidasse de mim. Mas a segunda significava que o único motivo de Toby ter passado todo aquele tempo comigo era por causa de Finn. Porque Finn pedira a ele. Não tinha nada a ver comigo. Greta estava certa. Como sempre, ela havia entendido tudo.

Cinquenta e dois

AS MAIS PROCURADAS DA AMÉRICA

Era o que dizia na capa. As letras estavam em fonte preta e em negrito, espalhadas pelas páginas. Abaixo delas, estávamos Greta e eu. O retrato. Nós duas bem no meio da capa da revista *Newsweek*.

O artigo era sobre obras desaparecidas ou talvez pertencentes a coleções privadas sem que ninguém soubesse disso. Coisas escondidas. Aparentemente, éramos apenas o número seis. Mais importantes eram uma pintura de Andy Warhol, uma pintura dos anos 1700 mostrando uma batalha importante da Guerra da Independência, duas esculturas e uma bandeira americana que tinha apenas 12 estrelas e supostamente fora feita antes da de Betsy Ross. Depois, vínhamos nós.

Havia uma foto de cada umas das 10 principais coisas desaparecidas e, depois, outras 50 listadas embaixo. Um homem do Whitney disse que estava tentando realizar uma exposição chamada "Achados e Perdidos" e, se conseguisse achar uma quantidade suficiente da lista, poderia seguir em frente.

No artigo, ele dizia: *Nós sabemos dessas obras apenas porque alguém escreveu sobre elas ou apareceram em uma foto ou um filme em algum momento. Nós as chamamos de obras fantasmas, pois temos apenas uma pista delas, não o objeto físico real.*

A parte sobre o nosso retrato dizia, na maior parte, o mesmo que estava no *Times*. A única diferença era que haviam entrevistado o dono da galeria onde Finn costumava expor seu trabalho. Ele disse que não conseguia pensar em tragédia maior do que Finn Weiss parando de produzir arte. Pensei que parecia um pouco de exagero, mas, ainda assim, fiquei orgulhosa por alguém dizer isso sobre Finn.

Foi Beans que levou a revista para a escola e mostrou-a para mim. No começo, pensei em escondê-la ou jogá-la fora, mas era a *Newsweek*. Havia milhares e milhares de cópias por todo o país. Provavelmente, já estava no quadro de avisos da biblioteca. Alguém provavelmente ligara para o cara do Whitney e dissera onde nós estávamos.

O artigo terminava com o cara do Whitney dizendo que ele era como um detetive. Sempre em busca de obras desaparecidas. Voltei para a capa e encarei Greta e a mim mesma. Pensei naquele homem procurando por nós. Seguindo nosso rastro. Percebi que não seríamos muito difíceis de encontrar e, de alguma forma, isso me assustou. A ideia de ele bater em nossa porta me fez tremer.

Minha mãe trouxe aquela *Newsweek* do trabalho para casa. Duas pessoas diferentes tinham lhe dado um exemplar. Todos nós nos sentamos em volta da mesa de jantar. Minha mãe, meu pai, Greta e eu. A revista ficou no meio. Não havia nenhuma gostosura da panela elétrica naquela noite. Em vez disso, minha mãe fizera duas caixas de macarrão com queijo Kraft. A massa bem laranja estava em nossos pratos, intocada.

– Decidi ligar para ele – minha mãe falou.

Meu garfo caiu da mão. Por um segundo, foi como se o retrato estivesse bem ali na minha frente. O cabelo pintado de dourado. O pequeno crânio preto.

Comecei a discutir, mas Greta me chutou com força por baixo da mesa. Ela me pegou bem no osso do tornozelo e eu tive de me esforçar para não socá-la de volta. Olhei para ela e, embora ainda não me olhasse nos olhos, pude ver que tinha um plano.

– Quanto mais esperarmos – ela disse –, quando mais mantivermos a pintura escondida, mais valiosa vai ficar. Certo? Pensem nisso. Mesmo se ele descobrir que temos a pintura, não precisamos mostrar para ele. Precisamos?

Meus pais se olharam. Percebi que um lia o outro, tentando definir a coisa certa a fazer.

– Bem – meu pai disse –, você tem razão sim, mas talvez fosse bom expô-la. Talvez seja o que o Finn teria querido.

– Não – falei.

Greta me chutou de novo, mas, desta vez, eu a ignorei.

– Ele não teria querido isso. Ele pintou para nós.

– Querida, a obra de um artista pertence a todos. De certa forma.

– Mas é o meu rosto. O meu e o da Greta. A gente não pertence a todo mundo. O Finn fez para nós, e eu digo não.

– Se acalme, Junie.

Meu pai era sempre assim, tentava manter tudo em paz sem tomar nenhum tipo de posicionamento.

Olhei para Greta, que estava encostada para trás na cadeira e tinha os braços cruzados em frente ao peito.

– Ele provavelmente só vai querer dar uma olhada nela e, depois, nós assumimos – minha mãe afirmou. – Ninguém está falando de vendê-la e nem mesmo de expô-la. Vamos dar um passo por vez.

Olhei para Greta de novo. Bem nos olhos. Nós duas sabíamos o que tínhamos feito com o retrato. Eu não conseguia imaginar como minha mãe reagiria. Ou talvez conseguisse. Talvez esse fosse o problema. Do outro lado da mesa, ela e meu pai estavam olhando um para o outro. Minha mãe se virou e estendeu uma mão em direção a nós.

– Certo. Vocês duas. Apenas... Apenas façam silêncio. A verdade é que eu já liguei para ele. Falei com ele esta tarde.

– O que você quer dizer? – perguntei.

– Ele virá na semana que vem dar uma olhada.

– Mas é nossa. Nós não queremos...

Olhei para Greta.

Ela sorriu. Lenta e longamente. Por alguns segundos, ficou assim, sem dizer uma palavra. Depois, jogou a cabeça para trás e olhou do outro lado da mesa.

– Que seja – disse. – Talvez seja bom. Como você disse. Vamos só ver o que acontece depois.

Eu não tinha palavras. Minha boca provavelmente continuou aberta.

No dia seguinte, fui direto ao banco depois da aula. Desde o dia em que Greta pegara minhas coisas no guarda-roupa, eu garantia que sempre estivesse com a minha metade da foto elisabetana e o *Book of Days* na mochila. Eles estavam ali quando fui ver o retrato. Já estava esquentando, e amarrei a malha na cintura enquanto andava devagar pela cidade. No caminho, parei na Benedetti's Deli e comprei um Yoo-hoo e um saco de Doritos.

O Sr. Zimmer não estava trabalhando no banco naquele dia, e, assim, tive de assinar meu nome para a mulher atrás do balcão me deixar descer para a caixa-forte. Fiz o meu melhor e pude ver que estava melhorando, mas, ainda assim, a mulher, que era jovem e bonita e arrumada de um jeito que eu nunca seria, ficou olhando de lá para cá entre o formulário e a assinatura. Depois, ela me examinou e perguntou meu endereço e telefone de casa, até eu enfim convencê-la de que realmente era June Elbus.

Foi quase doloroso tirar o retrato da caixa desta vez. Minha esperança era que o dourado nos nossos cabelos e o crânio na mão de Greta ficassem camuflados. Afinal, ninguém parecia ter reparado nos botões de Toby. Era o que eu esperava, mas na verdade sabia que não seria assim. Você não pode colocar tinta dourada brilhante em uma pintura e esperar que ninguém repare. Deslizei o retrato para fora devagar, de olhos fechados. Quando enfim olhei, vi que era ainda pior do que eu imaginara. A tinta dourada captava toda a luz daquela sala e a mandava de volta direto para os meus olhos.

E havia algo novo. Os lábios de Greta, que eram da cor natural antes, estavam pintados de vermelho-vivo. Era o tom de vermelho da sopa de tomate Campbell's que minha mãe costumava fazer para nós no almoço quando éramos pequenas. Em vez de parecer supersatisfeita consigo mesma, como antes, agora Greta parecia estar franzindo as sobrancelhas. Mais do que isso até. Com o dourado no cabelo e os lábios, eu diria que ela estava muito assustadora.

Inclinei-me para a pintura. Queria ver as pinceladas de Greta. Queira vê-las de perto. Sabia que ela devia ter visto o que eu fizera com nossos cabelos. Foi o que me ocorreu na hora. Na vida real, Greta estivera me evitando o máximo que conseguia. Ela mal dissera uma palavra para mim desde aquele dia em que achara minhas coisas. Mas, ali, era quase como se conversássemos. Como uma linguagem secreta. Aquele retrato nosso segurando todas as palavras que nunca mais dissemos.

Peguei a metade da foto do Playland e apoiei-a em pé ao lado do retrato. Olhei para a menina no retrato, aquela menina que ainda tinha Finn, a menina idiota que costumava achar que era a única que o tinha, e quase não a reconheci mais. Nem conseguia começar a imaginá-la cuidando de alguém. Depois, olhei para a menina com aquela grande produção elisabetana e pensei o mesmo. Achei que as duas pareciam idiotas. O tipo de menina que não conseguia fazer nada para ninguém. Fiquei feliz por não ter um espelho ali comigo, pois sei que veria a mesma coisa nele. É claro que Toby não quereria ir à Inglaterra comigo. Por que iria?

Apertei as costas contra a parede e escorreguei para o chão.

Por que Toby fingiria gostar der mim? Por que alguém faria isso?

Culpa, esse é o motivo.

Não, ninguém sabia nada sobre AIDS quando eles a pegaram. Isso era verdade. Por que Toby se sentiria culpado?

E por que ele nunca falara da prisão?

Não sei. Não sei. Não sei.

É claro que ele não iria para a Inglaterra com você. Você nunca entende, não é? Você nunca percebe quem as pessoas são para você. Ben, Beans, Finn, Greta. Por que Toby quereria passar qualquer tempo que fosse com você? E havia também aquela tampa idiota do bule de chá...

Fechei os olhos e sussurrei o *Dies Irae* do *Requiem*. De novo e de novo eu falei as palavras em latim – *Dies irae, dies illa, solvet saeclum, in favilla* – até, depois de um tempo, um pouco do receio me deixar.

Fiquei em pé naquela sala e olhei para o retrato de novo. Fui até o fundo da mochila e achei o vidro de tinta dourada. Imaginei Greta ali, colorindo seus lábios, sabendo que eu veria o que ela fizera e, de repente, precisava que ela me ouvisse. Precisava que soubesse que eu estava respondendo ao chamado dela. E, assim, em vez de tentar encobrir qualquer coisa, peguei meu vidrinho de tinta dourada, mergulhei o pincel nele e, com o máximo de cuidado que consegui, pintei cada uma das pequeninas unhas de Greta de dourado.

Cinquenta e três

Fiquei ao lado de Toby na plataforma, esperando pelo monotrilho. Estávamos na Ásia Selvagem, no zoológico do Bronx, prestes a embarcar no Expresso de Bengala, que – junto com o Cloisters – é a melhor maneira de sair de Nova York sem sair de Nova York.

O zoológico do Bronx não é um zoológico triste. É enorme e cheio de árvores e prados abertos e faz a gente sentir que nem está na cidade. Está dividido em continentes – África, Ásia, América do Norte –, e cada parte tem o clima do lugar que deveria ser. A parte da África é toda empoeirada, quase sem árvores, e as barracas de sorvete são feitas como pequenas cabanas. A Ásia é mais exuberante. Há bambus e estátuas de deusas indianas e arcos de estilo chinês.

Eu disse para Toby me pegar em casa às 10h. Era dia de aula, mas meu plano era acordar cedo e dizer para a minha mãe que eu achava que estava ficando com a mesma gripe estomacal que meu pai e Greta tiveram. Minha mãe apertou a palma macia da mão na minha testa por apenas um segundo antes de concordar que eu parecia fria e molhada. Arrastei-me de volta para a cama e esperei todos saírem; depois, me vesti e sentei perto da janela na sala de estar, observando.

Como sempre, Toby nem pensou que era estranho me buscar às 10h de um dia de semana. Ficou parado na porta dos fundos usando um casaco de lã cinza grosso, parecendo muito feliz de me ver.

– Estamos na primavera – eu disse, olhando para o casaco.

Toby pareceu constrangido por eu falar da roupa e olhou pelo quintal dos fundos.

– Eu já estive aqui antes, sabia? – falou.

– Sério?

– O bule de chá. Aquele carteiro. Era eu. Entrega especial.

Lembrei-me daquele dia e pareceu ter sido muito tempo antes. Pareceu impossível ter sido havia apenas dois meses.

– Ah, é – respondi. – Eu sabia que era você.

Toby pareceu estar a quilômetros de distância, mas voltou a si naquele momento. Sorriu.

– Eu achei que você soubesse.

Disse a ele que era minha vez de levá-lo a algum lugar. No começo, pensei no Cloisters, mas não estava pronta para abrir mão dele ainda. Assim, foi o zoológico. Toby disse que eu poderia dirigir se quisesse. Ele estendeu as chaves.

– Eu não sei fazer. Não tenho carteira nem nada.

– Eu ensino.

Toby acendeu um cigarro, mas só conseguiu dar um trago nele antes de começar a tossir. As chaves caíram da sua mão e eu as peguei. Antes que pudesse devolvê-las, Toby entrara no banco do passageiro. Aquilo não era o que eu tinha em mente, mas não queria parecer assustada, e, assim, abri a porta do motorista e me sentei. Depois, vi a mão de Smurf, aquela mãozinha de Smurf que Finn colara no câmbio, e soube como escapar.

– O câmbio é manual. Não tem como...

Coloquei as chaves no painel.

Toby ainda estava tossindo, mas fez que sim com a cabeça. Pegou as chaves e deu a volta até o lado do motorista.

Paramos no estacionamento do Rio Bronx, o que significa que entramos pela seção da América do Norte. A América do Norte era a mais convincente. As árvores altas e os campos gramados com cervos e bisões e lobos eram bonitos. Como um tipo de versão supercondensada de toda a vida selvagem americana que já existira. Como se cada tipo de coisa que exterminamos tivesse sido trazida de volta para o mundo.

– Certo – eu disse. – É como o Playland. Tem uma coisa que quero mostrar para você. Não só os animais. Venha.

Eu me virei. Toby parecia velho. Mais velho do que da última vez que eu o vira, e notei que estava se esforçando para não andar devagar.

– Venha – repeti, fingindo não notar.

Depois, em uma explosão de energia, Toby abriu os braços e correu na minha direção, rindo. Ele pareceu um animal louco fazendo isso, com aquele grande casaco cinza. Eu ri também e corri na frente. Corremos pela América do Norte, passamos os prados com cervos e lobos, passamos o Mundo das Aves e o Mundo da Escuridão até, depois de um tempo, os bosques e prados darem lugar à vegetação mais exótica da seção da Ásia.

– Aqui – eu disse, apontando para um lance de escada contornado por bandeiras indianas de vermelho e amarelo vivos.

Toby se apoiou na grade. Parecia não conseguir parar de tossir. Suas costas estavam curvadas como as de um velho. Uma pequena lança de pânico atingiu meu estômago, porque eu não sabia o que fazer. Não tinha ideia de como ajudar alguém que poderia estar muito doente. Dei-lhe um tapinha bobo nas costas. O tempo todo, Toby ficou tentando sorrir entre as tossidas, fingindo que estava bem. Quando enfim recuperou o fôlego, perguntei se ele queria beber alguma coisa.

– Não. Vamos – respondeu. – Estou bem.

Nós descemos as escadas. No final delas, passamos por um cercado onde havia passeios de camelo. Os camelos estavam todos arrumados com tapetes nas cores de canela e páprica e mostarda debaixo das selas. Alguns estavam carregando crianças bem pequenas, mas os outros estavam parados e parecendo entediados.

Apontei uma cabine mais à frente.

– Por aqui – eu disse. – Prometa que você vai gostar.

Ele não respondeu por um segundo, e eu estava esperando que fizesse o que eu fizera naquele dia no Playland. Falar que não podia prometer algo assim. Mas ele não o fez.

– Prometo – falou. – Mesmo que eu odeie, prometo gostar.

Paguei ingressos para o monotrilho e ficamos esperando debaixo do teto de sapê da plataforma. Do outro lado, várias criancinhas em uma excursão de escola estavam se pendurando na baixa proteção de madeira. Quando o trem parou, esperamos que elas o invadissem antes de nós escolhermos um vagão mais silencioso do outro lado.

Os assentos do monotrilho eram dispostos quase como em um pequeno teatro: duas fileiras em sequência, em vez de viradas para a frente ou para trás, todas voltadas para a lateral do trem, que era totalmente aberta. O passeio dura apenas 20 minutos mais ou menos, mas a voz no alto-falante faz parecer que você está circulando na Ásia toda, e, se você não se permitir olhar muito longe, se focar nas árvores e na água logo abaixo do trem, pode acreditar. Pode acreditar que aqueles cervos-almiscarados-pretos realmente estão em morros do sul da China e os elefantes estão mesmo perambulando pelas planícies da Índia.

O trem saiu. Imediatamente, estávamos cruzando o lamacento Rio Bronx e a voz de uma mulher saiu dos alto-falantes dizendo que estávamos na Índia, passando pelo Ganges. Olhei para Toby, vi que ele estava sorrindo e fiz um aceno da cabeça para ele.

– Não olhe muito longe – eu disse. – Estraga tudo.

Greta sempre olhava muito longe. Sempre era ela quem apontava os lugares onde era possível ver o Bronx de verdade por uma brecha entre as árvores.

Na volta, passando pelo Rio Bronx, a mulher dizia que era o Yangtzé e estaríamos na China. Naquele momento, ela estava contando sobre os antílopes e os tigres e três tipos de cervos.

– Ei – Toby falou.

– Sim?

– Venha aqui.

Ele bateu no lugar ao seu lado no banco e eu fui para lá. Colocou o braço em volta do meu ombro e puxou-me de forma que meu rosto ficou apertado contra o grande casaco dele.

– Respire.

Eu não sabia o que Toby estava tentando fazer no começo, mas inspirei longa e lentamente o casaco e, ali, como mágica, estava Finn. O aroma exato de Finn. Não apenas lavanda e laranja, mas outras coisas também. O leve cheiro cítrico da sua loção pós-barba. E grãos de café e tinta e coisas cujo nome eu não sabia, mas eram simplesmente parte de Finn. Eu não queria me mexer. Fiquei sentada aconchegada a Toby, minha cabeça enterrada com força no casaco. Toby me abraçou e me puxou cada vez mais para perto, e senti no tremor suave dos ombros dele que estava chorando. Fechei os olhos e foi como voar por cima do Ganges, agarrando-me a Finn. Aqueles braços de Finn me seguravam com mais força do que Finn já me segurara. Pensei em todos os tipos diferentes de amor no mundo. Consegui pensar em dez sem nem me esforçar. A maneira como pais amam os filhos, a maneira como as pessoas amam um cachorrinho ou sorvete de chocolate ou seu lar ou livro favorito ou a irmã. Ou o tio. Há esses tipos de amor e há o outro tipo. O apaixonado. O amor de marido-e-mulher, o amor de namorada-e-namorado, a maneira como você ama um ator em um filme.

Mas e se você acabasse no tipo errado de amor? E se você, por acidente, acabasse no tipo apaixonado com alguém por quem seria tão nojento se apaixonar que nunca poderia contar a ninguém no mundo a respeito? O tipo que você teria de empurrar tão fundo dentro de si mesmo que quase transformaria seu coração em um buraco negro? O tipo que você esmagaria mais e mais para o fundo, mas, independentemente do quanto você o empurrasse, independentemente do quanto esperasse que ele fosse sufocado, nunca sufocava? Em vez disso, parecia inflar, ficar cada vez mais gigantesco conforme o tempo passava, preenchendo cada espacinho vago que você tivesse até que se tornasse você. Até que você fosse aquilo. Até que tudo o que já vira ou pensara o levasse de volta para uma pessoa. A pessoa que você não deveria amar daquele jeito. E se essa pessoa fosse seu tio e todos os dias você carregasse aquela coisa nojenta como você por aí, pensando que pelo menos ninguém sabia e, enquanto ninguém soubesse, tudo ficaria bem?

Inspirei fundo de novo o casaco conforme o monotrilho curvava-se suavemente, saindo da Índia, entrando no Nepal, e sonhei que era tudo verdade. Que eu estava me agarrando a Finn. Que a dor fora tirada da minha barriga e transformada em algo real. Que poderia abrir os olhos e ver Finn sorrindo para mim.

Toby apoiou a bochecha no topo da minha cabeça e uma corrente das lágrimas dele desceu pela minha testa até meu rosto, gotejando sobre meus olhos e, assim, deve ter parecido que eu estava chorando. Elas caíram pela minha bochecha e sobre meus lábios. Eu não sabia se poderia pegar AIDS com lágrimas, mas não me importei. Não tinha mais medo de coisas assim.

Ficamos assim pelo restante do passeio e eu me perguntei se os sonhos de Toby eram os mesmos que os meus. Perguntei-me se ele estivera me transformando no seu grande amor.

O monotrilho parou de volta na estação e nenhum de nós se mexeu. Virei a cabeça para olhar pelo vagão, limpando a bochecha contra a lã áspera do casaco de Toby. A mãe de quatro crianças estava me olhando. Olhei bem nos olhos dela e vi o que nós devíamos parecer, Toby e eu. Vi quão errado aquilo devia parecer, mas não me importei. Puxei a manga de Toby e nós dois nos levantamos, nossos braços ainda firmes em volta um do outro. Ninguém conhecia nossa história, eu pensei. Ninguém sabia como nossa história era triste.

Saímos da Ásia, voltando para a América do Norte. Passamos pelos lobos. Nunca era possível ver lobos lá. Eles se escondiam, provavelmente tentando fingir que não estavam em uma gaiola. Provavelmente sabendo que pareciam apenas velhos cães comuns quando estavam atrás das grades. Paramos por um tempo, inclinando-nos contra a proteção, olhando para aquela pequena versão das Grandes Planícies. Do outro lado do campo dos lobos, havia um totem alto, mais ou menos do tamanho de uma pessoa. Tinta azul e vermelha estava descascando das cabeças da águia, do urso e do lobo. Eu parei.

– O que é isso? – Toby perguntou.

– Dê o casaco.

– Não. Por quê?

– Por favor, sim?

Toby franziu as sobrancelhas. Tinha um olhar de súplica no rosto, mas eu fiquei parada com as mãos nos quadris e, depois de um instante, ele desabotoou o casaco. Quando estava todo aberto, ele deixou a cabeça pender. Puxei o casaco dos ombros dele e dobrei-o sobre o braço. Depois, andei até o totem e enrolei o casaco em volta dele, abotoando-o para a cabeça da águia ficar de fora no topo. Afastei-me, tombando a cabeça e apertando os olhos.

– Perfeito – eu disse com um grande sorriso, mas, quando olhei para Toby, vi que ele estava parado no mesmo lugar.

Vi que não restava nada dele. Estava usando a mesma camiseta com ossos de dinossauros que vestia naquela primeira vez no apartamento e seus braços estavam cobertos de crostas de feridas. Ele ficou parado ali, no sol quente de abril, parecendo um animal com a pele arrancada. Ficou parado ali com a cabeça baixa sem dizer uma palavra.

– Eles vão cuidar dele por nós. Certo? – eu disse, apontando para o campo dos lobos.

Toby mexeu as grandes mãos por cima dos braços como se estivesse mantendo as peças de si mesmo juntas.

– Apenas pensei que talvez a gente devesse tentar, não sei, seguir em frente – acrescentei.

Toby levantou os olhos. Pensei que ele parecera mais velho quando o vira mais cedo, mas, naquele momento, sem o casaco, parecia mais novo. Encolhido até o nada. Ele levantou a cabeça e me olhou com uma expressão confusa.

– Mas para onde a gente seguiria em frente?

Eu não sabia e, naquele instante, senti-me muito idiota por ter dito aquilo. Senti-me traidora de Finn. Lá estava Toby, o leal, o que nunca se afastaria nem um centímetro do fantasma de Finn. E lá estava eu. Aquela com o amor desgastado até ficar fraco. *Seguir em frente*. Que clichê. Que constrangimento. Senti meu rosto quente. Olhei para o casaco, que um minuto antes parecera uma ideia tão esperta e, naquele momento, parecia algo que uma criança faria. Uma criancinha idiota que não fazia ideia do que era o verdadeiro amor.

Curvei a cabeça e desabotoei o casaco em silêncio. Joguei-o sobre o meu braço e entreguei-o de volta a Toby sem olhar para ele.

Ele vestiu o casaco de novo e, de repente, senti a verdade mais uma vez. É claro que Greta estava certa. Não havia "a gente". Toby estava fazendo o que Finn pedira. Nada mais. Nada menos.

No carro, Toby passou o braço por cima de mim e abriu o porta-luvas. Tirou meu passaporte e colocou-o no painel.

– Não se esqueça de levar isto.

Ele não olhou para mim enquanto falou.

O livro azul-escuro refletiu-se no para-brisa e, assim, pareceram dois passaportes. Dois pequenos lembretes do meu plano bobo. Peguei-o e o folheei. Vi que Toby tirara o bilhete da minha foto e meu rosto de 11 anos de idade com um meio sorriso apertou os olhos para mim. *Idiota idiota idiota*. Joguei o passaporte no chão perto da minha mochila. Depois, empurrei-o com a ponta da bota.

Virei-me para Toby.

– Sei que você conheceu o Finn na prisão.

Por um segundo, ele pareceu confuso. Como se não tivesse me escutado bem. E a verdade era que a história da prisão não me incomodava em nada. Greta pensara que fosse seu grande trunfo na manga, mas eu simplesmente me sentia como Nellie em *Ao Sul do Pacífico*. Nellie não se importava que Emile fosse um assassino. Ela pudera perdoá-lo imediatamente. Como se não fosse nada. Eram as outras coisas, os crimes que ele nem sabia ter cometido, que ela não conseguia superar.

Toby bateu as mãos e tamborilou delicadamente com elas no volante.

– Você sabe disso, é?

Assenti com a cabeça.

– E ainda está aqui?

Assenti de novo.

– E quer saber o que eu fiz, certo?

Encolhi os ombros.

– Não precisa ter medo de nada.

– Como se eu fosse mesmo ter medo de você – retruquei.

Toby olhou para mim. Depois, olhou a fileira de carros estacionados. Quando se virou de volta para mim, seu rosto estava sério.

– Se eu não contar, você vai imaginar todo tipo de coisa e eu não quero isso.

Ele pareceu preocupado. Ou talvez sem saída. Jogou a cabeça nas mãos.

– Argh, isso é tão completamente idiota. É de outra vida.

Eu não disse nada.

– Certo. Aqui vai, então. Eu era aluno da Royal Academy. De música. Com bolsa de estudos, é claro. Nenhum dinheiro dos meus pais, que no geral tentavam fingir que eu não existia. Assim, eu tocava em estações de metrô às vezes e... teve uma noite...

Ele soltou a respiração devagar.

– Isto é o que estou tentando dizer para você. Teve uma noite, um sábado, e eu estava lá, tarde. Havia vários caras bêbados e lá estava eu, sem ter aonde ir, tocando violão. Até me lembro do que estava tocando, porque era uma fuga do Bach, sabe?

Fiz que sim com a cabeça, embora não conhecesse nenhuma fuga de Bach.

– E eu estava perdido nela. Às vezes é assim. Às vezes eu conseguia esquecer onde estava e simplesmente me deixar levar tocando, acrescentando coisas e brincando com a música, e aquilo estava afastando o frio. Mas, do nada, senti um golpe nas costelas. Forte. E voei para trás, tentando agarrar firme o violão, porque era do meu avô, o pai da minha mãe da Espanha, e era tudo o que eu tinha na época. Eu sabia que o meu corpo, ele podia se curar, mas o violão, isso eu não poderia substituir. Havia quatro caras, grandes, bêbados, e um estava tirando o casaco e outro me socou na cabeça, e eu consegui ouvir o trem chegando. Ouviu-se um baque no meu corpo e, depois, o grito alto do trem cortando em meio aos golpes. É assim que me lembro, como se o trem me chamasse. Um deles tentou puxar o violão das minhas mãos e, depois, eu ouvi o trem de novo e toda a minha força jorrou para aquela única coisa, aquele momento, e eu o empurrei, June. Eu empurrei aquele homem para os trilhos. Nem sabia que meu tornozelo estava quebrado... não senti nada. Simplesmente forcei o caminho até a borda, empurrando e gritando, e ele caiu. Bem nos trilhos, apenas alguns segundos antes de o trem entrar na estação.

– Ele...?

Toby fez que não com a cabeça.

– As duas pernas. – Ele olhou para baixo e desviou-se de mim. – Então, é isso. Por isso eu fui para a cadeia. Você pode decidir sozinha se quer parar de me visitar.

– Mas não foi culpa sua – eu disse. – Eles começaram.

Ele encolheu os ombros.

– Foi uma coisa ruim.

– Mas... Mas eles roubaram todos aqueles anos de você. Eles...

Ele fez uma pausa por muito tempo. Depois, disse:

– Mas me deram o Finn.

Falou como se a troca tivesse valido a pena. Como se fosse algo que ele faria de novo se tivesse escolha. Como se tirar as pernas do homem e abrir mão de anos da sua própria liberdade fosse a única forma. Pensei que isso era errado e terrível e bonito ao mesmo tempo.

Eu estava pronta para a história acabar, mas Toby começou de novo. Nem parecia ainda estar falando comigo. Parecia mais que estava falando apenas para deixar a história dele e de Finn sair para o mundo. Disse que tinha 23 anos quando conheceu Finn. Que Finn tinha 30 e estava em Londres fazendo mestrado em arte, e parte do curso era trabalho voluntário. Finn escolheu um projeto de arte na prisão, onde dava aulas para presos.

– Então, é o primeiro dia dele e estamos em uma sala de aula. Lá estou eu e lá está uma sala cheia de criminosos de verdade. E o Finn em pé na frente. Eu posso ver que ele está tentando não parecer perdido. Está passando os olhos pela sala e eu não consigo parar de observá-lo, seu rosto, a maneira como ele está mordendo nervoso o canto do lábio, seus ombros pequenos, estreitos e perfeitos. E estou pensando: "Olhe para mim. Sou o único aqui que importa". E a sala está começando a ficar inquieta. Tem um punheteiro maloqueiro e magrelo... Ah, desculpe, June. Tem um cara que grita para o Finn "arte é coisa de viado", e a sala fica quieta. Todos estão esperando para ver como aquele professor de arte vai lidar com a situação.

Eu vejo um sorriso aparecer no rosto do Finn, você conhece esse sorriso, e ele olha para baixo, tentando escondê-lo, mas decide não disfarçar. Ele decide arriscar. Olha o cara bem nos olhos e diz: "Bem, você está no lugar certo, então", e imediatamente ele ganha a sala toda... Bem, a sala toda, menos aquele cara. Todos estão rindo, batendo nas carteiras, todo tipo de coisa. Não eu, é claro. Eu fiquei sentado em silêncio, e foi quando ele reparou em mim. Olhei para ele, tentando dizer para esse homem, esse estranho, tudo com meus olhos. Ele levantou a cabeça só um pouquinho e eu olhei de volta. Por alguns segundos congelados, éramos os únicos na sala, e eu arrisquei. Precisava. Articulei as palavras *me ajude*, sabendo que ele provavelmente viraria a cabeça, constrangido. Mas não virou. Continuou olhando para mim. Foi assim que começou. Escrevemos cartas e eu nunca perdi nenhuma das aulas dele. Ele passava por mim, casualmente passando a mão contra as minhas costas. Ou deixava cair um lápis e tocava com um dedo no meu tornozelo ao parar para pegá-lo.

Toby fechou os olhos e sorriu, como se estivesse voltando àquele momento.

– Havia alguma coisa tão elétrica naquilo. Tão perigosa. Aqueles pequenos toques eram tudo. Eu vivia para eles. Você pode construir um mundo inteiro em volta dos menores toques. Sabia disso? Consegue imaginar?

Os olhos de Toby estavam começando a ficar molhados. Eu queria dizer: *É claro que sei disso*. Sei tudo sobre coisas muito pequenas. Proporção. Sei tudo sobre amor grande demais para ficar em um baldezinho. Derramando-se por toda parte da maneira mais constrangedora possível. Eu não queria ouvir mais nada da história, mas não pude evitar. A dor daquilo quase era boa.

– Ele me salvou, sabia? Ficou na Inglaterra até muito depois do seu visto. Esperou por mim. Ele já era conhecido. Já estava vendendo suas obras por uma verdadeira fortuna. Poderia ter ido para qualquer lugar, mas esperou. Por mim. No dia em que saí...

– Não quero ouvir.

Toby pareceu constrangido. Ele levantou as mãos, desculpando-se.

– Eu entendo – falou.

– O que você entende?

– O que você sente pelo Finn. Desculpe. Eu não fui sensato. Sou um babaca...

– O que eu sinto?

– June...

– Não, diga o que você acha. Você acha que eu *sinto alguma coisa* porque não quero ouvir sobre você se jogando no meu tio depois de ficar trancafiado na prisão?

– June, tudo bem. Nós sabemos o que você sente.

Ele me lançou um olhar intenso quando disse isso, tombando um pouco a cabeça para garantir que eu entendia.

E, de repente, como um tijolo caindo na minha cabeça, eu entendi. Finn sabia. Finn sabia e Toby sabia. Os dois sabiam. É claro que Finn saberia. Ele sempre conheceu meu coração.

Perdi totalmente a audição. Minha cabeça pareceu cheia de todas as criaturas zumbidoras do planeta. Eu queria virar cera e derreter. Queria apagar cada célula errada do meu corpo. Senti-me tão mal por estar viva naquele momento que teria feito qualquer coisa para acabar com aquilo. Se não estivéssemos no Bronx, eu teria pulado para fora do carro e corrido até em casa.

Em vez disso, tive de ficar sentada ali bem ao lado de Toby por 45 minutos. Quarenta e cinco minutos olhando para fora da janela, torcendo meu corpo para o mais para longe possível. Quarenta e cinco minutos que pareceram anos. Quarenta e cinco minutos silenciosos, exceto pelo momento, no lado norte de Yonkers, quando Toby estendeu uma mão, colocou-a nas minhas costas e disse:

– Acha que não sei sobre amores errados, June? Acha que não entendo amores constrangedores?

Toby estacionou a um quarteirão da minha casa. Deu seu costumeiro discurso "se precisar de alguma coisa...". Saí do carro o mais rápido que pude e, quando olhei para trás, vi meu passaporte no tapete do piso, todo enlameado das minhas botas. Olhei para ele ali, um pequeno livro feito de toda a minha estupidez, e esperei que talvez se perdesse para sempre.

Toby saiu do carro e deu a volta até o meu lado. Forcei-me a agir como se nada tivesse acontecido. Como se não fosse grande coisa. Forcei-me a olhar para ele com um sorriso colado no rosto. Ele fez planos para me ver na terça-feira seguinte. Disse que achava que ainda estava bem para dirigir. Respondi que ele deveria parar no estacionamento do Grand Union, nos fundos, onde ele leva para um lugar escondido, onde é coberto por árvores, perto das latas da Goodwill. Eram apenas palavras entorpecidas jorrando da minha boca. Não significavam nada. Eu disse que estaria lá às 15h30. Toby assentiu. Foi o que combinamos. Foi exatamente assim que deixamos a situação.

Cinquenta e quatro

Havia o aroma de rabanada com canela e havia minha mãe cantarolando a melodia de *Some Enchanting Evening* e o sol entrando em ondas pela janela do meu quarto e a batida do aparelho de som de Greta vindo da parede atrás da minha cabeça. Havia meu pai batendo metais no armário no final da escada e havia dois chapins no galho do lado de fora da minha janela. Foi assim que aquele sábado começou, e eu fiquei deitada na minha cama velha e quente, sorrindo porque não havia Toby, não havia segredos, não havia nada além de casa. Nada além de coisas normais, e isso me fazia sentir que aquele poderia ser um dia realmente muito bom.

Naquela noite, aconteceria a primeira apresentação de *Ao Sul do Pacífico*. Noite de estreia. Todos nós tínhamos ingressos, e Greta já nos dissera que deveríamos mandar flores para ela na escola. Ela nos disse que, geralmente, os alunos mandavam um cravo uns para os outros e os pais mandavam rosas ou até mesmo um monte de flores. Minha mãe assentiu e disse a ela para não se preocupar.

– Prometa que vai se lembrar, combinado? – Greta falou.

– Querida, você vai receber flores. Precisa se acalmar. Pare de se preocupar com tudo. Vai parecer acabada quando a apresentação começar.

Minha mãe colocou uma mão no ombro de Greta e deu uma esfregada.

Eu não disse, mas a verdade é que ela já parecia acabada. Sua pele estava seca e descamando, seu cabelo parecia áspero em vez de brilhante e macio como costumava ser. Ela nem se dera mais ao trabalho de fazer as unhas. Parecia que ela as estivera roendo até ficarem cheias de pontas.

Minha mãe alisou o cabelo de Greta com a mão.

– Você vai se sair muito bem. Sei que vai. Agora, sente e tome o café. Você também, Junie.

Ela trouxe pratos grandes com pilhas de rabanadas e xarope de bordo. Depois de limpar os balcões e lavar alguns pratos, minha mãe saiu para ir à cidade, e Greta e eu ficamos sozinhas pela primeira vez desde o dia em que ela invadira meu guarda-roupa. Greta empurrou a maior parte das rabanadas para um dos lados do prato e, depois, cortou a que sobrara. Não dissemos nada uma para a outra. Eu poderia ter passado o café todo sem dizer uma palavra, mas olhei para Greta cortando sua rabanada em pedaços muito pequenos, olhei para minha irmã pequena e cansada e pensei que grande dia aquele era para ela.

– Então... Você está, tipo, nervosa? – perguntei.

No começo, achei que ela me ignoraria, mas, depois, suas sobrancelhas se franziram e ela encolheu os ombros.

– Eu nem quero fazer a apresentação – disse sem olhar para mim. – Queria nunca ter feito os testes. Queria ser figurante. Ou nada. Não queria ser nada.

A janela da cozinha estava aberta e eu podia ouvir as batidas com eco de Kenny Gordano driblando a bola de basquete na entrada de sua casa, vizinha.

– Você vai se sair muito bem.

Ela apertou a parte de trás do garfo em um pedaço de rabanada.

– Talvez eu não queira me sair *muito bem*. Talvez eu queira ser mediana. Em tudo. Talvez eu queira ser como você.

– Acredite. Você não quer.

– Não, June. Acredite você. Sabe o que ser muito boa significa? Significa ter um ano roubado da sua vida. Tem um ano extra inteiro que foi perdido. E, sabe, quero meu ano de volta. Eu quero a segunda série. Tenho só 16 anos. E agora... Agora tenho de sair de casa para sempre? Parece certo? Sabe, eu costumava amar *Ao Sul do Pacífico*. Era como um pedacinho da minha vida em que eu podia simplesmente passar o tempo e cantar. Sem pressão nem nada. E, depois, quando menos percebo, isso vira a grande chance de uma vida. Por que tudo é assim comigo? Durante a vida toda, eu ouvi a mamãe. Oportunidades. Chances. E não quero ser ingrata. Não quero perder as coisas, mas, às vezes, fico deitada na cama e olho em volta para o quarto e não consigo acreditar que não devo mais ser criança. E quanto a essa oportunidade? Onde está a segunda chance para isso?

A voz dela tinha ficado trêmula, como se estivesse prestes a chorar. Ela colocou a mão no bolso da calça jeans e tirou uma daquelas garrafinhas de vodca. Nem tentou esconder de mim, só abriu a tampa e derramou metade dela no suco de laranja. Bebeu metade do copo e, depois, inclinou-se para mim e disse:

– Não vou para *Annie*, June. Não me importa o que eu tenha de fazer. Não vou.

– Eu ajudo. Vamos pensar em alguma coisa. Diz para a mamãe que você mudou de ideia ou algo assim

Greta terminou o suco e riu.

– É. Até parece. Que seja. Então, você vem? – ela perguntou. – Hoje à noite?

– É claro que vou. Tenho um ingresso.

– Não para a peça. Depois. A festa do elenco.

A combinação de tudo o que ela dissera e da vodca e do jeito casual como acabara de me convidar para a festa do elenco me deixou pasma. Fiquei sentada olhando para ela.

– Você deve estar brincando.

– Não. Não estou. Estou convidando.

– Você me espiona no bosque. Abre meu guarda-roupa. Destrói todas as minhas coisas privadas... Coisas insubstituíveis. E, depois, fica sentada aí como se eu realmente fosse pensar em ir a uma festa com você de novo? Digo, eu me sinto mal pela coisa toda de você ser boa em tudo, mas...

– Mas o Ben... Sabe, talvez...

– O Ben foi embora com a Tina Yarwood. Você mesma disse. Lembra?

– Ah – ela disse, de repente parecendo triste. – É.

– Não faço parte do elenco nem da produção e...

Eu me interrompi. Por que deveria explicar?

Greta não disse nada por alguns segundos. Apoiou o garfo delicadamente no canto do prato.

– Você ainda sai para vê-lo? – perguntou.

– Quem?

– Você sabe quem.

– Por que eu deveria contar alguma coisa para você? Você fica sentada aí... Fica sentada aí como se fôssemos melhores amigas ou algo do tipo. Você me convida para festas, sempre se mete nas minhas coisas. Bem, para mim, chega. Ponto. Final.

Virei minha cadeira para não olhar para Greta. No andar de cima, meu pai estava cantando *Younger Than Springtime* com sua voz retumbante.

– Duas palavras, June. Ryan. White. Tudo bem?

– É, que seja, Greta.

– Só pense nisso.

Virei-me para olhar para Greta de novo.

– O que tem o Ryan White?

Tudo o que eu sabia era que Ryan White era uma criança de algum lugar do Meio Oeste que pegara AIDS com uma transfusão de sangue.

– Alguém deu um tiro contra a casa dele. As pessoas cancelaram os jornais porque não queriam que ele entregasse. Papel, June. Elas acharam que poderiam pegar AIDS pelo papel.

– E daí? Não tenho medo. O Toby não tem ninguém, ok? E, para mim... diferente de para algumas pessoas... isso importa de verdade. Então, só fique longe de mim. Se você me odeia tanto, se odeia o Toby, por que não aproveitou a oportunidade para me encrencar quando teve a chance?

Eu estava quase gritando com Greta, mas, ao mesmo tempo, sentia pena dela. Lá estava aquela pessoa que não era mais uma irmã mais velha, nem um pouco. Bebendo vodca no café da manhã?

Greta não disse nada. Ela bebeu com barulho o último gole do suco de laranja, depois empilhou o copo sobre o prato e começou a se levantar. Ficou assim por alguns segundos e, depois, colocou o prato de volta na mesa e se sentou de novo. Seus olhos estavam molhados e ela estendeu a mão e pegou a minha na dela. Esfregou o dedo indicador sobre cada uma das minhas unhas e, depois, bateu nas suas e sorriu.

– Eu gostei do dourado – sussurrou.

Por um segundo, não entendi, mas, depois, compreendi e me senti estranha e explosiva por ela mencionar o que nós havíamos feito com o retrato bem na mesa da cozinha. Devolvi para ela um pequeno sorriso e, depois de um tempo, sussurrei:

– Fico feliz.

E bem naquele instante, bem naquele momento, senti o muro entre nossos mundos de segredos e o mundo real começar a ruir. Senti as meninas do retrato se transformarem em nós e nós nos transformarmos nelas e senti meus olhos ficarem molhados. Fiz que sim com a cabeça, com força.

– Fico muito, muito feliz.

Ficamos sentadas ali, em silêncio. A bola de basquete de Kenny continuou fazendo barulho e eu quis sair e arrancar a bola dele e jogá-la bem por cima da cerca-viva de cedro dos Gordano.

– Eu não devia ter mexido no seu guarda-roupa.

– Por que você tinha que jogar tudo fora? Poderia simplesmente...

– Eu sei.

Olhei para o prato de Greta. Todas as rabanadas ainda ali.

– Você devia comer alguma coisa.

Ela encolheu os ombros.

– Então... Você vai? Hoje à noite? Para a festa do elenco? Vamos conversar, tudo bem? Você é a única...

Olhamos uma para a outra. Era como se ela não tivesse escutado uma palavra do que eu dissera.

– Por que você não pode falar comigo agora?

Ela fez que não com a cabeça.

– Mesmo lugar – falou e olhou para mim por tempo bastante para garantir que eu entendera que falava do bosque. – Prometa, June.

– Não.

– Prometa – ela repetiu e, desta vez, apertou minha mão com tanta força que doeu.

Tão apertado que era como se essa mão fosse a única coisa que estava salvando Greta de uma queda.

– Promete?

Ela não soltou até eu assentir discretamente.

– Certo. Eu prometo – sussurrei.

Greta levantou-se para sair. Ela chegou até a porta e, depois, virou-se. Não olhou para mim.

– O Toby, ele não tem ninguém, certo? Certo, June? Bem, quem você acha que eu tenho?

E, antes que eu pudesse dizer qualquer coisa, ela foi embora.

Meu pai estava com a bolsa de golfe pendurada em um ombro quando entrou na cozinha. Eram por volta das 10h30, uma hora depois do café da manhã. Eu estava lavando a louça porque dissera a minha mãe que lavaria. Meu pai sorriu para mim enquanto apoiava a bolsa de golfe contra a geladeira.

– Já sei, June. Este ano, eu sei.

– O quê? – eu disse.

– O Dia das Mães é daqui a apenas duas semanas. Todos nós vamos para um *brunch* com champanhe no Gasho. As reservas estão feitas.

– Bom trabalho, pai – falei.

Eu nem me lembrara do Dia das Mães. Geralmente, era muito boa em coisas assim. Greta e eu costumávamos sair para o quintal dos fundos e colher flores e tentar preparar ovos mexidos.

– Ela teve um ano difícil. Vamos fazer deste um dia bom para ela, certo?

– É, boa ideia.

E talvez fosse mesmo uma boa ideia. Talvez, se eu tentasse ver minha mãe exatamente como costumava vê-la – trabalhadora, esperta, gentil –, pudesse esquecer o que eu sabia.

– Greta – ele gritou. – Vamos.

O Sr. Nebowitz queria todo o elenco e a produção na escola ao meio-dia, e meu pai disse que deixaria Greta no caminho para o golfe. Depois de alguns minutos, ela desceu a escada com uma bolsa enorme de coisas das quais precisava para a apresentação.

– Até mais tarde – ela disse para mim enquanto eles saíam pela porta.

Depois que saíram, a casa ficou vazia, e, embora o Dia das Mães fosse a duas semanas de distância, subi para o quarto e comecei a fazer um cartão para a minha mãe. Como costumava fazer. Com cartolina e canetas e lápis coloridos e glitter. E, naquele instante, era quase impossível acreditar que havia outra eu, que bebia Tigelas Vulcão e fumava e cuidava de pessoas que costumavam ser desconhecidas.

Cerca de meia hora depois, minha mãe bateu na minha porta.

– Querida?

– Sim?

– Venha aqui um pouquinho.

Escondi minhas coisas para fazer cartão embaixo de alguns livros e coloquei a cabeça para fora da porta.

– Sim?

– Você pode vir comigo para a cidade.

– Por quê?

– Precisamos parar no banco. Traga a sua chave de depósito.

O pânico deve ter aparecido no meu rosto todo, porque minha mãe sorriu e disse:

– Não se preocupe, não vamos vendê-lo nem nada. O homem do Whitney, ele vem vê-lo na noite de quinta e eu não vou ter tempo de buscá-lo durante a semana.

– Estou meio ocupada.

– June.

– Estou trabalhando numa coisa. Um projeto.

– Apenas pegue a chave e se vista, combinado?

Comecei a fechar a porta e, depois, botei a cabeça para fora de novo.

– Eu poderia pegar para você. Na segunda-feira – gritei.

Não sabia o que faria na segunda-feira, mas isso me daria tempo.

– Pare, June. Não tem nada com que se preocupar. Espero que você desça em 15 minutos e pronto.

Eu me vesti o mais devagar que pude, tentando pensar em algum tipo de plano. Pensei que, se Greta estivesse ali, ela saberia o que fazer, mas talvez não. Talvez nem ela conseguisse nos tirar dessa.

Na cozinha, minha mãe estava folheando uns papéis na bolsa.

– O carro está aberto. Você está com a chave, não está? Não duvido que você seria capaz de deixá-la em casa.

– Fiz que sim com a cabeça.

– Mostre para mim, então.

– Mãe...

– Desculpe, June, mas você está tornando muito difícil confiar em você nesta manhã.

– Bem, talvez eu também esteja achando difícil confiar em você – falei.

– June, não faço ideia do que deu em você, mas quero ver aquela chave.

Coloquei a mão no bolso e a tirei. Eu tinha mesmo pensado em deixá-la no quarto, mas parecia um plano idiota. Levantei-a e minha mãe me observou colocá-la de volta no bolso.

– Certo – ela disse. – Vá em frente. Para a porta.

– Nem acho que o banco esteja aberto no sábado, está?

– É claro que está. Ele tem ficado aberto até a uma no sábado há pelo menos um ano. Agora, entre no carro. Estamos atrasadas.

Minha mãe fez sombra com as mãos sobre os olhos enquanto voltava para a entrada de casa. Era um dia quente, provavelmente o mais quente do ano até então, e o carro estava abafado. Mantive os olhos no relógio digital da van bem no meio do painel: 12h17.

Foi a viagem mais curta para a cidade em que eu já estive. Todos os faróis do caminho estavam verdes e quase não tinha trânsito.

– Aqui, June. Coloque estes para mim.

Minha mãe parou em um dos locais para deixar correspondência no posto do correio e me entregou uma pilha de envelopes.

– Todos têm selos, exceto este pesado.

Ela me deu um dólar e me disse para pesá-los antes de colocar todos na caixa.

Olhei para o relógio: 12h29.

– Seja rápida.

– É, combinado – eu disse e pulei da van.

Entrei correndo no posto do correio como se estivesse me esforçando ao máximo para ser rápida, mas, depois que estava lá dentro, diminuí a velocidade imediatamente. Deslizei para trás da porta e fiquei lá, esperando. Depois, saí escondida e fui para a farmácia ao lado.

Quando você tem relógio, o tempo é como uma piscina. Há cantos e lados. Sem relógio, o tempo é como o oceano. Desordenado e vasto. Eu não tinha relógio. Assim, tinha de adivinhar havia quanto tempo estava ali, parada ao lado das vitrines de descongestionantes. Depois do que pensei serem cerca de dez minutos, voltei para o posto do correio e entrei no final da fila. Eu não me sentia muito bem em fazer isso com a minha mãe, fazê-la esperar lá fora, ficando cada vez mais irritada, mas pensei que era minha única chance. Se eu pudesse nos fazer demorar até depois das 13h...

Quando enfim saí, minha mãe não estava na van. As portas estavam destrancadas e, assim, entrei e esperei. O relógio dizia 12h42. Não tão tarde quanto eu tinha esperado, e pensei em sair de novo. Mas a minha mãe veio marchando na minha direção. A van estava parada de forma que o sol brilhava bem através do para-brisa, e tive de apertar os olhos para vê-la. Seus braços estavam cruzados na frente do peito e todo o seu corpo estava rígido enquanto ela marchava em diagonal cruzando a rua. Quando entrou, não me disse uma palavra.

Estacionamos atrás do banco. O relógio dizia 12h49.

Eu costumava pensar que, se pudesse viajar no tempo apenas uma vez, voltaria para a Idade Média. Depois, pensei que viajaria para o dia em que Finn conheceu Toby, para poder salvar a vida de Finn. Agora, acho que eu voltaria para as 12h49 de sábado, 25 de abril de 1987. Iria exatamente para o momento em que minha mãe e eu estávamos paradas no estacionamento do banco. Depois, eu correria ou desmaiaria ou pegaria a chave no bolso e jogaria na grama mal-cuidada. Faria o que fosse preciso para impedir que entrássemos no banco naquele dia. Mas não existe viagem no tempo; assim, eu não fazia ideia de como o restante do dia seria e, em vez de fugir, andei em silêncio até a porta da frente do banco e entrei.

O Sr. Zimmer estava lá e nos levou direto escada abaixo.

– Como está o Dennis? – minha mãe perguntou.

– Não posso reclamar, mesmo – ele respondeu. – Muito interessado em música estes dias.

– June, você poderia convidar o Dennis para uma visita um dia, não é?

– Acho que sim – falei, apenas porque o pai dele estava ali.

O Sr. Zimmer abriu a sala número dois e baixou a caixa até o chão.

– Muito bem – ele disse. Olhou para o relógio. – Fechamos em... Bem, estamos para fechar agora, então...

– Acho que vamos ter de deixar para a próxima semana – comentei em uma voz provavelmente um pouco satisfeita demais.

Minha mãe me lançou um olhar ríspido.

– Precisamos levá-lo conosco de qualquer maneira, Dave. Então, acho que precisaremos simplesmente pular a sessão de vistoria.

Minha mãe começou a sair com a caixa toda.

– Temo que eu não possa deixar a caixa sair. Você terá de levar a pintura.

– Ah – minha mãe disse e, depois, eu a vi dar ao Sr. Zimmer o mesmo olhar triste que Finn com seguia fazer.

Exatamente o mesmo olhar que ele me lançara quando tentara me fazer concordar com o retrato para início de conversa. Ela deu um meio sorriso e pude ver o Sr. Zimmer mudando de ideia, bem ali na nossa frente.

– Ah, que seja – ele falou. – Eu a conheço faz anos.

– Obrigada, Dave. É só que – ela baixou a voz –, bem, é muito valiosa.

– É claro – ele concordou. – Traga de volta quando puder.

E, assim, fomos para casa com o retrato no banco de trás e, durante todo o caminho, eu não conseguia parar de desejar milagres. Imaginava que, de alguma maneira, a pintura poderia engolir tudo que tínhamos acrescentado a ela. Chamei o fantasma de Finn com minha mente, olhando para o sol até não conseguir me livrar dos pontos pretos nos olhos, pensando que, se houvesse um Finn fantasma, ele poderia deslizar com sua forma vaporosa para dentro daquela caixa e apagar tudo o que havíamos feito. Olhei para fora entre as árvores e pelos quintais da frente das casas de estranhos. Olhei embaixo dos carros e para o céu azul e claro, como se a resposta para tudo pudesse estar lá, mas não havia nada. Apenas sombra e claridade. Sombra e claridade, de novo e de novo.

Fui direto para o meu quarto quando voltei. Fechei a porta e coloquei o *Requiem* tocando muito alto e esperei o que quer que fosse acontecer. Desde aquele dia no trem, quando minha mãe dissera que fora ela quem mostrara o *Requiem* para Finn, eu achava estranho colocá-lo para tocar. Como se fosse algum tipo de conversa entre Finn e a minha mãe, como se fosse Finn tentando dizer que ele ainda se lembrava de tudo o que se passara entre os dois. Odiei colocá-lo para tocar depois disso. Eu não gostava de ser usada assim, Mas não pude evitar. Estava doida para ouvi-lo de novo e, naquela tarde, cedi. Peguei o cartão que estava fazendo para a minha mãe. Eu desenhara os contornos de borboletas, colorindo cada um e colocando delicadamente glitter apenas nos lugares certos das asas delas. Abri meu estojo de lápis coloridos e tirei três tons de azul. Depois, comecei a colorir furiosamente o céu. Com tanta força que achei que furaria a cartolina. E, por um momento, acreditei que, mesmo se viajar no tempo fosse impossível, fazer coisas de criança poderia ter o poder de desacelerar o tempo. Pará-lo apenas tempo o suficiente para tudo ficar bem.

Cinquenta e cinco

Havia trovões. Bem distantes em algum lugar. Eu adormecera e, quando acordei, foi isso que ouvi. Exceto por eles, a casa estava silenciosa. Meu despertador marcava 16h30. Quando espiei para fora da janela, vi que o céu tinha ficado mais escuro e os dois carros estavam na entrada. Eu precisava verificar, porque dormir de dia é assim. Quando você acorda, sente que poderia estar em qualquer lugar.

Andei em silêncio pelo quarto e, depois, saí pela porta até o topo da escada. Fiquei parada ali por um tempo, esperando de alguma forma conseguir ouvir se meus pais já tinham visto o retrato. Teriam me acordado se o tivessem visto? Teriam me arrastado para fora da cama?

Desci a escada nas pontas dos pés, escutando. Sem TV. Sem rádio. Sem cortador de grama ou processador de alimentos. Nem mesmo o folhear de páginas. Quando meus pés atingiram o chão no final da escada, parei de novo, mal respirando, tentando sentir onde meus pais estavam. Tentando ter um vislumbre da caixa de depósito seguro. Nada.

Coloquei a cabeça para dentro da cozinha, que estava vazia, e, depois, da sala de estar.

Lá estava. O retrato. Fora da caixa, apoiado em pé sobre a lareira. Ainda não havia sinal dos meus pais, o que pareceu estranho. Apenas o retrato e eu, sozinhos naquela sala. Nenhuma mágica apagara o que tínhamos feito. Nosso cabelo brilhava em dourado, fazendo-nos parecer meninas de uma história. Meninas que sabiam tudo o que havia para saber. Os lábios de Greta estavam ainda mais vermelhos, ainda mais mal-humorados do que eu me lembrava. O crânio na mão dela estava mais óbvio e suas unhas pareciam as garras de algum tipo de gato mítico. Mesmo os botões, que costumavam ser quase invisíveis, pareciam intensos. Brilhantes e ofuscantes quando comparados com as coisas que Finn fizera. Era quase como se tivéssemos deixado Finn invisível com todas as nossas pinceladas sem jeito.

Depois, houve passos na escada. Suaves, de chinelos. Os pés da minha mãe. Sentei-me no sofá, de frente para o retrato. Esperando. Eu a ouvi ir para a cozinha e abrir a geladeira. Ouvi o armário ser aberto, o som de um copo contra o balcão. Uma bebida sendo servida. Ouvi um trovão de novo, ainda baixo e muito distante. Depois, o som baixinho dos pés com chinelos da minha mãe veio na direção da sala de estar até eu poder ver a sombra dela na porta. Ela estava com o roupão de banho. Tecido limpo, branco e felpudo.

– Eu sei – falei antes de ela começar.

Ela caminhou até o aparador e apoiou o copo. Nem se deu ao trabalho de usar um porta-copos.

– Não tenho certeza se você sabe, June. Não tenho certeza nem de que você ainda sabe o mais básico do certo e do errado.

Apertou mais o cinto do roupão e andou devagar até o retrato. Com os olhos, traçou os fios do nosso cabelo iluminado, demorando-se um pouco em Greta.

– O que mais me chateia e chateia seu pai... mais do que o fato de esta pintura ter perdido pelo menos meio milhão, *meio milhão* de dólares no valor por causa dos seus atos infantis... é que você parece ter se esforçado particularmente bastante para desfigurar sua irmã.

– Como sabe que eu fiz tudo? Por que eu sempre levo a culpa?

Minha mãe bufou e balançou a cabeça de um lado para o outro.

– A Greta tem estado muito ocupada com a peça, você acha mesmo que eu vou acreditar que ela teria tempo, que ia *querer* gastar o seu tempo indo ao banco para desfigurar uma obra de arte valiosa? Essa é a diferença entre você e a Greta. Ela tem coisas melhores a fazer. Mas você? Você se afunda naquele seu quarto...

– Achei que o Finn fosse gostar.

Toda a raiva sumiu do rosto da minha mãe naquele momento. Suas sobrancelhas se franziram e ela pareceu assustada. Como se pudesse chorar.

– O que está acontecendo com você, Junie? Hein?

– Nada – falei.

– Seu tio fez essa pintura para você e para a sua irmã. A última pintura que ele fez. Você chegou a ler os artigos? No *Times*, na *Newsweek*? Você entende quem o Finn era? E vem você, uma menina de 14 anos, achando que pode melhorar o trabalho dele?

A porta da cozinha foi aberta e batida. Meu pai entrou na sala de estar com uma calça de abrigo rasgada, seu chapéu de jardinagem e mãos enlameadas, que ele mantinha longe do corpo. Olhou da minha mãe para mim e, depois, levantou as mãos.

– Vou me lavar e já desço.

– Viu? Olhe para o seu pai. Ele trabalha mais do que em tempo integral, joga golfe e ainda tem tempo para cuidar do jardim no fim de semana. E a Greta. E eu. Nós sempre encontramos jeitos de ficarmos ocupados. Daqui para a frente, o seu tempo vai ser agendado. Vou inscrevê-la em atividades depois da aula todos os dias da semana e vou verificar se você está participando. Não a mantivemos envolvida o suficiente. Muito tempo sozinha. Muito tempo cheio de bobagem. Agora eu vejo isso.

Havia muitas coisas que eu poderia ter dito sobre se manter ocupada. Sobre encher sua vida de clubes e esportes e peças idiotas em que as pessoas começam a cantar sem motivo nenhum. Mas não falei. É claro que eu não disse uma palavra.

Minha mãe continuou:

– Além de tudo, você está de castigo. Tudo que não sejam atividades supervisionadas e estruturadas está proibido para você até vermos alguma melhora.

As implicações disso apareceram na minha cabeça. Toby me ocorreu primeiro. E, depois de alguns segundos, Greta.

– Eu disse para a Greta que iria para a festa do elenco.

– Você não vai para nenhuma festa de nenhum tipo hoje. Entendeu? – Minha mãe jogou as mãos para cima. – É como se você realmente não entendesse a magnitude do que fez aqui.

– Mas eu prometi para ela...

Meu pai voltou para a sala. Colocara roupas limpas.

– Ela vai ficar bem sem você – ele disse.

– O que você não percebe é que machucou a si mesma mais do que qualquer outra pessoa. Aquele homem, do Whitney, ele disse que, se a pintura fosse aprovada, ele estaria disposto a oferecer 10 mil dólares para incluí-la em uma exposição. E sabe o que estávamos planejando fazer com esse dinheiro? Sabe?

Fiz que não com a cabeça.

– Pensamos em fazer uma viagem. Todos nós. Europa, Inglaterra, talvez Irlanda. Sabemos que você teve um ano difícil e pensamos: *Sabe, a June adoraria isso. A June adoraria visitar os castelos e todo esse tipo de coisa*. Então, aí está, pense nisso por um tempo.

Eu não conseguia mais olhar para nenhum deles. Encarei o tapete azul-claro, meus olhos captando os desenhos de fios amassados e fofos.

– Agora, não apenas será um constrangimento. Esse homem vai pensar que somos todos malucos.

Meu pai colocou a mão no meu ombro.

– Olhe, June, se isso for algum tipo de pedido de ajuda, estamos ouvindo. Tudo bem? Alto e claro.

Fiquei sentada ali, ouvindo uma longa lista de coisas que estavam erradas comigo. E ouvi várias repetições do número meio milhão de dólares, que, para algo que não era o mais importante, parecia muito perto de ser o mais importante.

Depois de um tempo, meu pai levantou as mãos e disse:

– Certo, já chega por ora. Suba e comece a se arrumar.

Eles decidiram que eu ainda deveria ir à peça. Disseram que não era justo com Greta não ter a família toda lá para apoiá-la.

Fechei minha porta e me sentei na borda da cama amassada, ouvindo o máximo que pude dos meus pais discutindo no andar de baixo. Mas não conseguia entender o que eles estavam falando. Ainda podia ouvir os trovões, no entanto, rosnando e rosnando de algum lugar distante naquele céu escuro do sábado.

Cinquenta e seis

Os ingressos para a peça tinham esgotado, como em todos os anos. Desta vez, Sr. Nebowitz disse especificamente para o elenco que ele convidara alguns dos seus amigos atores da cidade para assistir. Não disse exatamente quem, mas disse que poderiam ser reconhecidos e, se alguém os identificasse na cidade ou nas apresentações, ele fez o pedido específico de que não assediassem aquela pessoa. Talvez fossem as mesmas pessoas que observariam Greta. As que decidiriam se ela era boa o bastante para a Broadway.

Sentei-me no banco de trás no caminho para a escola, e ninguém conversou. Quando chegamos, vi que alguém colocara celofane colorido nas luzes do gramado para ele brilhar em vermelho e laranja e amarelo. Minha mãe me lançou um olhar de aviso enquanto entrávamos e, depois, eu a vi voltar para seu modo normal. Conversando com outras mães, dizendo o quanto estava orgulhosa de Greta.

Tentei sair escondida, porque pensei que, se encontrasse minha irmã, pelo menos poderia contar a ela do retrato e avisá-la de que eu não iria para a festa e, assim, talvez ela não fizesse a cena toda de se enterrar. Ela saberia que precisaria cuidar de si mesma, porque ninguém a procuraria no bosque.

Meu pai e eu ficamos em pé contra a parede perto de onde a Associação de Pais e Mestres estava vendendo copos de ponche vermelho-vivo e brownies e cupcakes caseiros. Virei-me para andar pelo corredor, mas meu pai segurou meu ombro.

– Acho que não. Ordens expressas da sua mãe. Você fica comigo.

– O que eu poderia fazer de errado aqui?

– Não sei, mas é a noite da Greta e não vamos correr nenhum risco – ele disse.

Depois, me lançou o olhar mais decepcionado que eu acho que já me direcionou e falou:

– Você traiu nossa confiança, June.

– Eu sei – respondi.

Fiquei olhando para a frente e para trás pelo corredor, esperando ver alguém por quem eu pudesse mandar uma mensagem, mas havia apenas pais e criancinhas, que não eram nem um pouco úteis. Depois, as luzes piscaram algumas vezes e todos nós entramos no auditório. Ela ficaria bem sozinha. Isso provavelmente era verdade. Teria de ficar.

Havia uma orquestra ao vivo no fosso e, conforme as luzes diminuíram, ela começou a tocar a abertura. A abertura é de longe a parte mais entediante do espetáculo. É a parte mais entediante de qualquer espetáculo e acho que ninguém nem sabe por que ela existe. Eu estava presa entre a minha mãe e o meu pai e olhei ao redor, tentando ver se havia mesmo atores famosos ali. Reparei em um homem que parecia Danny DeVito, mas depois percebi que era apenas o pai de Kelly Hanrahan.

A peça não tinha novidade para mim, porque eu já a vira muitas vezes. A principal diversão foi tentar achar qualquer erro. O único que vi foi quando Gary Jasper, o garoto que interpretava Luther Billis, começou a rir durante uma de suas falas. Não foi uma grande surpresa, no entanto, pois Gary Jasper não apenas era o palhaço da turma, mas o palhaço da escola toda, o que, para início de conversa, foi o motivo de ele conseguir aquele papel.

Greta entrou e meu pai estendeu a mão e apertou a minha, como se, do contrário, eu pudesse não ter reparado nela. Lá estava ela, fantástica.

Toda maquiada e no personagem. Meus pais estavam sorrindo. Pareciam muito orgulhosos dela, e eu percebi que não conseguia me lembrar da última vez que olharam assim para algo que eu fizera. Ela tinha de andar pelo palco empertigada enquanto vários marinheiros sujos liderados por Gary Jasper cantavam a música *Bloody Mary*, em que lhe dizem que sua pele parece uma luva de beisebol e que ela não usa pasta de dente, mas é a garota que eles amam. Não é uma música muito bonita e, além disso, a escola fez o Sr. Nebowitz tirar o "maldição" da letra do refrão, e eles estavam cantando "isso não é uma droga?", o que nem se compara,

Foi apenas quando Greta cantou *Bali Ha'i* que eu comecei a pensar que algo estava errado. Aquela música tinha um clima meio sonhador. Bloody Mary estava tentando fazer o Tenente Cable imaginar aquela ilha incrível e, assim, no começo, pensei que Greta estivesse se balançando porque estava no personagem. Mas, então, eu a observei e escutei-a cantar sobre um lugar onde você nunca teria de estar só. Começa sendo sobre um lugar, mas, no final, você começa a perceber que Bloody Mary está falando de si mesma. Ela é a ilha. É ela que está flutuando para o meio do oceano esperando ser encontrada.

Era como se ela estivesse pensando nas palavras que dizia. Ela diminuiu o ritmo e, assim, a orquestra ficou fora de sincronia com o canto dela, os instrumentos tentaram segui-la, e eu pensei, não sei se é verdade, mas pensei que ela poderia estar olhando para a plateia à minha procura. Por alguns segundos, enquanto dizia aquelas palavras, achei que ela talvez as estivesse cantando apenas para mim.

E pude perceber que ela estava bêbada. Bem ali, em cima do palco, em frente a todo mundo.

Olhei para os meus pais, mas eles não pareceram reparar em nada. Ninguém pareceu. Bloody Mary era uma personagem estranha e acho que as pessoas pensaram que era assim que Greta a estava interpretando. Como uma velha senhora bêbada.

Depois do intervalo, vi Greta cantar *Happy Talk* estalando os dedos como se suas mãos estivessem batendo um papinho fofo, e pude sentir que eu estava ficando brava. Parecia um aperto no meu corpo todo. Quando olhei para baixo, vi minhas próprias mãos cerradas. Greta achava que podia fazer o que quisesse, ficar superbêbada e eu estaria por perto para carregá-la até em casa. Ela achava, depois de tudo o que fizera, estragando todas as minhas coisas de Finn, fazendo-me parecer idiota de novo e de novo, que podia contar comigo. Bem, não podia. Desta vez, ela descobriria que não. Eu não estaria lá para resgatá-la e ponto final.

Quando estávamos saindo, vi Ben no lobby da frente, vestido nas roupas todas pretas dos bastidores e comprando um copo de ponche havaiano na mesa de lanches da Associação de Pais e Mestres.

– Ei – eu disse quando passei.

– Ah, oi, June. – Ele sorriu. – Você vai para a casa dos Reeds?

– Casa dos Reeds?

– Sabe, a festa do elenco. Você vai, não é?

Meus pais estavam atrás de mim, falando com o Sr. e a Sra. Farley, mas meu pai devia estar pronto para ir embora, porque me deu um tapinha no ombro e mexeu a cabeça na direção da porta. Eu assenti. Depois, virei-me de volta para Ben e sussurrei:

– Então, a festa não é no bosque?

– Os Reeds sempre fazem a festa do elenco. Já viu a casa deles?

Fiz que não com a cabeça.

– É uma casa incrível e moderna com janelas enormes. Sabe, é uma daquelas na Woodland Court. – Ele apontou em direção às janelas, onde o vento estava balançando até mesmo as vidraças resistentes da escola. – Olhe o tempo, de qualquer forma. Quem iria querer ficar lá fora no bosque?

– É. Certo. Eu...

– Então, você vai?

Fiz que não.

– Não posso.

Revirei os olhos e olhei para meus pais.

– Aaah, entendi. – Depois, ele sorriu ainda mais. – Então, posso pegar suas botas emprestadas?

Comecei a responder que não havia chance, mas então percebi que ele estava brincando.

– Rá-rá – eu disse, sorrindo.

Enquanto saía da escola, acompanhada pelos meus pais, um de cada lado, tudo em que eu conseguia pensar era Greta. Ela ia mesmo para o bosque sozinha? E ficaria esperando por mim? Ou talvez não fosse nada disso. Talvez fosse apenas outro truque. Talvez ela quisesse me mandar em uma caçada idiota pelo bosque à noite, sozinha. Mas não. Eu não achava que ela faria isso. Não depois de tudo o que dissemos naquela manhã. Olhei para a escola e, depois, para os meus pais e, de repente, virei-me e corri.

– Já volto – gritei por cima do ombro.

Subi os degraus, atravessei a porta tropeçando e corri até Ben, batendo a mão nas costas dele. Um esguicho de ponche vermelho vivo derramou-se pela borda do copo de papel dele e caiu no chão.

– Ei – ele disse.

– Desculpe, desculpe. Olhe... Você precisa ir dizer para a Greta que eu não posso ir para a festa, tudo bem? Por favor. É importante.

– Ei, fique calma – ele falou, colocando a mão no meu ombro. – Eu diria se pudesse, mas a Greta saiu assim que as cortinas se fecharam. Ela nem tirou o figurino. Saiu direto pela porta dos bastidores e cortou pelo bosque.

Meu corpo todo desabou.

– Ah – eu disse.

– Se eu vir a Greta... – Ben começou a dizer.

Enquanto me virava para sair, meus pais me encararam do final dos degraus de pedra do lado de fora da escola. Os dois estavam com os braços cruzados com firmeza em frente ao peito. Mas eu só conseguia pensar em Greta. Não deveria ter me importado, não era problema meu, mas, ainda assim, não conseguia tirar aquela imagem da cabeça. O lindo rosto de Greta brilhando no chão. Esperando. Esperando a irmã ir encontrá-la.

Cinquenta e sete

Conforme a noite avançava e eu fiquei sentada e acordada no quarto, ouvindo o uivo de trovões, não conseguia parar de me preocupar com Greta. E se ela já tivesse desmaiado, bem afundada debaixo da cobertura de folhas? E se tivesse bebido tanto que não conseguisse acordar? Eu vira coisas assim no noticiário. E se ela tivesse tomado mais alguma coisa? Drogas ou algo que eu nem conseguia imaginar? E se tivesse raios? E se um raio descesse e torcesse seu caminho até aquele bordo alto no bosque? E se ele corresse direto para o solo, direto para a cabeça de Greta? Meus pensamentos continuavam sem controle. Ela dissera que encontraria uma maneira de não fazer *Annie*. O que quisera dizer? E se ela tentasse fazer alguma coisa consigo mesma? Eu não queria me importar, mas, de alguma maneira, como sempre, eu me importava. Ela estava ligada ao meu coração. Torcida e enroscada e costurada bem através dele.

Foi a primeira centelha de um raio de verdade que me fez entrar em pânico. Pensei na chuva que logo viria. Pesada, abundante. Em como o solo em volta de Greta poderia dissolver-se e virar lama. Em como o rio poderia subir e encher se a chuva fosse pesada e rápida o bastante. Imaginei Greta flutuando e indo embora. E os lobos. E se os lobos estivessem lá? E se fossem reais? E se estivessem famintos? Pensei na expressão dela quando estávamos falando de sereias invisíveis. Como uma criancinha. Mesmo se os lobos fossem apenas coiotes, poderiam pegar Greta e despedaçá-la.

O noticiário das 23h estava passando e, depois, começou o *Saturday Night Live*, que meus pais viam porque achavam que ainda era engraçado. De minuto em minuto, meu pai me chamava, esperando ouvir a resposta. Sei que eles achavam que eu poderia sair escondido. E talvez eu tivesse saído, se não fosse tão covarde.

Em vez disso, andei pelo corredor, passei pela porta fechada de Greta, passei pelo banheiro e entrei no quarto dos meus pais. A cama deles sempre estava feita e bem esticada e, assim, eu me abaixei em silêncio no tapete bege peludo perto do criado-mudo do lado do meu pai da cama. Levantei o telefone da base e, devagar, sem pressa em cada número, liguei para o apartamento de Finn. Tocou duas vezes, depois três vezes e, por um momento, pensei que Toby pudesse não estar lá ou que tivesse decidido não atender. Segurei o fone na orelha e decidi dar a ele seis toques antes de desligar. Ele atendeu no quinto.

– Toby? – eu disse.

– June. Está tarde. Você está bem?

Eu não disse nada no começo. Senti-me estranha por falar com ele depois da vez anterior. Nada mudara para ele, mas, para mim, tudo mudara. Eu ficara transparente, nua. A menina com o coração transparente. A menina mais idiota do mundo. Uma palpitação de raiva percorreu meu corpo.

– Sabe aquilo de devermos estar um ao lado do outro? Se precisarmos de alguma coisa?

– É claro. É claro que sei. O que foi? Você está bem, June?

– Estou bem. Não sou eu. É a Greta.

– A Greta? O que aconteceu?

– Estou com medo. Não sei. Estou de castigo. Não posso trazê-la para casa. Eu...

Minha voz estava ficando cada vez mais alta, as palavras saindo depressa.

– June? – meu pai chamou da sala de estar.

– Estou bem – gritei de volta, tentando parecer calma e feliz. – Só estou cantando sozinha. Está tudo bem.

– Psiu. Devagar – Toby falou.

– Certo.

Soltei um suspiro longo.

– Certo.

Contei a ele sobre as festas de novo, e Greta, e como eu a encontrara nas duas vezes anteriores.

– Ela estava me esperando lá. E vai estar hoje à noite também. Sei que vai. Ela disse que queria conversar. E ela não fazia ideia de que eu ficaria de castigo nem nada. Tem raios lá fora, e trovões. Ela já estava bêbada na peça. Estava completamente acabada. Eu percebi. Tem mais coisa, mas não tem mais tempo.

– Por que você está de castigo? Não é por mim, é?

– Não, não. Mais tarde, tudo bem? Apenas isto agora.

– Tudo bem, tudo bem. Então, onde ela está? Exatamente.

– Você se lembra de onde estacionou quando me pegou na escola daquela vez? No dia em que nós fomos para o Playland? Você se lembra de como aquele estacionamento contornava os fundos da escola?

Ele se lembrava e, de lá, descrevi exatamente como cortar pelo bosque. Como seguir o rio e encontrar o bordo onde Greta estaria. Eu disse uma vez e, quando ele me pediu para falar tudo de novo, duas vezes.

– Você vai precisar de uma lanterna, certo?

Toby não disse nada por alguns segundos.

– June?

– Sim?

– Bem, estou um pouco preocupado. Eu provavelmente... Eu com certeza vou assustar a Greta, não vou? Ela não me conhece. Sua família... Bem, eles me odeiam. Você sabe disso. Eu não sei...

– Bem, se você não quiser... Quero dizer, você falou *qualquer coisa* e, primeiro, disse que não podemos ir para a Inglaterra e agora...

Eu me senti mal de jogar com a culpa dele assim. E desejei não tê-lo feito, mas fiz. É a verdade. Eu o fiz se sentir o mais culpado que consegui.

– Tudo bem. Combinado então.

– Se ela acordar, diga que eu que te mandei. Diga isso para ela, especificamente, e ela vai acreditar: diga que nossos pais viram o retrato, certo? Diga a ela que fiquei de castigo por causa do retrato e te chamei para buscá-la. Ela talvez nem acorde. Nesse caso, só a deixe do lado de fora da nossa porta. Pare um pouco antes na rua. Vou ficar verificando a porta dos fundos. Eu a trago para dentro. Vai ficar tudo bem.

– Sinto muito, mas não estou certo disso, June.

– Não se preocupe, Toby. Não tenha medo.

Ele não disse nada. Depois, suspirou.

– Certo. Tudo bem. Eu vou. Por você.

– Você vai?

E percebi que eu estava surpresa. Talvez eu o estivesse testando. Talvez esperasse reprová-lo no teste.

– Por você. Não se preocupe. Não quero que se preocupe. Chegarei aí logo.

Desliguei e imediatamente senti um tremor atingir cada parte da minha pele de uma vez. Eu deveria simplesmente ter contado aos meus pais. Deveria simplesmente ter deixado Greta se encrencar. Fiquei sentada ali, no chão do quarto dos meus pais, deixando o que eu fizera ser absorvido. Depois, peguei o fone e disquei o número de novo. Meus dedos se atrapalharam e, quando finalmente acertei o número, nem importou. O telefone tocou e tocou. Toby já saíra. Não sei dizer o que eu teria falado se ele estivesse lá. Eu teria implorado a ele para não ir? Não sei. Não conheço meu coração tão bem. Tudo o que eu sabia era que as promessas de Toby eram boas. Ele largaria tudo, assim mesmo, e viria quando eu chamasse.

No andar de baixo, meus pais estavam rindo com o *Saturday Night Live* e eu deslizei para a sala de estar. Minha mãe estava toda aconchegada em uma calça de abrigo cor-de-rosa e um agasalho enorme. Eles estavam no sofá e a cabeça dela estava apoiada no ombro do meu pai. Sentei-me de pernas cruzadas na poltrona reclinável.

Dennis Miller estava no programa, fazendo aquela coisa de noticiário de comédia que ele fazia. Meus pais estavam rindo de uma piada idiota sobre Gary Hart. Entrou um comercial e eu olhei para eles.

– Desculpem – falei.

Minha mãe olhou para meu pai. Depois, olhou para mim por um longo tempo, os lábios bem apertados. O rosto severo. Por fim, pareceu ficar um pouco mais suave e fez que sim com a cabeça, bem discretamente.

– É bom ouvi-la dizer isso, June.

– Falo sério. Mesmo. Desculpem.

Minha mãe deu uma batidinha no lugar no sofá perto dela e eu deslizei para fora da poltrona de vinil e me aconcheguei ao seu lado como não fazia havia anos. Senti-me quente e bem.

Quando os comerciais acabaram, o *Saturday Night Live* voltou e mostrou um esquete com Jon Lovitz sobre um serviço de entrega de pacotes chamado Einstein Express, no qual, por causa das teorias de Einstein sobre espaço-tempo, os pacotes podiam mesmo chegar antes de serem enviados. Era uma ideia boa, mas, como a maior parte das coisas naquele programa, a cena não era tão engraçada.

Mas não me importei. Aquele dia acabaria logo e o ombro da minha mãe estava macio e o sofá estava macio e Suzanne Vega tinha entrado e estava cantando *Luka*, sobre um menino triste que morava no segundo andar, e a música era suave e tranquilizadora e muito apropriada.

Os minutos pareceram passar em câmera lenta naquela noite. O corpo da minha mãe chacoalhava quando ela ria, assim como Finn, e meu pai roncava baixinho. Depois de *Saturday Night Live*, meus pais foram para a cama e eu fui para a cozinha esperar Toby na porta dos fundos. Tudo daria certo. É claro que sim. Foi o que disse a mim mesma. Eu agradeceria a Toby por fazer aquilo para mim e tudo voltaria ao normal. A chuva batia na janela da cozinha e eu olhei para a escuridão do nosso quintal dos fundos, para a sombra esquelética dos balanços, para os arbustos de rododendro chicoteando na tempestade. Fiquei ali por muito tempo, olhando para fora, esperando a sombra de Toby chegar.

E a campainha da porta da frente tocou.

Cinquenta e oito

Os dois policiais estavam parados na porta. Eu sabia que um era o policial Gellski. Ele ia à nossa escola uma vez por ano desde que eu estava no jardim de infância, para nos contar sobre o perigo oferecido por estranhos e seguridade social e segurança com bicicletas. Era mais velho que meus pais. O outro era jovem.

Entre os dois, parecendo pequena, estava Greta. Ela estava rígida, olhando para o chão. Ainda estava usando a saia de hula-hula, seu figurino de Bloody Mary, e estava encharcada. Seu cabelo estava cheio de lama e folhas, o rosto sujo com a maquiagem de palco borrada. A chuva martelava o chão atrás dos três, mas meu pai simplesmente ficou parado, uma mão no canto da porta, e encarou.

– Greta... Mas que raios? – ele sussurrou. – Ela está bem?

– Podemos entrar? – o policial Gellski perguntou.

– Sim. Sim, é claro. Entrem.

Meu pai abriu mais a porta e os três entraram no hall. O policial mais jovem olhou para baixo, para seus sapatos enlameados, e, depois, para minha mãe.

– Não se preocupe – ela disse, fazendo que não com a cabeça. – Venham para a cozinha. Aqui.

Os policiais foram na frente. Greta ficou para trás. Meu pai colocou o braço em volta dela e guiou-a até a cozinha. Ele puxou uma cadeira para Greta e a sentou. Os dois policiais faziam a cozinha parecer muito pequena. Seus uniformes azul-escuros e suas pistolas grossas faziam tudo na casa parecer frágil.

– Sentem-se – minha mãe disse para eles.

– Tudo bem. Estamos bem de pé – o policial Gellski disse, forçando um sorriso.

O policial jovem segurava uma sacola de plástico.

– O casaco da sua filha – ele falou. – Estava encharcado.

Ela pegou a sacola dele e a segurou longe do corpo.

– Jogue na banheira, por favor, June – pediu sem olhar para mim.

Eu estivera na porta da cozinha; fui até minha mãe e peguei a sacola. Andei o mais perto que pude de Greta, cutucando o braço dela quando passei, tentando cruzar nossos olhares. Mas ela não olhou para mim. Nem por um segundo.

– June, vamos – minha mãe falou. – Está pingando no chão todo.

Enquanto eu saía da cozinha, ouvi meus pais fazerem perguntas frenéticas para os dois policiais sobre Greta. Eu só conseguia pensar em Toby. O que acontecera a Toby? Isso significava que ele não encontrara Greta? Ele estava perdido no bosque? Tinha chegado tarde demais? Passaria a noite toda lá procurando por ela, tentando manter sua promessa para mim? Subi a escada dois degraus por vez correndo e, depois, acendi a luz e joguei o casaco do saco para a banheira.

Mal olhei para ele no início, ansiosa para voltar ao andar de baixo, mas, quando minha mão se estendeu para o interruptor, eu me virei. O casaco não era preto. O casaco de Greta era preto. Fiquei olhando para o volume molhado na banheira por alguns segundos, sem registrar de verdade o que eu via. Não era o casaco de Greta na banheira. Caído no fundo dela, como algum tipo de animal morto, estava um grande casaco cinza. O casaco de Finn. O casaco de Toby. O que ele usara no zoológico.

Desci a escada correndo dois degraus por vez.

– Conte para nós o que está acontecendo – minha mãe estava dizendo.

Fiquei na porta observando. Tentando cruzar o olhar com o de Greta.

– Bem, em primeiro lugar, achamos que a Greta está bem – o policial Gellski falou.

– Onde vocês a encontraram? – ela perguntou torcendo as mãos.

– Atrás da escola, Sra. Elbus. No bosque. As crianças dão festas lá às vezes. Gostamos de ficar de olho ali. – Ele esticou os braços pelo balcão da cozinha. – Parece que ela bebeu um pouco demais. Exagerou um pouco na festa, esse tipo de coisa, mas não estamos muito preocupados com isso agora.

Olhe para mim, Greta. Olhe para mim. Eu estava pensando nela com o máximo de força que conseguia, mas, ainda assim, nada.

– Não estão? – meu pai perguntou.

O policial jovem ficava trocando o peso do corpo do pé esquerdo para o direito. Ele parecia desconfortável, como se não tivesse um trabalho de verdade a fazer depois de ter entregado o casaco.

– Não. Não é isso o que está nos preocupando agora – o policial Gellski disse.

– Bem, o que é então?

– Havia um homem, Sr. Elbus.

Meu estômago pareceu virar pedra. Pesado e frio e demais para o meu corpo aguentar. *Olhe para mim, Greta. Por favor, olhe para mim.*

A voz do meu pai pareceu assustada então, alta e aguda:

– Um homem? Que tipo de homem?

E o policial Gellski descreveu com exatidão o que eles viram. Disse que ele e o policial jovem estavam sentados na viatura no estacionamento da escola. Algumas pessoas que moravam na rua ligaram, reclamando de barulho, o que, ele disse, não era incomum para uma noite de sábado. O que foi um pouco diferente foi que o vizinho relatou um grito. Não apenas o barulho comum de festa, mas também uma menina gritando. Assim, os dois ficaram sentados na viatura com os faróis apagados, observando, prestando atenção em qualquer movimento dentro ou fora do bosque. Qualquer coisa que indicasse uma festa.

– Saímos do carro, prestes a andar naquela direção, e começou a chover. Muito. Olhamos um para o outro, pensando que não valia pena ficarmos encharcados por causa daquilo. A chuva tiraria todos do bosque de qualquer maneira.

Meus pensamentos estavam descontrolados. Espalhados por toda parte.

– Estávamos indo embora. Eu tinha acabado de virar a chave no contato, acabado de acender os faróis. – O policial Gellski fez a mímica de ligar o carro. – Estávamos dando ré. O carro estava de frente para o bosque e, assim, os faróis estavam brilhando bem nas árvores, iluminando todo o local, e foi quando ele saiu.

– Não entendo – meu pai disse.

O policial mais jovem deu um passo à frente.

– O homem em questão estava saindo da floresta, segurando sua filha, Sr. Elbus.

Ele colocou os braços para a frente, como se segurasse lenha, demonstrando.

– Para falar a verdade, no começo, pensamos que ele estivesse segurando um cachorro ou coisa assim. Um cachorro morto. – Gellski levantou uma mão. – Sem querer ofender.

– Foi por causa daquele casaco grande – falou o policial jovem.

Enquanto Gellski descrevia o que acontecera, eu podia ver a coisa toda na minha cabeça. Toby, como um Ichabod Crane alto e magro, correndo pelo bosque, com frio e molhado, levando Greta empacotada no colo. Correndo cada vez mais rápido, o coração bom acelerado. Eu podia vê-lo com muita clareza, tentando agir certo comigo, com Finn, os olhos apertando-se conforme saía aos tropeços do bosque, chocado com os faróis apontados bem para ele. Agarrando Greta com mais força, os dois ensopados.

– Colocamos os dois na parte de trás da viatura, algemamos o homem. Não conseguimos tirar nem uma palavra. De nenhum dos dois.

– O homem – minha mãe disse, olhando entre os policiais e Greta. – Greta, quem é esse homem? Do que eles estão falando? A festa do elenco era na casa dos Reeds, não era? Eu não...

Meu pai puxou uma cadeira e minha mãe se sentou, parecendo derrotada. Eu entrei na cozinha devagar, tirei um copo do armário e o enchi de água.

Greta não respondeu e minha mãe se virou de novo para os policiais.

Andei até minha irmã e me ajoelhei, entregando o copo para ela. De baixo, espiei o rosto dela. Enquanto os adultos continuavam falando, olhei bem nos olhos dela até forçá-la a olhar para mim. Durante esses poucos segundos, assim que nossos olhos se encontraram, foi como se fôssemos as únicas pessoas no lugar. Coloquei uma mão no braço dela e, com tudo o que eu tinha, tentei fazê-la entender que fora tudo coisa minha. Que nada daquilo era culpa de Toby. Meus olhos estavam implorando para ela salvá-lo. Eu perdoaria todas as coisas horríveis que ela já me fizera por isso. Por essa única coisa. Fiquei olhando, esperando algum sinal dela. Mas não vi nada. Era Greta quem conseguia ler as pessoas, não eu. Depois de alguns segundos, ela deu um gole longo e lento na água e desviou-se de mim.

– O nome do homem é Tobias Aldshaw. Isso significa alguma coisa para vocês?

Minha mãe e meu pai se olharam como se tivessem acabado de lhes dizer que marcianos pousaram no jardim.

– Toby? – minha mãe falou.

– Então vocês conhecem o homem? – perguntou o policial Gellski.

– Bem...

– Tem mais uma coisa – Gellski disse.

Mais uma coisa? Toby estava bêbado? Ele estivera bebendo quando eu o fizera sair dirigindo?

Gellski colocou a mão no bolso do peito da camisa.

– Encontramos isto no bolso de trás dele.

Ele jogou um livrinho azul-marinho na mesa e todos ficaram olhando. Segurei um grito e, depois, cobri a boca com a mão. Meu passaporte. A confusão no rosto dos meus pais era tanta naquele momento que pensei que ela poderia ficar ali para sempre. Minha mãe pegou o passaporte e folheou-o até a página da foto. Ficou olhando por um momento e, depois, olhou para mim. Fiquei parada, mas desviei o olhar.

– June? Este é o passaporte da June. Isso está começando a me assustar mesmo – minha mãe declarou, virando-se para o meu pai. – Eu não entendo...

Vi tudo naquele momento. Vi o quanto era funda a armadilha em que Toby estava. Se ninguém falasse nada, se parecesse que ele estava ali por conta própria, como uma pessoa louca, com meu passaporte, com Greta, ele seria detido. E, talvez, ainda mais. Prisão? Enviado de volta para a Inglaterra? Mas, se eu lhes contasse tudo – se todos soubesse que Toby estivera se encontrando comigo, encontrando-se sozinho com uma menina de 14 anos na cidade –, eu não sabia o que aconteceria. Com nenhum de nós.

– Greta – eu disse, mais baixo que todas as vozes adultas.

Ela se virou devagar e olhou para mim por cima do ombro. Parecia ter mais de 16 anos, de um jeito esgotado, e tão cansada que eu não conseguia imaginar como ela ainda estava sentada com a postura ereta.

Por favor, eu disse sem fazer barulho.

As palavras *sequestro* e *AIDS* e *imigrante ilegal* voaram pela cozinha, mas eu só observei Greta. Ela se virou de volta devagar e, por alguns segundos, ficou ali sentada, sem falar. Ela não ajudaria. Ela me deixaria afundar em toda aquela bagunça. Ela me deixaria ver Toby receber tudo o que ela achava que ele merecia.

– Mãe – eu disse.

Ela não me ouviu e, assim, eu repeti, mais alto:

– Mãe.

– June, vai ficar tudo bem, querida. Não se preocupe.

Eu fiz que não com a cabeça.

– Não. Não, é só que...

Greta então se levantou. Ela esticou os braços ao lado do corpo e passou a mão pela saia de hula-hula até o bolso da frente para pegar um prendedor de cabelo. Torceu o cabelo em um coque bem-feito, prendendo o elástico em voltas para segurá-lo. Depois, respirou fundo e, o mais lentamente que pôde, soprou o ar com delicadeza. Esquadrinhou a cozinha, olhando bem nos olhos de cada pessoa ali, e, como uma voz tão alta e clara como a que usara em *Ao Sul do Pacífico*, disse:

– É culpa minha.

A cozinha ficou em silêncio.

O relógio amarelo fez tique-taque.

Minhas mãos tremiam tanto que tive de enfiá-las nos bolsos.

Quando Greta começou a falar, a única coisa que eu consegui fazer foi ficar parada e encarar com surpresa aquela pessoa que era minha irmã. O jeito como conseguia inventar uma história inteira na hora. Ela disse a eles que conhecia Toby. Que o vira uma vez quando estava na cidade com as amigas. Ela havia ido ao velho bairro de Finn, passado em frente ao prédio dele e, lá estava Toby, saindo pela porta da frente. Disse que ele a reconheceu, do retrato, de fotos que Finn tinha no apartamento, e a chamou. Disse que ele explicou quem era e, depois, ela se lembrou de tê-lo visto no funeral.

– Foi o cara que você apontou, lembra, pai?

Ela descreveu a coisa toda com muitos detalhes. Que ela e as amigas tinham pedido bebidas no Gray's Papaya. Que ela pediu piña colada

– sem álcool, disse, olhando para os meus pais –, mas as outras duas pediram suco de manga, e ela estava prestes a jogar seu copo fora quando o viu. Disse que não pretendia se aproximar dele no começo, mas depois decidiu ir, apenas por um minuto. E eles começaram a conversar.

– Foi idiota, eu sei que foi – falou. – Mas ele parecia tão triste e começou a falar sem parar do quanto sentia falta do Finn. Que estava muito sozinho. Foi tão totalmente estranho e eu não sabia o que dizer para ele, assim, acabei convidando-o para a festa. Eu disse que talvez sair o fizesse se sentir melhor e que teria uma festa. – Ela franziu a testa, parecendo indefesa. – Eu... Eu não sabia o que dizer a ele.

Ninguém falou nada e, assim, ela continuou:

– Não achei que ele viria. Digo, eu falei por falar, não era sério, seria de pensar que ele tivesse coisas melhores para fazer...

– Seria de pensar, não seria? – minha mãe falou, os lábios apertados.

– Deixe-a terminar, Danni – meu pai pediu.

– Mas, no final, foi uma coisa boa, não foi? Eu estava bêbada. Muito bêbada. Se não fosse pelo Toby, talvez eu ainda estivesse no bosque, desmaiada debaixo da chuva forte.

– Mas a festa era na casa dos Reeds, não era?

– A festa *oficial* era na casa dos Reeds, mas...

Ela não olhou para mim durante o tempo todo em que estava falando. Era como se estivesse se apresentando. Como uma atriz perfeita, fazendo pausas pelo tempo exato necessário para provar o argumento. Mudando a expressão no instante certo. Escolhendo para qual pessoa olhar quando estava dizendo algo especialmente difícil.

– Isso não explica nada, Greta – minha mãe falou. – Um homem adulto com AIDS no bosque em uma festa escolar? Não. Nada faz isso ser certo. Nada faz ser certo ele estar carregando minha filha por um estacionamento. E o passaporte da June. Também tem isso. Por que diabos ele teria o passaporte da June no bolso?

– Esses passaportes estão em uma caixa trancada em nosso quarto – meu pai contou ao policial Gellski. – Não faz nenhum sentido.

Eu queria tanto ter o tipo de cérebro que Greta tem. Teria dado qualquer coisa para dar um passo à frente com alguma explicação elegante para o motivo de um homem chamado Tobias Aldshaw ter meu passaporte no seu bolso de trás. Mas todos os meus pensamentos pareceram ficar embaçados e misturados. A possibilidade de uma história sensata sair da minha boca era zero.

– Não. Isso é simplesmente ridículo. Em todos os níveis – minha mãe afirmou. – Por que diabos aquele homem estava com o passaporte da June no bolso? – repetiu.

Olhei para Greta. Pensei que ela ficara desconcertada por causa do passaporte, porque não disse nada. Continuei olhando para ela até ver alguma coisa mudar. Eu realmente vi o momento exato quando ela mudou para uma cara culpada. Olhou para o chão e, depois, para cima de novo, espiando através da franja, parecendo tão menininha quanto conseguia. Depois, muito tranquila, ela contou a todos uma história sobre fazer documentos falsos para comprar bebida.

– Eu tinha feito um para mim faz algum tempo. É errado, eu sei, mas a June queria um também. Achei que ela ia para a festa. Eu disse que tentaria fazer alguma coisa para ela e...

Os dois policiais ficaram parados, assentindo com a cabeça.

– Já vimos esse tipo de coisa, Sra. Elbus – o mais novo disse. – Sei que é difícil acreditar quando são nossos filhos.

– Está dizendo que o Toby estava ajudando a fazer documentos falsos, Greta?

– Não, não. – Greta negou com a cabeça. – O passaporte deve ter caído do meu bolso. Ele deve ter pegado para mim.

Minha mãe e meu pai pareciam estupefatos. Era difícil dizer se estavam acreditando na história de Greta. Mas, eu pensei, o que mais havia para acreditar? Que aquele homem moribundo estava tentando sequestrar Greta e eu? Eles quereriam acreditar nisso? Podiam mesmo achar que Finn ficaria com alguém tão louco?

– Bem, onde ele está agora? – meu pai perguntou. – Acho que precisamos conversar.

O policial Gellski não respondeu logo, como se estivesse pensando em algo.

– Estamos com ele na viatura.

Os olhos de todos foram na direção da janela da sala de estar, a que era virada para a entrada. Toby estava lá fora. Bem do lado de fora da casa.

Meu pai deu um passo, mas o policial Gellski estendeu a mão.

– Eu não acho que agora seja o momento, Sr. Elbus. Vamos levá-lo para a delegacia. Deixe-nos falar com ele antes e, depois, talvez em um ou dois dias...

– Preciso ir ao banheiro – falei.

– Vai. Depressa – minha mãe disse. – Você está nessa também, June.

Saí da cozinha e o que eu queria fazer era sair correndo pela porta até Toby. Queria pedir desculpas de novo e de novo. Pedir desculpas até ter certeza de que ele acreditava em mim. Até ter certeza de que ele sabia que vinha da parte mais profunda do meu coração. Mas não podia fazer isso. Tinha de manter a cabeça fria.

Fui escondida para o porão, sendo o mais silenciosa possível. Peguei uma grande caixa de papelão branca e, na lateral, escrevi NÃO CONTE NADA PARA ELES!!!!!! com uma caneta preta grossa e de ponta plana.

Era possível ver a entrada da sala, mas também do meu quarto. Subi a escada na ponta dos pés e tirei as velas falsas da soleira da minha janela. Depois, abri toda a janela.

Lá estava a viatura e lá estava Toby sentado atrás. Seus braços estavam nus, seu cabelo ainda molhado e, mesmo de dentro da casa, eu podia ver que ele estava tremendo. Tudo o que eu queria fazer era andar pelo corredor, pegar um dos grandes casacos do meu pai e envolver Toby com ele. Queria tirar todos os cobertores da minha cama e correr até o carro e cobri-lo tão apertado que ele pararia de tremer na hora. Mas eu não podia. Era tudo culpa minha. Ele estava bem ali e, ainda assim, eu não podia cuidar dele. Acendi e apaguei minha luz algumas vezes para chamar a atenção dele e, depois, levantei a caixa até a janela.

Segurei-a ali por alguns segundos, escondendo meu rosto atrás daquela placa. Depois, baixei-a.

Toby tombou a cabeça um pouco, seu rosto magro emoldurado pela janela da viatura. Depois, desviou o olhar, constrangido ou bravo comigo por colocá-lo naquela confusão.

Eles não poderiam acusar Toby de nada. Não depois do que Greta dissera. Foi o que o policial Gellski nos falou. Também disse que o nome de Toby seria passado para a imigração. Que parecia que Toby tinha ultrapassado em anos seu limite de visitação.

Meus pais agradeceram aos policiais por trazerem Greta para casa em segurança e, depois, os dois os acompanharam até a porta. Observaram os policiais descerem os degraus da frente e irem para o carro.

– Quase sinto pena do homem – meu pai disse, olhando para a viatura.

– Eu sei, mas você não pode – minha mãe falou. – Ele é o tipo de pessoa destinada aos problemas. Olhe o que ele fez com o Finn...

A voz dela estava falhando.

– Vai ficar tudo bem.

Meu pai colocou o braço nas costas da minha mãe e eles subiram para a escada, ambos parecendo ter passado por algum tipo de batalha épica.

Greta já subira, deixando-me sozinha no andar de baixo. Eu vaguei de aposento em aposento, apagando as luzes.

Na sala de estar, parei para olhar o retrato. Lá estavam elas. As mesmas garotas. Iluminadas. Achei que não era tão ruim. As coisas que acrescentamos. Havia beleza nelas. Havia pelo menos um pouco de beleza no que havíamos feito.

Apaguei a luz e nós desaparecemos.

Cinquenta e nove

No andar de cima, escovei os dentes e, depois, sentei-me na borda da banheira, olhando para o casaco. Lá estava ele, lobo morto, todos os lindos aromas de Finn lavados. Toquei nele, suavemente no começo, fazendo carinho com a mão aberta.

– Sinto muito – sussurrei, acariciando o casaco com mais força, de novo e de novo.

Mesmo estando escuro e passando muito da meia-noite, aquele sábado não se deixava acabar. Ele permanecia, mantendo-me acordada, fazendo-me arrastá-lo direto para o domingo. Fiquei deitada na cama, repassando o que Greta fizera por mim. Por Toby e por mim. E, depois, de novo e de novo, pensei em Toby e me odiei pela encrenca para a qual eu o levara. Perguntei-me se o teriam deixado todo frio e molhado, sentado naquela pequena cela da delegacia da cidade. Aquela em que fizeram toda a nossa turma se espremer quando fomos lá em uma excursão na quarta série.

– É aqui que vocês não querem acabar, certo, crianças? – o policial dissera.

Todos, exceto Evan Hardy, assentiram com a cabeça. Evan ficara parado com as mãos no seu quadril de menininho e dissera:

– É, é, eu quero.

Lembro-me de ter medo por ele. Lembro-me de ter pensado que poderiam simplesmente mantê-lo ali se ele continuasse falando daquele jeito. E, naquele momento, era Toby, e tudo o que eu queria fazer era correr pelas ruas da cidade, direto para aquela cela. Queria levar roupas secas para ele e queria lhe dizer o quanto eu lamentava.

Tentei esquecer tudo aquilo. Contei até mil de trás para a frente. Ouvi o ritmo do ronco do meu pai, tentando respirar junto com ele. Abri as cortinas e me deitei de costas. A tempestade foi diminuindo e observei as nuvens pós-tempestade passarem depressa em frente à lua, cobrindo--a e, depois, deixando-a brilhar. De repente, em meio a tudo aquilo, ouvi o som de choro.

Apertei minha orelha contra a parede ao lado da cama. O choro continuou e, depois, parou por um tempo e começou de novo. Greta estava acordada.

As luzes estavam apagadas no quarto dela, exceto pela luz noturna azul em forma de coração debaixo da escrivaninha. Quando mexi na porta para abri-la, ela imediatamente se soltou mais para baixo das cobertas e virou-se para olhar o lado mais distante do quarto.

– Posso entrar?

Greta encolheu os ombros e eu me arrastei em silêncio para a cama dela, apertando minhas costas contra as dela. Ficamos ali, sem dizer nada, nossos corpos rígidos e tensos.

– Obrigada por dizer tudo aquilo – falei.

Eu a senti limpar os olhos no cobertor.

– Eu não deveria ter ligado para ele... Sei que você odeia o Toby...

Ouvi minha voz falhar.

Greta começou a rir. Não era uma risada feliz. Mas triste e frustrada.

– Você simplesmente não entende, não é?

Eu a senti balançar a cabeça de um lado para o outro e me virei. Ela estava sentada ereta e pegando alguma coisa embaixo do colchão. Tirou uma garrafa com algum tipo de bebida.

– Vai pegar um refrigerante na geladeira, vai?

– Que tipo?

– Não me importa, mas não faz barulho.

Deslizei para fora e voltei com uma garrafa meio cheia de refrigerante de baunilha e um copo. Greta despejou um pouco da bebida nele e, depois, cobriu com o refrigerante.

– Tome – disse, passando-me o copo.

Eu dei um gole. Era enjoativamente doce e, depois, havia o calor do álcool. Devolvi o copo e Greta virou o resto em um gole. Depois, nós duas nos arrastamos de volta para debaixo das cobertas.

– O que eu não entendo?

Baixei os olhos, na esperança de que Greta respondesse se eu não ficasse olhando direto para ela.

– O quanto você tem sorte.

Ela sussurrou isso e, depois, virou-se.

– Ah, é, até parece.

– Sabe o que é desejar que alguém morra?

– Eu...

– Já se perguntou como eu sabia que o Finn estava doente bem antes de você? Mesmo ele sendo *seu* padrinho?

Pensei nisso por um segundo.

– Não... Quero dizer, você sempre sabe tudo antes de mim. É assim que é, só isso.

Greta aproximou-se mais de mim, seu corpo pequeno contra o meu volumoso.

– Lembra-se daquele dia em que o Finn nos levou para tomar aqueles chocolates quentes congelados na Serendipity? Você se lembra daquele lugar?

Fiz que sim com a cabeça. Serendipity era uma sorveteria chique e em estilo antigo no Upper East Side. Dentro, era escuro, com muita madeira, e eu me lembro daqueles chocolates quentes congelados enormes com muito chantilly. Greta e eu dividimos um com dois canudos.

– Foi até antes de ele ter começado o retrato. Eu tinha a sua idade, ou talvez fosse mais nova. Talvez eu ainda tivesse 13 anos, não sei. Você, a mamãe e eu estávamos no apartamento do Finn depois da Serendipity. Eu estava no banheiro e tinha deixado a porta um pouco aberta, e a mamãe entrou direto e me viu usar o brilho labial do Finn. Ainda me lembro da expressão dela. Lembro como se estivesse olhando uma foto. Aterrorizada. Eu fiquei parada ali, congelada, segurando o brilho, toda envergonhada e culpada, e, depois ela bateu na minha mão para eu soltar o brilho. Com força. Com tanta força que doeu. Ela se espremeu para dentro daquele banheiro apertado e fechou a porta com nós duas dentro. Eu não sabia o que estava acontecendo. Sabia que não devia usar as coisas do Finn, mas ele sempre tinha aquela coisa nos lábios que cheirava a coco e abacaxi. Sabe? Sempre cheirava tão bem.

Eu sabia. Sabia exatamente de que cheiro ela estava falando.

Greta se apertava cada vez mais enquanto falava, até sua coluna estar curvada e cutucando forte a minha.

– Eu não sabia o que estava acontecendo. Não tinha ideia. E a mamãe começou a gritar comigo, tentando não fazer barulho ao mesmo tempo. Então, e de repente, ela ficou com lágrimas nos olhos e me abraçou. Perguntou se era a primeira vez que eu usava o brilho do Finn. Eu disse que era e ela pareceu aliviada e, depois, me abraçou mais. Foi quando ela me contou. Tudo sobre a doença do Finn. Sobre AIDS. Contou e me fez prometer nunca usar as coisas dele de novo. Ela disse que eu não precisava me preocupar porque foi só uma vez. Falou de novo e de novo que tudo ficaria bem. Está tudo bem, ela repetia, sempre limpando meus lábios com força, usando um pouco de papel higiênico. Prometi nunca mais fazer aquilo. Você se lembra dos lábios do Finn, June? Você se lembra de como eles eram rachados? Como sangravam todo inverno?

Fiz que sim com a cabeça. Não sabia o que dizer.

– Mas sabe de uma coisa?

Ela girou o corpo para olhar direto para mim e, assim, nossos rostos quase se tocaram. Fiz que não com a cabeça.

– Eu nem fiquei assustada. Quando a mamãe fechou a porta e voltou para a sala, eu me sentei no chão do banheiro e tudo o que senti foi alegria.

– Do que você está falando?

– Eu pensei que, se o Finn... Se ele estava morrendo, talvez a gente voltasse a ser como antes. Não é maldade? Não sou totalmente malvada?

Greta puxou as cobertas por cima da cabeça.

– Mas você me odeia.

Greta bufou.

– Você tem tanta, tanta sorte, June. Por que tem tanta sorte? Olhe para mim. – Ela espiou debaixo da coberta, falando entre as lágrimas. – Todos esses anos, eu fiquei olhando o Finn com você. E, depois, o Toby com você. Como você pôde fazer isso? Como pôde escolher o Toby em vez de mim?

– Mas o Finn sempre perguntava se você queria vir com a gente. Você sabe disso. Você sempre agia como se fosse a última coisa que queria fazer.

– O Finn sempre perguntava... É claro que perguntava. Mas eu sabia que você esperava que eu dissesse não. Não minta. Eu sei que você esperava por isso. Era como uma armadilha. Se eu fosse junto, você ficaria ressentida comigo. E, se eu não fosse, bem, então não faria parte de nada daquilo.

Era verdade. É claro que ela tinha percebido.

Estendi a mão para pegar a de Greta, mas não a encontrei. Em vez disso, toquei delicadamente no ombro dela.

– Eu não sabia.

– Você nem se lembra de como a gente era? Eu fiquei achando que você me encontraria no bosque e talvez... Talvez você ficasse preocupada. Como eu poderia competir com o Finn? Como eu poderia ser melhor que o Toby? Eu vou embora, June. Mais alguns meses e vou embora e, então... Não sei. E se a gente acabar como a mamãe e o Finn? E se eu for embora e acabar para nós? É como... Só parece que eu estou sendo puxada para o mar. Sabe o que quero dizer? Aqueles dias em que eu te segui para o bosque, você estava lá brincado como criança. Como uma criança de verdade, sabe? Como a gente costumava brincar. Eu queria tanto gritar: "Ei, June. Estou aqui. Olhe. Me deixe brincar também".

Ela deitou de costas e eu também, nós duas olhando para o teto, sob o edredom branco de Greta com os arco-íris e as nuvens por ele todo. O que ela tinha desde os 10 anos. O ronco do meu pai urrava pelo quarto silencioso. Uma fatia de luar brilhou pelo canto das cortinas de Greta e iluminou um globo terrestre empoeirado sobre a escrivaninha.

Conversamos durante horas no escuro. Contei a ela tudo o que acontecera naquele dia. O retrato. Que nossos pais achavam que era tudo culpa minha. Que eu os deixara pensar assim, porque era a coisa certa a fazer. A coisa nobre. Greta me disse que ela estivera tentando estragar o retrato, mas nunca parecia funcionar. O crânio e os lábios. Eles meio que o deixaram mais bonito, ela disse. Disse que descera ao cofre algumas vezes e ficara sentada ali, esperando que eu entrasse. Que eu a pegasse. Era a mesma situação com Bloody Mary. Ela ficava tentando estragar tudo, mas, de alguma maneira, quanto mais tentava, melhor as pessoas achavam que ela era.

– Eu vi – contei. – Eu te vi no palco e soube que estava tentando estragar tudo. Fui a única que pareceu notar.

– Eu sei que você foi a única. Essa é a questão. Fomos órfãs juntas. Eu sabia que você me veria. Eu ficava te convidando para aqueles ensaios, pensando... Não sei. – A voz dela ficou presa no fundo da garganta. – Não quero que a gente continue sendo má.

– Eu nunca quis – falei.

E, finalmente, percebi que éramos nós duas. Sempre fôramos nós duas. Nunca fora apenas Greta. Tudo o que ela dissera era verdade. Depois de todos os anos sendo melhores amigas, eu a abandonara. Como eu podia não ter visto isso? Como pude ter sido tão egoísta?

Greta deslizou para fora da cama e ligou o rádio bem baixo. Ela tinha um cabide preso à antena para poder sintonizar a WLIR lá de Long Island. A WLIR era a estação descolada, porque tocava principalmente coisas inglesas. Aquela música do Echo & the Bunnymen, *The Killing Moon*, estava tocando e ficamos deitadas ouvindo.

– Conta para mim o que aconteceu no bosque – pedi depois de um tempo.

– Vá dormir.

– Desculpe se o Toby te assustou – sussurrei. – Eu não sabia o que mais fazer.

Greta se virou para ainda mais para longe de mim e, assim, não estávamos mais nos tocando. Parecia que ela não diria nada, mas, depois de uma longa espera, limpou a garganta.

– Acho que eu assustei o Toby mais do que ele me assustou – disse.

– Você estava sozinha lá? – perguntei com cuidado.

Eu sabia que, a qualquer segundo, Greta poderia desaparecer, voltando a ser ela mesma.

– Pensei que fosse você no começo. Depois, ouvi uma voz de homem. Bem rouca. Ele estava falando meu nome, dizendo para eu não ter medo. Ele não disse *medo*, disse *amedrontada*. Foi quando eu gritei. E eu consigo gritar quando quero. Alto. Ele se levantou e pareceu estar pensando em correr, mas, depois, começou a balbuciar alguma coisa sobre a mamãe e o papai saberem do retrato. Ele disse que tinha sido mandado por você. Disse que era amigo do Finn. E, depois, tudo se encaixou no lugar. Eu tentei levantar rápido e de qualquer jeito. Empurrei as folhas de cima de mim, havia lama por toda parte. Estava chovendo forte. Eu escorreguei. Não queria a ajuda dele, mas não tive escolha. Mal conseguia manter os olhos abertos. E ele tirou o casaco... Eu me lembro disso. Ele tirou o casaco e colocou no chão e me levantou até ele. E, depois, me disse para voltar a dormir. Que tudo ficaria bem.

– Ele não é como você acha, Greta.

Depois, contei tudo o que sabia sobre nossa mãe para ela. Todo o ciúme e a tristeza. Toda a maldade que poderia vir de amar alguém demais.

Ela riu para si mesma. Apenas um soprinho triste pelo nariz.

Fechei os olhos e deixei Depeche Mode e Yazoo e The Cure apagarem tudo o que acontecera. Eu não queria deixar minha mente ir além naquele momento, porque, sempre que ela ia, eu via o rosto de dar pena de Toby na janela da viatura e não conseguia encarar isso. Ainda não.

Ficamos deitadas em silêncio por muito tempo, mas percebi que nenhuma de nós conseguiria dormir. Depois de um tempo, Greta cutucou minhas costas.

– O que foi?

– Você ficou sabendo que a WPLJ baniu aquela música estúpida do George Michael *I Want Your Sex* por causa da AIDS?

Fiz que não com a cabeça.

– Como se ouvir aquilo fosse deixar alguém no clima.

E nós duas começamos a gargalhar. Rimos até Greta cair da cama. E, depois, ela continuou a rir no chão. Eu nem conseguia me lembrar da última vez que nós rimos juntas assim, e sabia que significava que a minha irmã estava começando a voltar. Que, de alguma forma, Toby entrara no bosque e trouxera Greta de volta para mim. Ele trouxera minha irmã de volta para mim.

Ouvimos mais música, bebemos conhaque com refrigerante de baunilha e conversamos e conversamos, e aquele sábado nunca acabou de verdade. Não para nós. Ficamos acordadas até o mundo ganhar luz de novo. Até vermos o nascer do sol cor-de-rosa acima da cerca-viva de cedro recém-aparada dos Gordano.

Sessenta

Liguei para Toby às 5h30 da manhã no domingo. Apenas Greta e eu estávamos acordadas. O telefone tocou e tocou e eu pensei que ele provavelmente estava dormindo, então insisti. Deixei tocar 23 vezes antes de enfim desligar. Eu não estava preocupada de verdade, porque imaginei que ela ainda estava na delegacia. Não era uma sensação boa imaginá-lo lá, mas eu não estava preocupada. Ele apenas não chegara em casa ainda.

Depois de todas aquelas horas conversando e de todo o conhaque com o refrigerante de baunilha, Greta e eu finalmente desmaiamos. Achamos o caminho para nossas camas e dormimos até a hora do almoço, quando minha mãe nos acordou.

Ela bateu na minha porta e, depois, colocou a cabeça devagar para dentro. A maneira como olhou para mim foi diferente do que eu já vira antes. Era como se ela olhasse para outra pessoa. Uma desconhecida.

– June – disse. Falou meu nome de um jeito profissional. Calma e com um objetivo. – Seu pai e eu queremos seguir em frente em relação a isso.

Ouvi a voz de Toby na minha cabeça – *Mas para onde a gente seguiria em frente?* – e não tenho certeza se disfarcei o sorriso que deve ter aparecido em meu rosto.

– June? Você está ouvindo?

– Sim. É claro que estou ouvindo.

– A época dos impostos acabou e, depois desta semana, *Ao Sul do Pacífico* terá acabado, e nós achamos que deveríamos começar a fazer mais coisas em família. Ficarmos juntos por um tempo até vocês parecerem voltar ao normal. Não temos estado presentes. Sabemos disso.

Eu queria dizer que, se ela não tivesse feito Finn manter Toby em segredo, nada daquilo teria acontecido, mas não podia. Era minha culpa. Não havia motivo para arrastar minha mãe para isso. E, de qualquer maneira, eu entendia exatamente como ela se sentia. Conhecia a maneira como esperanças perdidas podiam ser perigosas, como elas podiam transformar uma pessoa em alguém que ela nunca pensou que seria.

Durante todo o dia, fiquei esperando Greta me ignorar ou dizer algo arrogante ou cruel. Esperei que ela fizesse alguma coisa que provasse que não havia falado sério em nada na noite anterior, mas ela não o fez. Quando me viu na cozinha, sorriu. Um sorriso real, verdadeiro e não arrogante.

Depois, naquela tarde, nós duas nos sentamos no sofá, olhando para o retrato.

– Não conte para a mamãe, mas eu meio que gostei – Greta sussurrou.

Assenti com a cabeça.

– Eu também.

O dourado no nosso cabelo parecia perfeito naquela hora e eu sabia que nós duas estávamos vendo isso. Podíamos ver como ele nos fazia parecer as irmãs mais amigas. Meninas feitas exatamente da mesma coisa.

Sessenta e um

Não houve resposta quando liguei para Toby naquela noite. Nem na segunda-feira de manhã cedo. Pensei que ele talvez tivesse decidido me odiar por causa do que eu o obrigara a fazer. Eu esperava que não fosse verdade. Mas achava que poderia ser.

A vida voltou a ser mais normal do que fora por muito tempo. Eu não estava fazendo viagens secretas para a cidade. Não havia Tigelas Vulcão ou salas secretas no porão. Não havia mais nem uma caixa-forte de banco subterrâneo. Talvez a normalidade fosse a pior parte daquilo. Eu perdera Toby. Ele estava desaparecido e eu era a única pessoa procurando por ele. Ele estava desaparecido e era culpa minha.

Depois da aula na segunda-feira, fui à biblioteca. Ben estava lá, tirando livros para um relatório sobre Hiroshima. Ele estava usando apenas jeans e uma camiseta branca comum. Sem capa. Ele me viu indo para o telefone público.

– Ei, você – chamou. – Menina loba.

Coloquei as mãos nos quadris e virei-me para olhá-lo.

– O quê?

– Você viu?

– O quê? Vi o quê?

– Na *Gazette* de hoje.

– Não – eu disse com cuidado.

Havia algum longo artigo sobre Toby ter estado no bosque?

– Seus lobos não existem mais – ele falou.

– O que você quer dizer?

– Cachorros selvagens. Uma matilha inteira. Coisa assustadora. Sabe aquela estrada de terra? Um cara velho morreu lá, tipo, um ano atrás, e todos os seus cachorros, sete ou oito deles, ficaram soltos.

Eu tinha quase certeza de que sabia de qual casa ele estava falando. De carro, você teria de subir a Rampatuck Road, que era de terra, para chegar à Wrisley Road, que também era de terra, mas mais estreita. Porém, se estivesse andando, apenas teria de subir aquele cume depois do rio, no bosque atrás da escola.

– O que aconteceu?

– Algumas pessoas reclamaram de cães mexendo nas latas de lixo delas, e, quando o controle de animais chegou e viu o que estava acontecendo, atirou neles. Em todos eles. Você teve sorte de nunca ter sido atacada lá.

– Mas por que atiraram neles?

– Porque eram cães selvagens. Alô. Você não me ouviu? Coisas perigosas. Sujos, doentes, descontrolados... O que eles deveriam fazer, levar todos para novos lares como bichinhos de estimação dóceis?

– E que tal simplesmente deixá-los em paz?

– Pode se considerar sortuda. É tudo o que eu tenho para dizer.

– Não me considero. Não me considero nem um pouco sortuda, porque, para começar, não tinha nada de que ter medo.

Ben sorriu, e eu vi exatamente como ele devia ter sido quando criança.

– Ainda posso te chamar de Menina Loba?

– Não – falei, lançando para ele o olhar mais severo que consegui fazer. Depois, antes que eu pudesse me conter, disse: – Por que não chama a Tina Yarwood de Menina Loba? Tenho certeza de que ela deixaria.

Ótimo. Com isso, eu parecia uma idiota ciumenta completa. Por causa de Ben Dellahunt, entre todas as pessoas. Eu nem me importava com Ben Dellahunt. Ele era legal, tinha alguns pontos bons, mas isso era tudo.

Ele pareceu confuso.

– Por que eu chamaria a Tina Yarwood de qualquer coisa?

Eu arrastei os pés, querendo ir embora.

– Ora, você está saindo com ela, não é?

– Eca, você não sabe que ela é minha prima? Sei que você adora essa coisa de Idade Média, mas...

– Ah... Não, eu não sabia. Meu Deus. É claro que é nojento. Tipo, muito nojento... Desculpe, eu...

– Tudo bem, tudo bem. Você não sabia. Que seja. Não precisa ficar totalmente mortificada.

– É, tudo bem. Mas eu falo sério. Eu não sabia. Não gosto desse tipo de coisa nem nada, certo?

Ben colocou as mãos no meu ombro e olhou para o meu rosto.

– June, você acha que eu acredito que você *gostaria* de namoros entre parentes? Mesmo? Você precisa seriamente encontrar um jeito de relaxar. Olhe, no próximo fim de semana, depois de a peça ter acabado, você pode vir para a minha casa e vamos tirar nos dados um personagem para você. Sem obrigações. Apenas jogamos os dados e vemos o que acontece. O que me diz? Estou achando que você tem jeito para assassina.

Ele deu um passo para trás, tombando a cabeça e apertando os olhos para mim. Por um segundo, eu me lembrei da maneira como Finn olhava para uma obra de arte e sorri, o que provavelmente deu a Ben a ideia errada, porque ele sorriu de volta.

– Elfa assassina... com mágica. Vamos esperar que os dados deem bons pontos de carisma. Eu estaria disposto a falsificar os números de constituição para dar uma chance justa a você. O que me diz?

Percebi que eu estava torcendo uma das minhas tranças nos dedos e a soltei. Olhei para baixo, desviando-me de Ben, e balbuciei:

– Tudo bem.

– Sério?

– É. Tudo bem. Eu vou.

Foi gostoso dizer sim. Concordar com uma coisa tão banal. Concordar em passar um tempo com um cara que não acha possível eu querer namorar meus parentes. Por alguns minutos, fiquei parada ali com Ben e esqueci tudo de terrível. Depois, ele se despediu, virou-se e foi embora, e tudo logo voltou.

Andei até o telefone público no lobby e liguei para Toby. Ainda sem resposta. Depois, tentei de novo, discando com mais cuidado, pensando que talvez eu estivesse ligando para o número errado. Mas não; tocou e tocou até eu desligar.

Corri para casa da biblioteca e fui direto para a caixa do correio. Eu teria dado tudo para encontrar uma carta de um dos lugares malucos de Toby. A Liga dos Bebedores de Tigelas Vulcão, a Sociedade de Apreciação de Miyagi-San, Mãos Douradas Unidas. Qualquer coisa. Mas havia apenas duas contas e um flyer do Grand Union.

Alguns minutos depois de eu entrar, minha mãe estava ao telefone, ligando do trabalho, para garantir que eu estava lá.

Greta ficaria até tarde na escola porque havia apresentações de *Ao Sul do Pacífico* às 19h nas noites de segunda, quarta e sexta naquela semana. Assim, sentei-me sozinha na cozinha e peguei minha lição de casa. Exercícios de geometria. Desenhei uma linha no papel e fiz duas colunas.

Olhei a folha de problemas. Proposições. Axiomas. Congruência. As palavras ficaram ali. Sem motivo e mortas. Bati o lápis contra o papel.

Depois, em vez de trabalhar em duas comprovações diferentes do teorema de Pitágoras, escrevi: *Comprovação de por que é impossível eu nunca mais ver Toby*. Olhei para isso por alguns segundos. Queria que fosse uma comprovação fácil. Como a que mostra que uma linha reta sempre está em um ângulo de 180°. Mas não era assim. Eu só consegui pensar em argumentos para o outro lado.

Como: e se a polícia tivesse levado Toby direto da nossa casa para o aeroporto e o enfiado em um avião de volta à Inglaterra? Ou se ele tivesse feito as malas e partido para algum lugar que eu nunca saberia? Ou se a polícia tivesse batido nele e o estivesse mantendo em uma cela escura para ninguém descobrir? Ou se fosse pior? E se fosse algo que eu nem conseguia imaginar?

– Não – eu disse em voz alta, antes de amassar o papel na mão.

Depois, tentei o telefone dele de novo. Apenas tocou e tocou.

Sessenta e dois

Consegui pensar em uma lista de motivos para ter feito aquela ligação para Toby no sábado à noite. Motivos convincentes. Motivos em que seria fácil acreditar. Eu estava preocupada com Greta. Parecia a melhor opção. Entrei em pânico. Há mais. Eu conseguiria pensar em mais em um instante. Mas, por baixo de tudo isso, estava o motivo do qual eu tinha medo. O que ainda me assombra à noite. O que ainda vaga por aí usando roupas de lobo. Com dentes afiados e brilhantes.

Aquele em que não quero acreditar é que eu fiz aquilo de propósito. Que liguei por causa de todos aqueles domingos em que esperei o telefone tocar. Todos aqueles domingos em que imaginei que Finn provavelmente estava se divertindo muito com Toby. Liguei por causa de quão constrangedor devia ter sido para Finn eu ficar bajulando-o o tempo todo. Liguei porque às vezes eu imaginava que conseguia ouvi-los rir. De mim. De todas as coisas bobas em mim. Como era engraçado eu não saber nada sobre eles dois. Como era hilário eu *sentir alguma coisa* pelo meu próprio tio. Eu ficava deitada na cama à noite e podia ouvir a linda risada de Finn no meu ouvido. "Hm-hm-hm", a risada dele fazia. Como se ele tivesse engolido o sol. Liguei porque conseguia ouvir aquilo com muita clareza. E queria mais daquilo e não queria nada daquilo. Não sou uma pessoa ciumenta. Era o que eu costumava dizer. Era no que eu costumava acreditar.

Mas talvez eu seja. Talvez seja exatamente o que sou. Talvez tudo o que eu quisesse fosse que Toby ouvisse os lobos que moravam no bosque escuro do meu coração. E talvez esse fosse o significado. Diga aos Lobos que estou em casa. Talvez Finn entendesse tudo, como sempre. Você pode muito bem dizer a eles onde você mora, porque vão encontrá-lo de qualquer maneira. Sempre encontram.

Comecei a pensar que talvez minha mãe e eu não fôssemos tão diferentes assim. Não em nossos corações. E talvez tenha sido Toby quem ficou com a pior parte. Eu digo talvez, mas sei que é verdade. Eu sabia que ele iria quando eu chamasse. Sabia que era perigoso e sabia que ele faria qualquer coisa para manter uma promessa feita a Finn.

Eu costumava acreditar em todos os bons motivos de ter feito aquela ligação naquela noite de tempestade idiota no sábado, mas, com cada dia que passava, cada dia sem Toby, eu perdia aquela crença. Comecei a saber a verdade.

Naquela noite, não dormi. Desci escondida a cada hora e liguei para Toby. A cada vez, o telefone tocava e tocava. Na minha cozinha escura à noite, eu conseguia imaginá-lo tocando no apartamento bagunçado de Finn. Vibrando pelos pratos sujos, em volta dos livros e pelo tapete turco. Procurando e procurando as orelhas certas para ouvirem.

Sessenta e três

– Você soube de alguma coisa?

Greta tinha vindo se sentar comigo no refeitório da escola. Era a primeira vez que isso acontecia e foi bom.

Fiz que não com a cabeça.

– Ele vai aparecer – ela disse. – Tome.

Entregou-me metade do seu sanduíche.

– Não, obrigada.

– Vamos, você precisa comer.

Fiz que não.

– Não posso.

Greta assentiu com a cabeça.

– Não é culpa sua, June, tudo bem? Ele é adulto.

– Ele está doente.

Eu estava prestes a dizer que devia cuidar dele, mas sabia que era algo de que ninguém jamais saberia.

– Vai ficar tudo bem – ela falou.

Colocou o braço no meu ombro, como as meninas fazem às vezes. Outras meninas, meninas de verdade.

Quarta-feira. Fazia quatro dias desde que eu vira Toby pela última vez. Eu me odiava.

Encontrei o telefone da delegacia de polícia na lista. Perguntei pelo policial Gellski e passaram a ligação.

Eu disse a ele que estava me perguntando, só de curiosidade, se ele poderia me dizer o que acontecera com Tobias Aldshaw depois de eles saírem da nossa casa na noite de sábado.

– Você é amiga do Sr. Aldshaw? – ele perguntou.

Eu não sabia o que deveria dizer. Não queria fazer nada para piorar a situação de Toby, mas havia um lugar dentro de mim, bem no meio do meu coração, que queria gritar que ele era meu amigo. Eu queria dizer àquele policial que ele era, na verdade, meu melhor amigo. Que eu não tinha amigo melhor no mundo do que Tobias Aldshaw. Mas não o fiz. Não disse isso.

– Sou a irmã da Greta Elbus. O Sr. Aldshaw era um grande amigo do meu tio. Eu conhecia o Sr. Aldshaw um pouco.

Ele não disse nada no começo.

– Certo. Certo, então. Bem, nós íamos mantê-lo aqui até de manhã, mas...

Ele fez uma pausa, e pude sentir que estava pensando se deveria continuar.

– Bem, sua mãe, ela nos contou sobre a AIDS e, para dizer a verdade, todo mundo quis tirá-lo daqui o mais rápido possível.

– Então vocês simplesmente o liberaram?

– O cara estava fervendo. Febre. Como eu disse, se não fosse pela AIDS, teríamos ficado com ele aqui por um tempo.

Ele ficava chamando de *a* AIDS, como se fosse um tipo de animal ou eletrodoméstico.

– Está dizendo que ele foi liberado?

– Ambulância. Os paramédicos o levaram.

– Sabe para onde?

– Não tenho certeza. Com a AIDS e tudo mais, podem tê-lo mandado direto para a cidade.

– Tem como eu descobrir para qual hospital?

– Tem, espere um pouco.

Ele tinha uma voz forte e pude ouvi-lo chamando alguém do outro lado da sala e, depois, o resmungo de alguém respondendo.

– É, Bellevue. Fica na cidade. Como eu disse, provavelmente o levaram até lá por causa da AIDS.

– É AIDS – falei.

– É. Foi o que eu disse.

– É AIDS. Não é *a* AIDS.

– Tudo bem, menina. Como quiser.

Liguei para o hospital. Perguntei por Toby usando o nome verdadeiro dele, que ficara se revirando na minha cabeça desde sábado, quando eu o ouvira pela primeira vez. Tobias Aldshaw. Parecia o nome de alguém famoso, não o nome de um homem invisível que não tinha ninguém no mundo além de mim.

O hospital me disse que ele não estava disponível. Disseram que o número do quarto era 2.763 e que eu deveria ligar de novo depois.

– O que você quer dizer com "não disponível"? – perguntei.

– Não faço ideia. Só não teve resposta quando tentei passar a ligação – a enfermeira disse. – Podem ser exames. Ele pode estar dormindo. Tente mais tarde.

– Mas ele está bem? Está, não é? Ainda é paciente.

Ouvi a enfermeira mexer em alguns papéis.

– O nome dela ainda está na lista. Tente mais tarde.

Minha mãe tinha ingressos para todas as apresentações de *Ao Sul do Pacífico*. Meu pai e eu fomos a apenas uma, mas ela queria ver quantas vezes pudesse. Minha mãe e Greta voltaram por volta da 21h30 e Greta tomou banho e se trocou. Meus pais terminaram de assistir ao noticiário das 22h e, depois, foram para a cama. Eu tinha ficado no quarto a noite toda e, quando ouvi o ronco do meu pai começar, desci escondida.

Arrastei o telefone pela porta dos fundos, fiquei agachada embaixo da janela do quarto de Greta e liguei direto para o quarto de Toby no hospital. Eu esperava que fosse tocar e tocar porque, depois de todos aqueles dias, parecia difícil acreditar que ele realmente atenderia. Mas atendeu.

Mal consegui ouvi-lo no começo. A voz dele tinha quase sumido. Ele limpou a garganta e tentou de novo.

– Alô?

– Toby?

– June?

– Ah, Toby, estou tão, tão feliz...

– June, eu estraguei tudo, não foi? Sinto muito.

– *Você* sente muito? Eu te arrastei até lá e agora... Você está bem? Deve me odiar.

– June. É claro que não.

– Eu não sabia onde você estava. Não fazia ideia do que tinha acontecido com você.

– Eu não podia ligar para a sua casa. Não depois...

– Foi uma má ideia. A pior ideia. Eu sinto tanto. Você está bem? Você está doente? O que a polícia fez com você?

– Estou bem – ele disse, mas o som da sua voz dizia algo diferente. A respiração estava difícil, como se estivesse se esforçando ao máximo para não tossir. – E você? Você e Greta?

– Estamos bem. Não se preocupe com a gente.

Eu enrolava e desenrolava o fio encaracolado do telefone em volta do dedo.

– Bom. Isso é bom.

Depois, nós dois ficamos em silêncio e achei que parecia difícil falar com Toby, de um jeito que nunca fora.

– Quando você volta para casa? – perguntei.

Ele tossiu e o som foi horrível. Profundo e vindo do peito. Fiquei ouvindo enquanto ele lutava para fazer a respiração voltar ao normal.

– June, escute, talvez eu não volte...

– É claro que volta – falei, mas estava começando a ficar com medo. – Estou superencrencada agora, mas vou pensar em alguma coisa. Vou para aí assim que eu puder, combinado?

– June, estou falando sério. Talvez eu não...

– Por que não voltaria? Seu violão está lá, e suas pulgas, suas amiguinhas, e...

– June...

– Não, Toby. Não. Porque eu ainda preciso te levar ao Cloisters e, depois, quando você estiver se sentindo melhor, pode conhecer a Greta do jeito certo. Você precisa. Não tem escolha.

– June...

A voz de Toby sumiu e ele começou a tossir de novo. Continuou tossindo alto e eu ouvi a enfermeira dizer alguma coisa para ele no fundo.

Eu queria contar a ele tudo o que acontecera nos dias anteriores. Queria encontrar mais maneiras de dizer que sentia muito. Queria fazer com que nós dois acreditássemos que ele voltaria para casa. Mas fiquei ali sem dizer nada. A lua era uma fatia e não havia brisa. Olhei para longe, observando mariposas salpicadas de cinza flutuando para cima até a luz do quintal.

Senti lágrimas chegando.

– Toby?

Mas ele continuou tossindo e tossindo até eu não aguentar mais ouvir.

– Toby, olhe, eu vou para aí. Assim que conseguir, combinado? Só aguente firme. Por favor, espere.

– Não, June. Vou ficar bem. Estou sendo idiota. Não se meta em mais encrenca.

– Apenas espere por mim, certo? Por favor?

Quando olhei para cima, Greta estava me observando da sua janela aberta. Olhamos uma para a outra por apenas alguns segundos. Eu não sabia o que ela estava pensando.

– Você vem comigo? – sussurrei para ela lá em cima.

Ela fechou a janela e bafejou no vidro. Com o dedo, escreveu *sim* na parte embaçada. Sem nem pensar, ela escrevera de trás para a frente, uma imagem de espelho, e, assim, ficou perfeita para mim.

Naquela noite, Greta dirigiu. Esperamos até depois da meia-noite, depois de nossos pais estarem bem adormecidos. Eu não estava preocupada em me meter em encrenca. Não havia encrenca maior para ainda me meter. E Toby não tinha ninguém. No mundo dele, eu, June Elbus, era o que havia, e eu consertaria tudo. Desfaria toda a bagunça em que eu o colocara.

Estava uma noite clara e quente. Greta tirou o carro do nosso pai da entrada de casa e, como fazia com tudo, como sempre conseguia, acabou dirigindo como se fizesse isso havia anos, apesar de ter acabado de tirar a carteira de motorista. Dirigimos pela Saw Milk Parkway vazia e Greta colocou no som a fita cassete de Simon and Garfunkel dos meus pais. Tirei dois cigarros da mala. Apertei o isqueiro do carro e esperei.

– O que vai fazer quando chegar lá? – Greta perguntou.

– Não sei.

– Você vai se sair bem.

Tentei acreditar nela. Tentei acreditar que eu tinha o poder de fazer a história terminar do jeito que quisesse. Apertei a ponta de cada cigarro contra o isqueiro e, depois, dei uma tragada em cada um para lhes dar vida.

– Tome – eu disse, passei um para Greta.

– Sabe, o cigarro. Isso me surpreendeu.

– É só algo que eu comecei a fazer – falei, sorrindo, e percebi que Toby estava brilhando através de mim com tanta força naquela hora que, por um momento, fiquei quase completamente invisível.

Sessenta e quatro

Até então, todas as vezes que eu estivera na cidade à noite fora com Finn. Certa vez, ele me levou para ver uma exibição especial de *A Felicidade Não se Compra* no Radio City Music Hall. Outra vez, fomos ao *La Bohème* no Lincoln Center. E, outra vez, não faz muito tempo, a minha família toda se encontrou com ele na cidade e fomos comer um grande jantar italiano para comemorar o aniversário da minha mãe. A cidade à noite deveria ter Finn no meio. Assim, de alguma forma, pensei que ele poderia estar lá. Não de verdade, mas tão parte da cidade à noite que eu o sentiria ali. Mas não foi assim que me senti. Éramos apenas Greta e eu paradas na calçada em frente ao prédio, eu procurando no bolso a chave com a fita vermelha.

Tínhamos decidido parar no apartamento de Finn primeiro. Eu queria levar uma troca de roupa para Toby. Além disso, percebemos que não fazíamos ideia de onde era o hospital Bellevue.

Imaginei que o apartamento estaria um caos. Pior que da vez anterior. Estava me preparando para explicar isso a Greta de alguma maneira, criar desculpas para Toby, mas, quando abri a porta, o lugar estava mais arrumado do que eu já vira. Tudo no lugar certo. Sem roupas penduradas em cadeiras. Sem pires com pilhas de saquinhos de chá e cigarros. Até o cheiro de coisa velha tinha sumido. As grandes janelas estavam alguns centímetros abertas, deixando entrar uma brisa que devia ter trabalhado para deixar o ar fresco. Tentei não reagir com muita surpresa.

– Isso é estranho – Greta disse. – Estar aqui assim.

– É – falei, pensando que ela nem sabia o quanto era estranho, porque não tinha visto a bagunça que aquele lugar estava algumas semanas antes.

Peguei uma sacola plástica na cozinha e andei pelo corredor até o quarto para buscar algumas roupas. A porta estava fechada, como costumava ficar, e eu a abri com delicadeza e fui até a cômoda. Greta me seguiu.

– Então, este é o quarto privado – ela disse.

A cama estava feita e os maços de cigarro haviam desaparecido do criado-mudo de Toby. Greta estava prestes a abrir o guarda-roupa, mas coloquei minha mão em cima da mão dela.

– Não vamos abrir – falei. – Tudo bem?

Greta procurou o Bellevue na lista telefônica. No final das contas, era bem longe em direção ao centro, perto do rio, no East Side.

– É melhor a gente ir – eu disse.

Estava parada perto da porta, olhando para a sala de estar. Tremi, porque estava tarde e eu estava cansada, mas também porque tive a sensação repentina de que poderia ser a última vez que veria o lugar. Mas não podia me deixar concentrar nisso. Greta estava andando pelo quarto, olhando cada coisinha. Como uma detetive procurando provas.

– Vamos – chamei.

Dirigimos por toda a West Ends Avenue, passamos por onde ela vira a 11th Avenue, até chegarmos à 23rd Street. Naquela hora da noite, o West End estava silencioso. Quase assustador. E, no sedan macio do meu pai, parecia que estávamos flutuando um pouco acima da cidade.

Quando chegamos ao Bellevue, eram quase duas da manhã. Greta estacionou em uma rua lateral.

– Volte para casa – falei.

– Você não pode ir sozinha.

– Você já teve uma apresentação, deve estar completamente exausta. Além disso, precisa contar para o papai e para a mamãe onde eu estou. Vão enlouquecer se nós duas estivermos desaparecidas pela manhã.

Ela pareceu pensar a respeito por alguns segundos.

– Quero garantir que você chegue lá antes. Depois eu vou. Combinado?

Fiz que sim com a cabeça.

Eu estava prestes a atravessar direto as grandes portas automáticas deslizantes, mas Greta me parou.

– Olhe, hospitais não deixam qualquer um entrar a qualquer hora da noite e do dia – ela disse. – Apenas espere.

Greta me puxou para longe das portas, para o lado. Colocou as mãos nos meus ombros e olhou para mim. E foi muito bom. No meio daquela noite terrível, não havia nada melhor do que sentir as mãos de Greta nos meus ombros. Tê-la me ensinando a fazer alguma coisa do jeito certo. Senti lágrimas abrindo caminho até meus olhos. Senti minhas pernas ficarem moles e fracas. Greta apertou meus ombros.

– Pare – falou.

Assenti, limpando o rosto com a manga.

– Vai dar tudo certo. Vão perguntar quem você é. Se você é parente.

Greta continuou olhando para mim. Depois, arrumou um pouco meu cabelo e olhou para mim mais um tempo.

– Certo. É isto que você vai fazer. Diga que você é irmã dele. Da Inglaterra. Ele ligou para você e disse que achava que estava muito mal. Você é a única pessoa que ele tem e não tem certeza de quanto tempo ainda resta para ele. Certo? Faça um sotaque. Não um sotaque idiota. Tente imitar o Toby ou algo do tipo.

Pensei em como Toby falava. Não com o sotaque inglês normal, mas do tipo em que todos os "us" tinham som fechado.

– E quanto a você? – perguntei.

– Vou ficar de olho em você. Garantir que te deixem subir. Depois, dirijo de volta para casa.

– A mamãe e o papai vão te matar. O que você vai dizer para eles?

– Vou entrar escondida e, se você não voltar até eles acordarem, vou pensar em alguma coisa. Eu me preocupo com isso. Você só vai em frente, certo?

Fiz que sim com a cabeça.

– Certo.

– Agora, lembre-se, o truque é entrar como se você esperasse ser autorizada para subir. Como se este fosse o seu lugar. Entendeu?

Fiz que sim de novo e deixei aquelas grandes portas brancas se abrirem para mim.

O Bellevue não parecia o tipo de hospital para onde uma pessoa escolheria ir se tivesse qualquer outra opção. Parte do lobby estava em reforma e havia áreas cercadas por cordas com placas que diziam DESCULPE-NOS PELA NOSSA APARÊNCIA..., mas não havia desculpa. A maioria das poltronas tinha rasgos em seus assentos de vinil laranja e, em um canto, havia um balde embaixo de uma mancha marrom no teto. Havia pessoas largadas nas poltronas dormindo. Uma mãe segurava uma criança pequena enrolada em um cobertor que parecia já ter sido rosa. Um cara parecia talvez ter levado um tiro no braço. Estava sentado tremendo, apertando uma toalha de praia com estampa bem colorida contra a parte de cima do braço. Uma TV aparafusada a uma prateleira perto do teto exibia um episódio de *Columbo*, mas sem som.

Bellevue parecia o tipo de lugar onde ninguém se importaria com quem fazia visitas, independentemente do horário e do lugar. Não parecia ser o tipo de lugar onde os funcionários reparariam muito nas coisas. Mas também parecia grande. Muito grande para eu achar Toby sozinha. Assim, atravessei aquele lobby até o balcão de informações.

Foi exatamente como Greta avisara. A recepcionista tentou me mandar embora, mas fiz tudo o que Greta me dissera para fazer e funcionou.

Caminhei pelo corredor até o elevador e dei uma olhada de volta para o lobby. La estava Greta, de pernas cruzadas, sentada ao lado de uma mulher que parecia estar com mais ou menos *13* meses de gravidez. Greta segurava uma revista bem alto em frente ao rosto e, quando apertei os olhos, vi que era a nossa edição da *Newsweek*. Eu ri e, depois, cobri a boca com a mão para me conter. Greta baixou a revista, olhou para mim por um segundo e sorriu. Quando a porta do elevador começou a se fechar, ela ficou em pé e ergueu uma mão para dar tchau. Foi uma daquelas memórias congeladas para mim, porque havia algo no aceno solene de Greta que me fez entender que estava relacionado com algo maior. Que, conforme a porta do elevador criava um eclipse no olhar que trocávamos, estávamos mesmo dando adeus para as meninas que costumávamos ser. Meninas que sabiam brincar de sereias invisíveis, que podiam correr por corredores escuros, fingindo salvar o mundo.

Toby estava em uma ala do oitavo andar. Parecia ser o lugar onde estavam colocando todos os caras com AIDS. Eu sabia que não era educado, mas era impossível não espiar dentro de cada quarto enquanto passava. Em quase todas as camas havia um homem. A maioria estava sozinha, mas um ou dois tinham pessoas sentadas no quarto com eles. O som suave e doce de um violino estava saindo de um dos quartos e, quando olhei para dentro, vi um homem me encarando de volta. Quando ele me viu, tentou virar a cabeça para o outro lado, depois, desistiu e, em vez disso, fechou os olhos.

Espiei o quarto de Toby e o vi deitado lá. O quarto estava escuro. A única luz vinha de uma pequena lâmpada fluorescente acima da pia. O rosto dele estava cinza, o cabelo, mais parecido com penas do que eu já vira. Ele estava usando uma máscara de oxigênio, algo que eu não havia esperado.

Os olhos dele estavam abertos e, quando me viu, ele tirou a máscara do rosto e deu o sorriso bem aberto e genuíno de sempre. Era a mesma maneira como sorrira para mim naquela primeira vez na estação de trem. Como se não pudesse acreditar na própria sorte. A diferença era que, desta vez, precisou se esforçar. Desta vez conseguiu mantê-lo apenas por alguns segundos antes de ele sumir. Dei alguns passos para dentro do quarto, sem tirar os olhos de Toby, e senti que estava desmoronando. Meus olhos começaram a ficar molhados e minha mão foi para a minha boca.

– Saia. Tente de novo – Toby disse na voz mais rouca de todas, virando os olhos na direção da porta.

Fiz que sim com a cabeça e saí rápido do quarto. No corredor, fiquei em pé contra a parede, curvada na cintura, arfando. Diminuí o ritmo da minha respiração. *Certo, certo, certo*, eu disse para mim mesma. Soprei um suspiro longo, tentando não pensar que aquilo era culpa minha. Precisava parar de pensar nisso ou nunca seria capaz de entrar de novo no quarto. Inspirei e expirei do jeito certo e devagar mais algumas vezes e, depois, virei-me e entrei.

Toby virara as costas para a porta. Talvez estivesse me dando uma chance de entrar devagar no quarto. Ou talvez apenas não conseguisse mais olhar para mim.

Fiquei observando o cobertor dele se mexer para cima e para baixo no ritmo da sua respiração chiada. Andei lentamente até o lado da cama e me curvei para perto, apertando minha orelha contra as costas dele.

– Você veio – ele disse para o silêncio.

– Eu trouxe algumas roupas para você – falei, levantando a sacola, embora ele estivesse olhando para o outro lado. – Para quando chegar a hora de ir para casa.

Toby virou o rosto e sorriu, mas pareceu doloroso porque seus lábios estavam muito secos. Ele começou a tossir e eu lhe servi um copo d'água.

– Psiu. Está tudo bem – eu disse.

– Aqui, pode me ajudar a levantar um pouco?

No começo, fiquei parada ali um pouco sem jeito, sem saber como ajudar. Depois, deslizei os braços para debaixo do corpo dele e levantei-o depressa na cama. Pensei que daria algum trabalho, mas não havia sobrado nada de Toby. A leveza do corpo dele era tão chocante que tive de me esforçar para conter um gritinho de surpresa. Senti como se pudesse tê-lo levantado e tirado da cama direto quase sem esforço algum.

Afofei os travesseiros e apertei-os atrás das costas dele, para ele ficar apoiado e se sentar.

– Está melhor? – perguntei.

– Perfeito – ele respondeu.

Puxei a cadeira o mais para perto da cama que eu pude e enrolei um cobertor extra em volta de mim.

– O apartamento está limpo.

– Ora, June, você parece surpresa.

Ele fez uma voz de dona de casa ofendida, mas foi em um sussurro rouco e, assim, soou como uma dona de casa ofendida que fumava cinco maços de cigarro por dia. Eu dei risada.

– Está bonito. Como costumava ser quando o Finn estava lá.

Toby sorriu. Depois, o sorriso se desfez. Ele deu outro gole de água, mas até isso o fez tossir. Depois de um tempo, a tosse virou um tipo frágil de latido. Ele segurou a lateral do corpo, fechando um pouco as pálpebras, e olhou para mim, os olhos escuros maiores e mais profundos do que nunca. Seu rosto inteiro eram os olhos naquele instante, e ele me encarou por um momento longo demais. Como se o tempo tivesse desacelerado para ele. Depois, estendeu a mão para pegar a minha e, então, segurou-a, esfregando o polegar na minha palma.

– Não é culpa sua, sabe? Você sabe disso, não é? Isto teria acontecido de qualquer maneira. Talvez em um mês. Talvez em dois.

Olhei para baixo. Encarei os dedos longos de Toby na minha mão. Os quadrados de linóleo com desenho espiralado do chão.

– Como pode dizer que não é culpa minha? – perguntei em um sussurro. – Como você pode continuar sendo tão legal comigo quando eu... Eu simplesmente não sou uma boa pessoa. Não consegue ver isso?

– Ah, June.

– Fico tentando pensar em um jeito de compensar você...

– Psiu – ele disse, pegando minha outra mão. – Psiu.

Ele começou a tossir alto de novo e eu fiquei sentada ali, impotente. Apontou para uma prateleira do outro lado do quarto. Olhei e havia um rolinho meio vazio de balas de caramelo Life Saver. Empurrei uma para fora com a unha e, depois, coloquei na boca de Toby. Meus dedos rasparam nos lábios dele, estavam tão ásperos e secos que quase me fizeram puxar a mão de volta. Depois de um tempo, a tosse parou e ele olhou para mim e me deu uma risada leve. Sentei-me no canto da cama.

– Sabia que durante todo esse tempo eu estava esperando uma forma de fazer algo grande e magnífico para você? Mas nunca aconteceu. E, depois, a única coisa que você finalmente me pediu eu não consegui fazer. Nunca sonhei que você me pediria para levá-la para a Inglaterra.

– Não, *eu* ia *te* levar. Eu queria te levar.

– É a mesma coisa, não é?

– Não. Nem um pouco.

– Mas eu sabia que não conseguiria trazê-la de volta para casa. Mesmo que a gente resolvesse todos os outros motivos para não podermos ir, eu sabia que não conseguiria trazê-la de volta para o país. Ultrapassei meu visto em uma boa quantidade de anos já. E, depois, também tem a ficha criminal. Eles não gostam muito desse tipo de coisa no controle de imigração. Eu não podia fazer isso, entende? Não podia deixá-la voltar para casa totalmente sozinha. O Finn não teria querido isso. Eu não quereria. Se a situação fosse diferente...

– Então, por que não me disse isso?

– O quê? Dizer: "Sinto muitíssimo por decepcioná-la, mas eu aleijei um homem para sempre e também sou imigrante ilegal e, por isso, sair do país não seria uma ideia maravilhosa para mim no momento"? O que teria parecido para você? Você poderia ter ido embora.

Pensei no que ele estava dizendo.

– Então, era disso que se tratava? Manter sua promessa para o Finn? Todo o nosso tempo juntos?

Ele fez que não com a cabeça tão devagar que foi quase imperceptível.

– Você acha mesmo isso?

Olhei para o outro lado.

– Às vezes.

– Você não percebe? É como se nos conhecêssemos há todos esses anos. Sem nem nos vermos. É como se tivesse existido uma... uma relação fantasma entre nós. Você colocando minhas palhetas pelo chão, eu comprando biscoitos pretos e brancos sempre que sabia que você viria. Você não sabia que era eu, mas era.

Era verdade. Sempre havia biscoitos macios e doces, pretos e brancos de uma padaria da 76th Street quando eu ia à casa de Finn. Em uma caixa branca amarrada com um cordão de algodão vermelho e branco.

– Sabe quando o Finn consertava coisas para você às vezes? Um relógio de corda uma vez, e aquela caixa de música. Aquela caixinha de música no formato de um cupcake que tocava *Parabéns a Você* quando você abria a parte de cima. Faltavam dentes, alguns daquele dentes bem pequenos de metal.

– Foi você?

Toby fez que sim com a cabeça e levantou a mão.

– Dedos – ele disse.

– Por que está me contando tudo isso agora? Por que esperou até este momento para me deixar saber disso?

Ele desviou o olhar.

– Porque talvez eu não queira deixar o planeta sendo invisível. Talvez eu precise que pelo menos uma pessoa se lembre de alguma coisa a meu respeito. E...

– E o quê?

Toby fechou os olhos e inspirou profundamente. Pensei que ele poderia estar prestes a adormecer, mas, depois, pegou minha mão de novo e olhou bem nos meus olhos.

– Ele foi o primeiro amor de nós dois, June.

As palavras ficaram suspensas ali e eu senti minhas bochechas ficarem quentes. Virei-me para Toby não ver meu rosto.

– Estamos ligados. Você percebe?

Ele fez uma pausa, esperando minha reação.

Eu não conseguia olhar nos olhos dele.

– É melhor eu ir...

– Não, June. Está tudo bem.

Virei-me na direção dele, então.

– O Finn era meu tio.

– Eu sei – ele disse, olhando para mim como se sentisse muita pena de mim.

– Tios não podem ser nossos primeiros amores.

Toby fez que sim com a cabeça devagar, os olhos fechados.

– Ninguém pode evitar o que sente, June.

– Eu...

– Ele era tão bonito e paciente e tão inteligente e talentoso. E talvez para você ele fosse duas pessoas. Percebe? Quem poderia resistir a nós dois esmagados dentro de uma pessoa linda, não é?

Toby sorriu. Sua voz estava ficando cada vez mais rouca, mas ainda assim ele continuou falando.

– Eu disse a ele, sabe? Eu disse a ele que ele faria com que você se apaixonasse, e ele não acreditou em mim. Nunca entendeu que tinha esse tipo de poder. E eu era como você. Sempre duvidando de mim mesmo. Sempre me perguntando por que ele ficaria comigo. June, acho que, se você disser isso, se deixar sair, talvez se sinta livre. Ele também foi o meu primeiro amor, June.

Eu ia dizer a ele que não era verdade. Que Finn era apenas meu tio. Que tios não podem ser nossos primeiros amores. Mas, de repente, o peso daquilo tudo pareceu demais. De repente eu não conseguia entender por que estivera carregando aquilo comigo por tanto, tanto tempo.

– Certo – respondi depressa. – Certo, eu estava apaixonada pelo Finn. Pronto. Tudo bem. Tudo bem?

Eu não conseguia olhar nos olhos de Toby, mas senti-o me puxar para si. Sua mão no meu braço.

– Está melhor, não está?

Fiz que sim. E, de alguma forma, estava.

Ficamos assim por um tempo. Eu empoleirada no canto da cama de Toby, esfregando lentamente o braço magro dele, ele apertando minha mão. Como o mais idoso dos casais. Essa era a sensação. Como se fôssemos duas pessoas que se conheciam desde sempre. Pessoas que podiam dizer qualquer coisa uma para a outra ou apenas ficar sentadas sem dizer nada mesmo.

– Vamos – eu disse.

– O que foi?

– Vamos. Vou te levar para casa. Para a minha casa. Você não pode ficar aqui.

Eu não soubera que aquele seria meu plano até falar, mas, quando falei, sabia que era o certo. Sabia que era a coisa perfeita a fazer. Eu me desenrolei do cobertor e andei para fechar a porta. Derramei a sacola de roupas na cadeira.

– June, não posso ir para lá. Seus pais... Sua mãe.

– Psiu. Podemos fazer o que quisermos. Foi o que você disse, não é?

Abri um grande sorriso para Toby. Depois, ofereci-lhe um braço. Ele se retraiu ao balançar as pernas para a lateral da cama.

– Estou começando a achar que nunca deveria ter dito isso. Estou começando a achar que ficou um pouco sem limites.

Eu ri.

– Tome.

Entreguei para ele uma camisa de botões xadrez de laranja e preto que eu nunca o vira usar. Há algo em escolher roupas para outra pessoa que me faz querer escolher algo que nunca vi antes. Como se pudesse haver uma chance de ter um vislumbre de toda uma outra versão de uma pessoa enterrada no fundo de uma gaveta de cômoda. Toby segurou a camisa longe do corpo e olhou para mim.

– O que é isto? – perguntou.

– Nunca te vi usar.

Toby me lançou um olhar que dizia que havia um bom motivo para isso, mas, depois, escorregou a camisa por cima da cabeça sem nem se dar ao trabalho de abrir os botões. Eu levara um jeans comum, que ele pareceu aliviado ao ver. Virei a cabeça para o outro lado enquanto ele tirava a camisola do hospital. Quando me virei de volta, ele ainda estava sentado na borda da cama e colocara o jeans, mas estava curvado, como se simplesmente trocar de roupa o tivesse esgotado. Sentei-me perto dele na cama e inclinei a cabeça para poder apertar a orelha contra seu peito. Havia tanto barulho e chiado ali que era difícil ver como ele estava conseguindo ao menos um pouco de ar. Depois, lembrei-me do tanque de oxigênio e estendi o braço pela cama, peguei a máscara e passei-a para Toby.

Ele assentiu com a cabeça e apertou por cima do nariz e da boca. Uma expressão de alívio espalhou-se pelo seu rosto.

Segui o tubo a partir da máscara, esperando que levasse a um tanque pequeno que eu pudesse pegar. Em vez disso, o tubo se ligava a um cano que corria pela parede e parecia estar ligado ao prédio em si.

– Não vamos poder levar isso – falei. – Talvez tenha sido uma ideia idiota.

Toby tirou a máscara e fez que não com a cabeça.

– Não, vai ficar tudo bem. Estaremos no ar puro.

– Tem certeza?

Ele assentiu, mas meu coração sabia que ele estava fazendo uma escolha. Eu sabia o que significava.

– Toby?

– Hum?

– Você... Você não quis dizer que o Finn foi seu primeiro amor da vida. Não quer dizer o primeiro mesmo, certo?

Virei-me para o outro lado, envergonhada por perguntar. Mas eu precisava saber.

Ele não disse nada por muito tempo. Fique sentada ouvindo sua respiração chiada, pensando que provavelmente era errado fazer uma pergunta assim. Que, às vezes, o que era privado devia continuar sendo privado. Eu estava prestes a lhe dizer para esquecer, mas ele pegou minha mão na sua e falou com uma voz baixa e frágil:

– O Finn nunca soube. Isso está só entre nós dois agora, tudo bem? Não importa. Não é culpa de ninguém.

Senti os dedos dele apertarem minha palma e foi como se ele estivesse apertando esse segredo para dentro da minha mão. De repente, todos os cheiros daquele quarto – álcool e desinfetante de pinho e geleia de framboesa – ficaram mais desagradáveis e fortes. Como se estivessem tentando apagar aquela revelação que mudara tudo e absolutamente nada. Toby fechara os olhos, mas os meus estavam bem abertos e não consegui parar de encará-lo. *Essa é a aparência do amor*, pensei. Depois, apertei a mão dele de volta.

– Está seguro comigo – eu disse. – Prometo.

Como os olhos ainda fechados, ele sorriu.

– Eu sei.

Eu estava certa quanto ao Bellevue. Era o tipo de lugar de onde você poderia sair direto sem ninguém reparar. Peguei um cobertor da cama de Toby e uma cadeira de rodas do balcão das enfermeiras ali perto e empurrei Toby até o elevador. Deixei-o no lobby e, depois, saí para chamar um táxi. Não demorou muito. Pedi ao taxista para esperar e entrei correndo de volta para buscá-lo.

Quando saímos de lá, o taxista nos encarou e pude perceber que ele estava tentando adivinhar o que éramos um do outro. Pensei no Playland, em como a mulher de lá imaginara que éramos algum tipo de casal estranho. Eu sabia que não havia jeito de alguém chegar a essa conclusão naquele momento. Jeito nenhum. E talvez fosse um pouco da malandragem de Toby passando para mim ou talvez fosse só porque eu quisesse testar a palavra nos lábios – queria ver se meus lábios poderiam pronunciar uma palavra tão grande e poderosa –, mas olhei bem nos olhos do taxista, inclinei-me e disse:

– Com licença, mas você se importaria de ajudar meu amor a entrar no carro?

Foi a primeira vez naquela noite que Toby riu. Ele virou a cabeça, tentando não estragar a brincadeira. A boca do taxista realmente ficou aberta, como um cara idiota em um desenho animado, mas eu continuei a olhar para ele, como se não entendesse qual era o problema. Deixei a palavra *amor* permanecer na minha cabeça até ele finalmente dar uma levantadinha na mão, como se dissesse "que seja" ou "só em Nova York" ou "cada um na sua". O tipo de coisa que as pessoas dizem sobre coisas que nunca entenderão. Depois, ele pegou o braço de Toby e colocou-o devagar no banco de trás do táxi.

– Então, para onde vamos? – o taxista disse.

Dei a ele o meu endereço. Não o do apartamento, mas o meu endereço de verdade, o da minha casa.

– Mas... – Toby começou a falar.

– Está tudo bem.

– Você tem dinheiro para ir até Westchester? – o taxista perguntou. – Vou precisar de um sinal.

Coloquei a mão no bolso e tirei as várias notas que Toby me dera fazia todo aquele tempo.

– Aqui está – respondi, entregando para eles duas de 50.

– Certo, certo. Sem perguntas – ele disse enquanto se afastava do meio-fio. Olhou por cima do ombro para nós. – Vocês se importam se eu colocar música?

Toby sorriu.

– Música, sim, música – balbuciou.

O taxista mexeu desajeitado no botão do rádio e, alguns segundos depois, sintonizou a estação da NYU e alguém estava dizendo:

– *... e, agora, Frankie Yankovic com* Tick Tock Polka.

O táxi se encheu de Frankie e seu acordeão e aquela polca boba, boba, e eu olhei para Toby e ele olhou para mim e rimos tanto que doeu.

E foi quando enfim cedi uma das minhas histórias de Finn para Toby. Era apenas uma pequena história, como todas as minhas eram. Contei a ele sobre aquele dia em que Greta levara o visgo para o apartamento de Finn. Sussurrei a história no ouvido dele. Contei sobre o clima naquele dia. As pelotas de granizo enquanto passávamos de carro. Como Finn estava. O que ele vestia. Eu nem tinha certeza se Toby conseguia me ouvir, mas falei a ele do *Requiem* no aparelho de som. Que o retrato estava quase pronto. O quanto eu estava assustada. Quão idiota. E que, no final, nada daquilo importou, porque Finn enxergou tudo. Contei a Toby sobre o beijo suave de borboleta de Finn no topo da minha cabeça. Que ele viu exatamente o que eu estava sentindo e fez tudo ficar bem. Como sempre fazia.

Toby apoiou-se no meu ombro e eu o senti fazer que sim com a cabeça só um pouquinho. Ele não estava mais tossindo muito, mas sua respiração ficara grossa e gorgolejante, como se estivesse respirando água em vez de ar.

Eu teria passeado daquele jeito por horas e horas. Talvez semanas, meses. Talvez o resto da minha vida. E o táxi nos levou para fora da cidade, subindo toda a First Avenue, cruzando a Willis Avenue Bridge, passando o Yankee Stadium e, depois, afastando-se das ruas bem iluminadas e saindo, saindo para a rodovia escura. Janela aberta. O ar frio da noite entrando e chegando até nós e o rádio zumbindo polcas sobre relógios e cervejas e rosas amarelas e olhos azuis chorando. Lá estava a cabeça sonolenta de Toby no meu ombro e minha mão aberta na cabeça dele, o cobertor de lã áspero que nos cobria e a sensação de ter dado muita risada e ter chorado até não sobrar nada mesmo. Além da tranquilidade. O melhor tipo de tranquilidade. É como eu me lembro daquela noite. É como sempre quero me lembrar dela.

Sessenta e cinco

Toby estava certo. Finn foi meu primeiro amor. Mas Toby, ele foi meu segundo. E a tristeza naquilo esticava-se como um rio longo e frio do tamanho da minha vida inteira. Minha assinatura provavelmente se estabilizaria e épocas de impostos chegariam e passariam. Eu eventualmente enfiaria as botas medievais no fundo do guarda-roupa e começaria a usar tênis e calças jeans como todas as outras pessoas. Talvez eu crescesse mais ou talvez não. Talvez virasse a Rainha Loba das Regiões Distantes ou talvez continuasse sendo apenas June Elbus, Rainha dos Corações Ciumentos. Talvez passasse meus anos sozinha, esperando aparecer alguém que fosse pelo menos metade do que Toby e Finn eram. Mesmo um quarto. Ou talvez não. Talvez já soubesse que não havia motivo para esperar por isso. Talvez eu estivesse destinada a sempre me apaixonar por pessoas que não poderia ter. Talvez haja toda uma seleção de pessoas impossíveis esperando que eu as encontre. Esperando para me fazer sentir a mesma impossibilidade de novo e de novo.

Porém, acho que era o que eu merecia. Não. Isso seria gentileza. Eu merecia algo muito pior.

Toby dormiu no sofá da nossa sala. A Greta pintada e a eu pintada e a Greta real e a eu real cuidamos dele durante a noite. Ele dormiu debaixo de todas as cobertas das nossas camas, cobertas com estampas de arco--íris e balões e Holly Hobbie com seu grande gorro de palha preso com fita. Ele dormiu com nossos olhos nele.

Greta me esperara acordada. Ela não disse nada quando viu que eu estava com Toby; fez um aceno gracioso com a cabeça para eu saber que ela entendia. Na maior parte do tempo, ficamos sentadas em silêncio, mas, de vez em quanto, Greta cantava trechos do que quer que conseguisse pensar e, sempre que ela fazia isso, víamos um pequeno sorriso puxar o canto da boca de Toby. Assim, ela continuava. Músicas de *Ao Sul do Pacífico*, James Taylor e Simon and Garfunkel. Tivemos o cuidado de manter as vozes baixas e, além da cantoria suave e doce de Greta, mal dissemos alguma coisa. Sentei-me em uma poltrona perto do sofá e fiquei com a mão na cabeça febril de Toby. Assim como ele provavelmente fizera com Finn.

E o mundo começou a acordar. Ao primeiro sinal de luz, Greta fechou as cortinas tão bem que nem uma fresta de brilho conseguia entrar. Mas, mesmo sem luz, o dia estava começando. Portas de carros batiam. O triturar de pneus sobre entradas com cascalho. O rádio-despertador dos meus pais, a voz séria da 1010 WINS. Só notícias. O tempo todo. A porta do banheiro sendo fechada e, depois, sendo aberta de novo e então os passos de chinelos percorrendo a escada.

– Deixe que eu... – Greta disse.

– Não.

Neguei com a cabeça e, depois, levei minha poltrona para ainda mais perto de Toby. Queria que tudo fosse simples e verdadeiro. Queria que minha mãe descesse e visse minha mão na cabeça de Toby.

E ela viu. Parou na escada de roupão, apertando os olhos para a sala de estar escura.

– June? – disse.

No entanto, foi tudo o que conseguiu falar, porque, enquanto olhava de mim para Toby para Greta, não havia mais nada a dizer. A história toda estava ali. A mão dela rapidamente cobriu a boca e, depois, ela subiu de novo a escada para chamar meu pai.

Houve muita conversa depois disso. Parte era brava, magoada. Porém, a maior parte foram apenas perguntas e, no final de tudo, não restou nada a dizer. Os dois entenderam que Toby era meu amigo.

Por um longo tempo, nós quatro ficamos sentados na sala de estar no tipo de silêncio frágil que eu só sentira em igrejas e bibliotecas. Do tipo que todos têm cuidado para não quebrar. Observamos o peito de Toby subir e descer, subir e descer, a única prova de que ele ainda estava conosco.

Foi minha mãe quem se levantou primeiro. Ela cruzou a sala, ajoelhou-se no chão ao lado de Toby e colocou a palma aberta na cabeça dele. Observei enquanto ela passava a mão por cima do cabelo macio e com jeito de pena dele, e, apesar de ela estar de costas para mim, acho que eu a ouvi dizer "desculpe". Quero acreditar que foi isso que ouvi. Eu precisava saber que minha mãe entendia que ela tinha parte naquilo também. Que todo o ciúme e a inveja e a vergonha que carregamos era nosso próprio tipo de doença. Uma doença tanto quanto a AIDS de Toby e Finn.

No final, ficamos apenas nós duas na sala. Minha mãe e eu. O corpo de Toby ficou imóvel, e ela estendeu o braço e colocou a mão no meu ombro. Foi assim que a história de uma pessoa acabou.

Mais tarde, naquela noite, muito depois de o corpo de Toby ter sido levado e todos estarem bem adormecidos, vi algo que só mencionei para Greta. Eu não conseguia dormir e, assim, desci em silêncio a escada. A sala estava escura, exceto por uma única lâmpada em uma mesa perto do apoio da lareira. Uma cadeira da sala de jantar fora arrastada para perto da lareira e, em cima dela, estava minha mãe. Ela estava com um pincel fino em uma das mãos e, na outra, uma tampa de plástico de sorvete que usava como paleta. Observei em silêncio, fora do campo de visão, conforme ela mergulhava delicadamente o pincel na tinta. Eu a vi tombar a cabeça e olhar o retrato antes de tocar o pincel na tela, igual a Finn. Fiquei parada ali completamente descrente enquanto observava minha mãe dar suas pequenas pinceladas na pintura. De manhã, acordei antes de todos para ver o que ela fizera. Em volta do meu pescoço havia um colar de prata muito detalhado e perfeitamente pintado. No dedo de Greta, havia um anel de prata com a pedra do signo dela.

Às vezes, eu digo a mim mesma que não foi tão ruim. Ser responsável por matar alguém que estava morrendo de qualquer forma. Assassinar uma pessoa que já estava quase morta. É o que tento pensar às vezes, mas nunca funciona. Dois meses são 60 dias, 1.440 horas, 86.400 minutos. Eu fui ladra desses minutos. Roubei-os de Toby e roubei-os de mim mesma. Era nisso que se resumia. Minha família acreditaria para sempre que Toby era um assassino, mas nunca saberia a meu respeito. Eles nunca adivinhariam que havia uma assassina de verdade morando bem na casa deles. Não importa que Toby tenha me perdoado. Que ele realmente tenha deixado este mundo sem um único sentimento ruim por mim. Que tenha acabado como o mais doce dos amigos. Nada disso mudava alguma coisa. Há botões pretos escuros tatuados no meu coração. Vou carregá-los pelo resto dos meus dias.

Porem, há outra parte do meu coração que sabe que finalmente cumpri minha promessa. Fui eu quem cuidou de Toby até o finalzinho, que ficou com ele para que não ficasse só. Assim como Finn teria querido. E, às vezes, quando não quero mais ficar triste, acho que isso nos deixa quase quites.

Algo que eu sei de verdade é que meu superpoder sumiu. Meu coração está quebrado e amolecido, e sou comum de novo. Não tenho amigos na cidade. Nem mesmo um. Eu costumava pensar que talvez quisesse ser falcoeira e agora tenho certeza disso, porque preciso descobrir o segredo. Preciso descobrir como fazer as coisas sempre voltarem para mim, em vez de sempre irem embora voando.

Finn organizara para que, quando Toby morresse, Greta e eu ficássemos com tudo. Até o apartamento. Às vezes, eu imaginava nossas vidas no futuro. Nós duas disparando em direções diferentes. Faculdade e maridos e filhos. Talvez fôssemos morar a milhares de quilômetros de distância. Em países diferentes. Continentes diferentes até. Eu imaginava até mais à frente, quando fôssemos velhas senhoras. Vovozinhas velhinhas e corcundas com bolsas enormes e óculos e xales de tricô. Eu nos imaginei todos aqueles anos no futuro, voltando ao apartamento de Finn. Nosso lugar secreto. O lugar que Finn e Toby haviam deixado só para nós.

No entanto, aquela sala no porão, aquele lugar mágico, seria sempre só meu. Encontrei a cópia de Toby da foto boba que tiramos no Playland e mandei emoldurar. Usei um pedaço de fio para pendurá-la na parede da gaiola. Foi a única vez que voltei para lá. Peguei o elevador até lá embaixo e não tive medo. Nem um pouquinho. Toby me dissera uma vez que, quando ele e Finn descobriram que tinham AIDS, em vez de se sentirem danificados e como se o tempo estivesse acabando, sentiram o exato oposto. Ele e Finn se sentiram todo-poderosos. Como se nada pudesse tocá-los. Talvez eu tivesse pegado um pouco disso, porque, ao cruzar aquele porão, passando por aqueles colchões assustadores e os corredores escuros sem saída, tudo o que senti foi que era forte e firme. Como se quisesse gritar: "Venham me pegar". Sabendo que nada poderia me pegar.

Não houve funeral para Toby. E ele não queria ser enterrado. Dissera isso uma vez, fazendo graça.

– Não me vejo como um cara do tipo que gosta de caixão – falara.

E eu provavelmente dissera a ele que não o via como um cara que gostasse de cinzas também. Algo assim. Não lembro exatamente.

Durante todo o tempo, perguntei-me onde as cinzas de Finn estavam e, depois da centésima vez que perguntei, minha mãe admitiu afinal que estavam com ela. Estavam em uma urna de madeira lindamente polida que ela colocara na prateleira mais alta do seu guarda-roupa. Eu a imaginei conversando com aquela urna tarde da noite. Imaginei-a passando a palma da mão sobre a curva suave dela. Imaginei-a dizendo que sentia muito por quão maldosa ela fora com Toby. Arrependida pela forma como a situação acabara ficando. Eu imaginava essas coisas porque precisava. Precisava achar que tudo o que ela fizera havia sido por amor. Porque eu podia entender isso. Podia perdoar. Fazia-me pensar que talvez um dia eu conseguisse perdoar a mim mesma.

Em vez de ter um funeral de verdade, Toby foi cremado e, enfim, eu pensei que tinha um plano. Queria devolver Toby para Finn. Queria que o crematório abrisse a urna de Finn e colocasse as cinzas do Toby lá com as dele. Achei que minha mãe discutiria comigo por isso, mas não. Ela disse que achava que era certo. Que era o mínimo que podíamos fazer. O mínimo que nós duas podíamos fazer. E, depois de isso ser feito, senti que, pela primeira vez, eu acertara completamente em alguma coisa.

Quando vou ao bosque agora, sempre sigo ao longo do riacho e vou direto ao grande bordo. Corro para lá como Toby deve ter feito naquela noite de tempestade e, depois, eu me curvo e rastejo na terra. Porque e se houver uma pista? E se houver ali um pedaço grande de chiclete de morango ainda embrulhado no seu papel de cera, ou uma caixa de fósforos envelhecida pelo tempo, ou o botão caído do grande casaco cinza de alguém? E se, enterrada sob todas aquelas folhas, estiver eu? Não esta eu, mas a menina no vestido da Gunne Sax com o zíper preto aberto. A menina com as melhores botas do mundo. E se ela estiver ali embaixo? E se ela estiver chorando? Porque ela vai chorar, se eu encontrá-la. Suas lágrimas contam a história do que ela sabe. Que passado, presente e futuro são uma única coisa. Que não há aonde ir daqui. O lar é o lar é o lar.

Sessenta e seis

Todos nós estávamos sentados na sala de estar quando a campainha tocou. Era uma manhã de sábado e nós o estávamos esperando, o homem do Whitney. Minha mãe ficou em pé e olhou para todos.

– Não quero que façam cena – ela disse, virando-se para olhar bem para mim.

– O quê? – falei com minha melhor expressão do tipo "eu nunca faria isso".

– Sem comentários inadequados e sem cenas, entenderam? Tudo isso já é constrangedor o bastante.

Concordei com ela nisso. Tinha sido constrangedor. Apenas minha mãe, Greta e eu estávamos em casa quando o homem do Whitney fora ver o retrato pela primeira vez. Acho que todas nós estávamos esperando uma pessoa legal e relaxada das artes, mas ele parecia mais alguém do exército do que alguém envolvido com arte. Tinha o cabelo com corte militar e usava uma camisa branca abotoada até em cima. Carregava uma pasta preta e, como minha mãe previra, achou que éramos loucas. Ele nos disse que estava ofendido com o que havíamos feito. Disse isso três ou quatro vezes com as sobrancelhas muito franzidas. Percebi que até minha mãe ficara intimidada por ele, porque ela se esquecera de lhe oferecer café, e ela nunca se esquecia de ser educada. Ficamos sentadas na sala de estar enquanto ele olhava o retrato. Ele tirou uma prancheta com um bloco de papel amarelo da pasta e escreveu algumas anotações rápidas enquanto o analisava. De vez em quando, dava alguns passos mais para perto e, depois, voltava, então para a esquerda e para direita, rabiscando no bloco o tempo todo.

Eu não tinha certeza se ele entendia que era para Greta e para mim que estava olhando, que estávamos bem ali atrás dele. Eu estava prestes a fazer essa observação, mas, quanto mais ele olhava, mais brava começava a me sentir a respeito da situação. Como ele ousava olhar para nós assim? Que direito tinha de nos despedaçar com seus olhos? Todas aquelas horas que Finn passara tentando nos captar do jeito perfeito. Porque ele nos amava. Porque queria fazer aquilo para *nós*. Todo aquele amor não significava nada para esse cara do Whitney. Isso era óbvio. Ele olhava para nós como se fôssemos espécimes. Encarava e encarava e, de repente, tudo o que eu queria era nos proteger. E proteger Finn. Eu queria proteger o trabalho de Finn.

Levantei-me.

– Já viu o bastante? – perguntei.

Eu estava com as mãos nos quadris. Esperava que minha mãe fosse me mandar ser educada. Olhei para ela e, em vez de parecer incomodada com minha grosseria, também se levantou.

– Isso – concordou, fazendo que sim com a cabeça. – Acho que é suficiente.

Depois, Greta levantou-se também, mas não disse nada.

O cara do Whitney olhou para nós devagar, uma de cada vez, e eu me perguntei se ele passara a vida toda assim, avaliando o que via. Depois de um tempo, ele assentiu com a cabeça discretamente.

– Tudo bem – disse. – Vamos discutir nossas opções. – Apontou para uma poltrona. – Posso?

– É claro – respondeu minha mãe.

Todas nós nos sentamos também e ouvimos.

Ele nos disse de novo que vergonha era tantos danos terem sido "infligidos". Usou as palavras *caricatura* e *aberração*, e não demorou muito para toda a ousadia que tínhamos sentido minutos antes evaporar por completo. Depois de ele parecer ter certeza de que entendíamos a magnitude do que fizéramos, disse que achava que um bom restaurador poderia limpar tudo aquilo.

– Não será uma tarefa barata – falou –, mas é necessária, e acho que vocês todas devem ficar aliviadas porque pelo menos será possível.

Fizemos que sim com a cabeça e, depois de alguma negociação, concordamos em deixá-lo levar a pintura consigo para o museu. Ele nos disse que deveríamos tê-la de volta dentro de um mês.

Depois, foi embora e, geralmente, aquele teria sido o tipo de momento em que todos os nossos sentimentos contidos estourariam, o momento em que explodiríamos de dar risada. Mas havia um grande espaço vazio na parede, que de alguma forma fazia aquilo não parecer nem um pouco engraçado.

Agora, ele estava do outro lado da nossa porta da frente de novo, desta vez com o retrato nas mãos.

– Certo, eu prometo – falei para a minha mãe. – Não vou dizer nada.

O homem estava igual à vez anterior. Imaginei um guarda-roupa cheio de camisas brancas limpas. Depois de algumas gentilezas e do café, do qual minha mãe se lembrou desta vez, ele colocou o retrato na mesa da cozinha. Estava enrolado em camadas e camadas de plástico-bolha e eu pensei em como aquele homem provavelmente desmaiaria e morreria se visse a maneira como todas aquelas pinturas no porão de Finn eram guardadas. A forma como estavam desembaladas e empilhadas umas sobre as outras. Sorri com esse pensamento, porque ele nunca saberia. Ninguém saberia. Nunca.

Meu pai também estava lá desta vez, e todos nós observamos enquanto o homem descascava a fita e desenrolava o embrulho.

– Penso que vocês vão achar o trabalho de restauração de ótima qualidade – ele disse.

E lá estava. Tudo o que havíamos feito – os botões, o crânio, os lábios, os cabelos e as unhas iluminadas –, tudo sumira. A pintura estava de volta à maneira como Finn a deixara.

Quase. Reparei que as duas coisas que minha mãe acrescentara – o colar e o anel – ainda estavam lá. Ela era boa assim. Era tão boa que nem um especialista em arte pudera diferenciar a pintura dela da de Finn. Ela seria parte daquele retrato para sempre. Observei minha mãe enquanto ela olhava para a pintura, mas não demonstrou nada. Pensei em tentar cruzar meu olhar com o dela e, assim, mostrar que eu entendia o que ela havia feito, mas decidi não fazer isso. Todos precisam pensar que têm segredos.

Meus pais estavam assentindo com a cabeça e Greta parecia aliviada. Eu era a única que parecia achar que havia algo triste em perder todas aquelas coisas. Mas não falei isso. Era o tipo de sentimento que eu não achava que alguém fosse entender. Além disso, prometera à minha mãe não fazer uma cena.

Meus pais agradeceram ao homem repetidas vezes e, embora ele fizesse que sim com a cabeça, pude perceber que estava morrendo por ter de deixar aquele retrato com pessoas idiotas como nós. Mas era o que ele tinha de fazer.

E, assim, o retrato foi pendurado acima da lareira. De volta ao seu lugar. No começo, sempre que um de nós passava por ele, olhava-o, mas, depois de um tempo, ele se transformou em parte do cenário da nossa casa. Das nossas vidas.

Porém, o que acontece é que, mesmo com toda a restauração, tudo apagado, eu ainda conseguia ler aquela pintura. Sou a única que sabe do lobo e sou a única que sabe que, se a luz atingir a tela do jeito certo, se for a luz laranja forte do final do dia e entrar pela janela vinda da lateral no ângulo exato, e se você souber o que está procurando, se souber o lugar preciso para onde olhar, ainda pode ver cinco botões pretos. Não da forma como eram, não desajeitados e grossos, mas como sombras. Como pequenas luas eclipsadas, flutuando sobre meu coração.

Nota da autora

Alegra meu coração que os fatos do mundo tenham se encaixado com perfeição na minha história na maior parte das vezes. Porém, nas ocasiões em que não se encaixaram, tomei a liberdade de adaptá-los – o mais delicadamente possível – para servirem.

Agradecimentos

Fui agraciada desde o começo com leitores habilidosos em combinar sinceridade e incentivo em equilíbrio perfeito. Muito obrigada a esses leitores e por suas palavras de sabedoria: Sarah Crow, Sondra Friedman, Julia Wherrell, Jerry Horsman, Clive Mitchell e Clare Blake.

Obrigada a Mollie Glick por ter levado *Lobos* para o mundo da melhor maneira possível. Eu não poderia pedir nada melhor. Muito obrigada também a todos da Foundry, em especial Katie Hamblin e Stéphanie Abou, e a Caspian Dennis, da Abner Stein.

Meu maior apreço por minha editora, Jen Smith. Obrigada por suas leituras sempre sábias, sempre gentis e sempre atenciosas, e por me dar um empurrão naquela reta final. Obrigada também a todos os outros da Dial Press: Susan Kamil, Hannah Elnan, Kathleen Murphy Lord e todos os que trabalharam ou vão trabalhar neste livro.

Obrigada a Jenny Geras, da Pan Macmillan. Que sorte a minha por ter duas editoras fantásticas trabalhando no meu livro. Obrigada também a Jeremy Trevathan, Ellen Wood, Michelle Kirk, Chloe Healy e a toda a equipe da Macmillan, cujo entusiasmo faz meu coração flutuar.

Obrigada a todos da New Writing Partnership, em especial Kate Pullinger e Candida Clark, por me selecionarem para o fantástico New Writing Ventures Award. Ainda penso sonhadora naquele ano de Ventures. E obrigada a Judith Murray, cujo feedback no começo me levou a fazer todas as perguntas certas sobre este livro.

Obrigada ao Arts Council of England, por me conceder uma doação generosa para escrever o primeiro rascunho de *Lobos*.

Muito obrigada e muito amor para a minha família e os meus amigos, perto ou longe, que sempre estiveram ao meu lado de tantas formas: mãe, pai, Wendy e Josh, Cindi, Shirley, Kristin, Lynne, Dilys, Mike, Steven e Irene.

Um aceno respeitoso para o fantasma de Ged Stewart.

E, acima de tudo, com amor para Chris, firme e sempre tolerante. Você nunca duvidou de que tudo ficaria bem. Eu não teria conseguido sem você.